SV

Sasha Marianna Salzmann

AUSSER SICH

Roman

Suhrkamp

2. Auflage 2017

Erste Auflage 2017
© Suhrkamp Verlag Berlin 2017
Alle Rechte vorbehalten,
insbesondere das der Übersetzung,
des öffentlichen Vortrags sowie der Übertragung
durch Rundfunk und Fernsehen, auch einzelner Teile.
Kein Teil des Werkes darf in irgendeiner Form
(durch Fotografie, Mikrofilm oder andere Verfahren)
ohne schriftliche Genehmigung des Verlages
reproduziert oder unter Verwendung
elektronischer Systeme verarbeitet, vervielfältigt
oder verbreitet werden.
Satz: Satz-Offizin Hümmer GmbH, Waldbüttelbrunn
Druck: CPI – Ebner & Spiegel, Ulm
Printed in Germany
ISBN 978-3-518-42762-0

Die Zeit vergeht schnell. Sie bewegt sich nach vorn und zurück und trägt dich weit fort, und keiner weiß mehr über sie als das: sie trägt dich durch ein Element, das du nicht verstehst, in ein anderes, an das du dich nicht erinnern wirst. Aber *etwas* erinnert sich – wenn man so will, kann man sagen, daß etwas sich rächt: die Falle des Jahrhunderts, der Gegenstand, der nun vor uns steht.

James Baldwin, *Eine Straße und kein Name*

Personen

Anton
Alissa, Ali – Schwester, Bruder, ich
Valentina, Valja – Mutter, Mama, Mam und alles
Konstantin, Kostja – Vater, so was wie
Daniil, Danja – Vater, Großvater
Emma, Emmotschka – Großmutter, manchmal Mutter
Schura, Sascha, Alexander – Urgroßvater, Großvater, Vater,
    Held der Roten Armee
Etja, Etina, Etinka – Mutter, Großmutter, Urgroßmutter,
    Superheldin
Katho, Katharina, Katüscha – ein Tänzer, ein Mehrfach-
    raketenwerfer
Aglaja – Meerjungfrau
Cemal, Cemo, Cemal Bey – der Onkel
Elyas – der Freund

Und all die anderen Eltern und die Eltern der Eltern in
Odessa, Czernowitz, Moskau, Istanbul, Berlin

Ingeborg Bachmann schreibt:
»Nur die Zeitangabe mußte ich mir lange überlegen, denn es
ist mir fast unmöglich, ›heute‹ zu sagen, obwohl man jeden
Tag ›heute‹ sagt …«
Die Zeit ist also ein Heute, von vor hundert Jahren bis jetzt.

EINS

»nach Hause«

Ich weiß nicht, wohin es geht, alle anderen wissen es, ich nicht. Ich umklammere dieses Marmeladenglas, das mir an die Brust gedrückt wurde, als wäre es meine letzte Puppe, und schaue, wie sie sich gegenseitig durch die Wohnung jagen. Papas Hände glänzen schweißig, sie sehen aus wie ungewaschene Teller, sie sind groß, wie sie an meinem Kopf vorbeibaumeln. Würde mein Kopf dazwischen kommen, klatsch, und platt ist er.

Mein Bruder wächst aus seiner Tasche wie ein Halm, steht mit beiden Beinen drin und legt Sachen raus, Mama schimpft, dann legt er sie wieder zurück in die Tasche. Als Mama gerade in der Küche ist, holt er den großen Karton mit dem Piratenschiff heraus und versteckt ihn weit unter seinem Bett. Mama kommt in den Flur, in dem ich stehe, beugt sich über mich, ihre Stirn hängt über mir wie eine Glocke, ein ganzer Himmel. Ich löse die eine Hand von der Marmeladenglaspuppe und fahre mit dem Finger über Mamas Gesicht. Der Himmel ist fettig, Mama schlägt mir die Hand runter und drückt mir noch mehr Marmeladengläser und Dosen auf, ich halte sie alle fest und kann nichts mehr sehen. Sie stellt eine Tasche auf meine Füße, sagt, »ihr sollt was Vernünftiges essen auf dem Weg, du hast die Provianttasche«, ich habe keine Ahnung, was das heißt, aber ich bin froh, dass es etwas Süßes ist und kein Hähnchen in Alufolie.

Wir gehen die Treppe runter, das dauert. Wir wohnen im obersten Stock mit vielen Balken und Schrägen in den Zimmern, unten ist ein Bestattungsunternehmen, da stinkt es immer, nicht nach Leichen, aber nach irgendwas, das ich nicht kenne und an das ich mich nicht gewöhnen kann. Die Gläser klirren in der Tasche, die ich hinter mir die Stufen runterschleife, Papa will sie mir abnehmen, da macht der Nachbar aus dem Stockwerk unter uns die Tür auf.

»Geht es nach Hause?«

»Mutter, Vater besuchen, lange nicht gesehen.«

»Das erste Mal zurück?«

Papa nickt.

»Das erste Mal vergisst du nicht.«

Papa antwortet dem Nachbarn, als würde er ihm eine Gutenachtgeschichte erzählen, er betont die Worte so, geht mit der Stimme hoch am Ende. Mein Bruder ist schon vorgelaufen, ich ziehe vorsichtig die Tasche an Papa vorbei und versuche, meinem Bruder hinterherzugehen, es stinkt, und es ist kalt. Unten hinter dem Schaufenster des Bestatters sind Leute. Ich habe Angst vor den Gesichtern, die dort hinter dem Glas im Büro sitzen, ich habe Angst, dass sie grün und tot sind, darum schaue ich nie hin, bis ich auf der Straße stehe, suche die Füße meines Bruders auf dem Boden. Papa kommt aus dem Haus und zieht mich, ich schaue erst hoch, als ich glaube, dass Mama zum Abschied winkt, und sie tut es, ihre Hand hängt kurz raus aus dem Fenster, und dann fliegt das Fenster wieder zu, und Papa fängt an zu singen.

Пора, пора порадуемся на своём веку – Es ist an der Zeit, es ist an der Zeit, sich dieser Zeit zu erfreuen.

Ohne Zeit Die Fliesen der Atatürk-Flughafentoilette kühlten Alis linke Schläfe. Das Bild vor ihren Augen wurde nicht schärfer, in dem Schlitz zwischen Kabinenwand und Boden verschwammen Absätze zu Kohlestücke, kritzelten schwarz in der Luft, schrammten vorbei, sie hörte Stimmen, aber ohne Sprache, alle durcheinander, Durchsagen wie Hall. Ali schmeckte Hähnchen. Auch wenn sie auf dem Flug keines gegessen hatte, schon seit Jahren nicht, steckte ihr ein verdorbenes Vogelvieh in der Kehle. Sie ist hier schon mal gewesen. Genau so. Genau so hatte sie schon einmal auf dem Boden gelegen, einen toten Vogel in der Kehle, und Schnürsenkel krochen auf sie zu wie Insekten. Aber wann? Wann war das?

Ihre Augen waren trocken von dem Flug, die Lider kratzten über die Augäpfel, chronischer Tränenflüssigkeitsmangel, hatten die Ärzte ihr schon vor langer Zeit diagnostiziert. »Und was soll ich tun, Tropfen nehmen?« – »Blinzeln Sie einfach, wenn es weh tut, wenn es juckt, einfach oft blinzeln, dann kommt die Flüssigkeit von ganz allein.« Half aber nichts. Sie atmete langsam, hörte hin. Pfennigabsätze und federnde Gummisohlen gaben draußen den Takt vor, alle hatten es eilig, eilig rauszukommen aus dem Terminalbereich, aus der Nichtluft, da warteten Leute auf sie nach dem langen Flug, noch kurz auf die Toilette, die Ringe unter den Augen pudern, Lippen befeuchten, Haare kämmen und dann in die Arme der Wartenden springen wie in warmes Wasser.

Ali hatte keine Ahnung, ob jemand auf sie warten würde, sie hoffte es, aber sie wusste es nicht. Sie lag auf dem Boden und schlug mit Wimpern wie eine Fliege mit ihren Flügeln. Sie wollte rauchen, ganz dringend, den Geschmack von ausgekochtem, wabbeligem Fett auf ihrem Gaumen wegrauchen, dieser Wunsch zog sie am Kragen hoch und raus aus der Klokabine. Sie stützte sich auf das Waschbecken, vermied es, in den Spiegel zu schauen, hielt ihre Lippen unter den Wasserstrahl, eine Frau stieß sie an und deutete, sie solle dieses Wasser nicht trinken, hielt ihr eine Plastikflasche hin. Ali drückte ihre Lippen auf den engen Hals der Flasche und trank ohne Geräusche, die Frau nahm die leere Flasche zurück und fuhr ihr durch die Locken, schien sie zu ordnen. Dann fuhr sie mit dem Daumen über die dünne Haut unter ihren Augen und über das spitze Kinn, hielt es kurz fest. Ali lächelte, die Frau auch. Dann gingen beide mit langsamen Schritten hinaus in die Halle, Ali folgte der Frau, folgte den anderen, die wussten, wohin, ging neben dem Rollband, auf dem Menschen sich anrempelten, folgte dem Hall des Marmorbodens, reihte sich ein in die Warteschlange vor der Passkontrolle, wurde ungeduldig, wollte die Schlange anschieben, aber sie steckte fest, und es blieb ihr nur noch, nach links und rechts zu schauen. Ihr Kopf rotierte. Die ganze Welt stand hier Schlange. Miniröcke, Burkas, Schnurrbärte in allen Schnitten und Farben, Sonnenbrillen in allen Größen, aufgespritzte Lippen in allen Formen, Kinder in Kinderwagen, Kinder auf dem Rücken, auf den Schultern, zwischen den Füßen, die Menge hielt Ali von beiden Seiten fest umschlossen, so dass sie nicht umfallen konnte. Ein kleines Mädchen drückte sich gegen die Plexiglaswand an der Absperrung, eine Scheibe knallte heraus, das Kind schrie. Die Mutter drängte sich durch die Menge zu ihm und schüttelte es heftig.

Ali schmeckte noch einmal sehr deutlich Hähnchen hinten im Rachen und kramte nach ihrem Pass.

Der Beamte schaute lange dahin, wo Ali ihr Bild vermutete, und dann zu ihr hoch und wieder auf ihren Ausweis, wieder und wieder, als könnte er immer tiefer schauen, ein junger Mann, noch jünger als Ali, aber schon mit Schultern, wie sie Alte haben, eingefallen und verhärtet. In seinem hellblauen Hemd, das seine schmale Brust nicht ausfüllte, schien er fern seiner Kontrollkabine, fern des Flughafens, fern seines Landes durch den Erdmantel durchzuschauen und von dort aus wieder in Alis Gesicht. Sie wischte sich reflexartig über das Kinn, sie hatte sich nicht übergeben müssen oder doch, jetzt war sie nicht mehr sicher, hatte sie was am Kinn, sie hatte das Gefühl, ihr hinge noch ausgekotztes Hähnchen zum Hals raus, sie zog ihre Mundwinkel mit aller Kraft nach oben, und die linke Augenbraue zog mit hoch.

Der Junge auf der anderen Seite der Scheibe schaute sie an, kletterte vom Stuhl und stieg aus der Kabine, ging nach hinten. Ali stützte sich auf den schmalen Tresen vor der Glasscheibe, schaute ihm mit zerkratzten Augen hinterher, wie er ihren Pass einem Kollegen zeigte, mit dem Finger hineintippte, den Kopf schüttelte, wieder zurückkam und etwas sagte, was sie nicht verstand, aber sie wusste, woran er zweifelte. Ob sie sie war. Sie sah nicht mehr so aus wie auf dem Passfoto, die Haare waren ab, und auch sonst hatte sich einiges in ihrem Gesicht verändert. Das sagten alle, sogar ihre Mutter gab zu, sie auf Fotos nicht wiederzuerkennen, aber was hieß das schon. Der andere Beamte kam in die Kabine und stellte Ali die üblichen Fragen. Ali log, um die beiden Männer nicht noch mehr zu verwirren, sie besuche einen guten Freund, das Übliche.

»Wie lange?«

»Weiß ich nicht.«

»Mehr als drei Monate darfst du nicht.«

»Ich weiß.«

»Erstes Mal?«

»Gibt es ein Problem mit meinem Pass?«

»Die Frau auf dem Bild sieht dir ähnlich.«

»Das liegt daran, dass ich die Frau bin.«

»Ja, aber es könnte auch anders sein.«

»Wie könnte es sein?«

»Dass das ein gekaufter Pass ist und du –«

»Und ich?«

»Wir haben ein Problem in diesem Land mit Importen aus Russland. Frauen, meine ich. Frauenimporten aus Russland.«

Ali öffnete den Mund und wollte etwas sagen wie »Aber ich komme doch aus Berlin!« oder »Sehe ich so aus?«, stattdessen bekam sie einen Lachanfall, den sie zu unterdrücken versuchte, das Lachen schoss aus ihr heraus und flog gegen die Glasscheibe, dahinter die zwei Beamten, die sie angewidert ansahen. Ali presste sich die Finger auf den Mund, ihre Tasche fiel ihr auf die Füße, sie schaute hinunter und wieder hoch, sah sich um, die gesamte Warteschlange, alle Miniröcke und Brillen und Schnurrbärte drehten sich in ihre Richtung und tuschelten. Die Beamten warteten, bis Ali ihren roten Kopf wieder zurück auf die Schultern gesetzt hatte, ihre Augen waren feucht vor Lachtränen, sie sah in die verwirrten Gesichter der Männer und versuchte, nicht mehr zu grinsen.

»Gibt es eine Möglichkeit, wie ich beweisen kann, dass ich keine russische Nutte bin?«, fragte sie.

Die beiden Beamten schauten sie wie einer an, schauten durch sie hindurch, dann hob einer von ihnen die Hand, schlug dreimal mit einem Stempel auf den Tisch, ohne sie aus den Augen zu lassen, irgendetwas summte, sie griff nach ihrer Tasche und stieß die Tür auf.

Onkel Cemal stand ganz vorne in der Menge der Wartenden, die sich über die Absperrung bog wie eine Palme. Er hatte sich offensichtlich durchgekämpft und den Männern um ihn herum den Ellbogen in die Rippen gerammt, das konnte man an ihren Gesichtern ablesen, und jetzt, als er Ali durch das Hallentor kommen sah, hob er seine Arme in die Luft und verpasste dabei einem kleinen Mann, dessen Schnurrbart sein halbes Gesicht ausmachte, einen Kinnhaken. Der Mann schwankte, konnte aber in dem dichten Gedränge nicht hinfallen, Cemal schaute kurz irritiert zu dem schreienden Schnurrbart und dann wieder schnell zu Ali, strahlte und deutete mit dem Zeigefinger zur Seite, sie solle links rausgehen aus dem Terminal, da würde er auf sie warten.

Cemal, Cemo, Cemal Bey war der Onkel von Elyas, mit dem sie so was wie aufgewachsen war oder eher zusammengewachsen, damit war Cemal auch ihr Onkel, auch wenn sie ihn zum ersten Mal sah. Elyas hatte nie von seinem Onkel erzählt, aber als Ali sagte, sie gehe nach Istanbul, drückte er ihr seine Telefonnummer in die Hand und sagte, Cemal würde sie vom Flughafen abholen. Das hatte er getan. Er umarmte sie, als habe er sein Leben lang nichts anderes gemacht, er nahm ihren Koffer, sie gingen vor die Tür und drehten Zigaretten. Ali verschwieg Cemal den Grund, warum sie so spät aus der Ankunftshalle gekommen war, sagte nicht, dass sie sich auf der Toilette eingeschlossen hatte, mit dem Kopf auf den Fliesen, dass ihr Kreislauf nicht mithalten konnte mit der Geschwindigkeit außerhalb ihres Brustkorbs, so etwas erzählt man nicht zur Begrüßung, man teilt sich die Zigaretten wie alte Freunde, und von da an ist man es auch.

Beim ersten Zug von der Selbstgedrehten fiel Ali wieder um. Cemal trug sie ins Taxi und dann hoch in seine Wohnung. Sie wachte auf Cemals Sofa in einem blaugekachelten Raum auf mit nichts als einem flackernden, stummen Fernseher an der Wand und einem schweren Schreibtisch vor dem Fenster, der Efeu schien von draußen in das Zimmer reinzuwachsen. Sie hatte das Gefühl, Jahre geschlafen zu haben. Cemal saß vor dem Fernseher, rauchte, die Hände auf die Oberschenkel gestützt, seine Silhouette machte viele Kurven, sein Kinn bewegte sich leicht, als würde er mit geschlossenem Mund sprechen. Die Asche seiner Zigarette fiel neben seinem Schuh auf den Boden. Er hatte ein großes Gesicht, größer als sein Kopf, es breitete sich in alle Richtungen aus, seine Nase stand weit nach vorne, seine Augen auch, er hatte lange, dichte Wimpern, die sich hoch zur Stirn bogen. Ali sah ihn an und dachte, sie geht nie wieder irgendwo hin.

Cemal stand auf, holte dampfenden Çay aus der Küche, reichte ihr ein bauchiges Glas und deutete auf den Tisch am Fenster. »Da sind die Schlüssel zu deiner Wohnung. Musst du aber nicht. Du kannst auch hier bleiben.«

Am nächsten Tag zeigte Cemal ihr die Wohnung, und sie verliebte sich. Vor allem in das kleine Dach, auf das sie von der Terrasse aus springen konnte und von dem man über das Goldene Horn bis nach Kasımpaşa sah. Sie verliebte sich in die verwinkelten Zimmer und die steile Straße vor dem Haus, die man runterrutschen konnte im Stehen.

Aber noch mehr verliebte sich Ali in die leeren Abende, an denen sie mit Onkel Cemal in seinem Büro um die Wette rauchte, bis das Kratzen im Hals hörbar wurde, bis ihnen die Augen zufielen, bis sie beide von den Stühlen kippten, aber dabei noch weitersprachen. In Richtung dieser Abende ging Ali spazieren, streunte um Cemals Haus herum, bis sie müde wurde, klopfte vorsichtig an seine Tür, legte sich auf das Sofa und gewöhnte sich daran, dort über Fotobänden und Cemals endlosen Geschichten einzuschlafen, wachte mitten in der Nacht auf, suchte mit geröteten Augen ihre Schuhe im Flur und wartete darauf, dass Cemal sie ihr wieder aus der Hand nahm.

»Wo willst du hin, du gehst doch jetzt nicht nach Hause, es ist viel zu spät.«

»Doch, ich gehe, ich kann noch gehen.«

»Ja, du kannst noch gehen, aber die anderen können es schneller. Du willst doch jetzt nicht nach Tarlabaşı laufen.«

Dann setzten sie sich wieder hin, rauchten und sprachen ohne Inhalt, sprachen, um gegenseitig ihre Stimmen zu hören.

Seit sie nach Istanbul gekommen war, hörte sie, wie gefährlich Tarlabaşı sei, für eine junge Frau, überhaupt für jeden, »die ganzen Roma und die Kurden und die Transvestiten, und die ganze Welt ist böse, weißt du doch«.

»Ja, weiß ich, die ganze Welt ist böse, aber doch nicht in Tarlabaşı.«

»Schlaf hier, kuşum. Ich hol dir eine Decke.«

Und meistens blieb Ali, auch die roten Punkte an ihren Handgelenken und unter dem Kinn konnten sie nicht davon abhalten.

Manche suchten das alte Istanbul in den Moscheen und auf den Dampfern zwischen Europa und Asien, kauften sich Nostalgie in Plastik auf dem Basar und stellten sie neben ihre Stückchen der Berliner Mauer in die Vitrinen von San Francisco, Moskau und Riad. Ali fand ihr Istanbul auf dem rostbraunen Sofa bei Onkel Cemal mit den Wanzen im Polster, die gegen vier Uhr früh anfingen, an ihrem Blut zu saugen, und gegen fünf Uhr fertig waren. Sie wachte gegen acht auf mit immer größer werdenden roten, juckenden Punkten an den Unterarmen und im Gesicht, und wenn sie Cemal fragte, sagte er, das liege am Wasser. »Diese alten Rohre, ich muss da was machen, da kommt es braun raus, ich weiß.« Wanzen habe er keine, kann nicht sein.

Sie besprühte ihre gesamte Wohnung in der Aynalı Çeşme mit einem Gift aus der Apotheke, setzte sich auf den Balkon und rauchte, in der Hoffnung, das Veteranyi-Buch, das sie gerade las, wäre erst zu Ende, wenn alle Wanzen tot waren. Als sie sicher war, dass kein Ungeziefer die Attacke überlebt hatte und sie keine roten Punkte mehr bekommen würde, besuchte sie wieder Onkel Cemal, schlief auf seinem Sofa und schleppte erneut kleine Viecher in ihren Haaren und in ihrer Kleidung in die Aynalı Çeşme.

Heute war Ali alles egal. Sie drückte sich in das Sofapolster, versuchte, so tief einzutauchen, wie es nur ging, und redete den Wanzen zu, sie mögen sie vollends aussaugen und nichts von ihr zurücklassen. Sie sollten sie auffressen und stückchenweise in die gesamte Stadt tragen. Dann könnte sie einfach hier liegen bleiben, müsste nichts mehr tun, sich nicht mehr bewegen und würde zwischen den Sofapolstern verschwinden wie ein mürber Keks. Ihre Augen waren weit aufgerissen und schmerzten vor Trockenheit. Ali blinzelte ab und zu, um den Staubfilm wegzuwischen. Es half nichts, er kam immer wieder, fiel von der Decke, rieselte aus der Klimaanlage über ihr, wirbelte aus ihrem Mund in Wölkchen.

Anton würde sich nicht melden. Anton war wahrscheinlich noch nicht mal in der Stadt. Die Prognosen sagten, sehr bald passiere in der Türkei ein Unglück, Yılmaz Güney war lange tot, und Onkel Cemal sprang um seinen Schreibtisch herum und erzählte ihr die Geschichte, die er jedes Mal erzählte. Die von Yılmaz Güneys Frau und dem Staatsanwalt, der sie beleidigt hatte und dem Yılmaz Güney dafür ins rechte Auge schoss. Und er, Cemal, war dabei gewesen. Nein, er war nicht dabei gewesen, aber er hatte ihn vertreten vor Gericht, als er noch ein berühmter Anwalt war. Er hatte auch Öcalan vertreten, nein, er wollte ihn vertreten, dazu kam es aber nie, und jetzt ließ Öcalan seit einem halben Jahr nichts mehr von sich hören, wo er doch immer als Prophet des Widerstands Ansagen machte, was heißen konnte, dass er im

Gefängnis gestorben war, und wenn dem so war, dann würde es auf jeden Fall sehr bald Bürgerkrieg geben in diesem Land, oder eigentlich gäbe es den schon, aber dann käme er in die Städte, die Großstädte, und dann in die ganze Welt, aber dann, auch dann, würde er, Cemal, nicht aufgeben. All das erzählte er Ali oder mehr sich selbst, während er mit Staubwischen beschäftigt war, als ginge es dabei um mehr als um Staubmäuse. Sie hörte ihn kaum, beobachtete ihn bei seinen hastigen Bewegungen durch die Wohnung und hatte das Gefühl, er sei ein Kreisel, der sich auf den Fliesen drehte und dabei gegen Tischbeine stieß. Seine Rundungen brachten sie zum Lachen, und wäre er nicht so schnell gewesen, hätte sie gerne die Arme um ihn gelegt, aber das ging nicht, also ließ sie ihn erzählen. Fortwährend über sich erzählen, die eigene Lebensgeschichte in unterschiedlichen Varianten.

Vor siebzig oder zweiundsiebzig Jahren war er in Istanbul, in Zeytinburnu, zur Welt gekommen, einem Bezirk, der auf Sand gebaut war und mit dem nächsten Erdbeben zwischen den Erdplatten versinken würde, seine weit über neunzigjährige Mutter lebte noch dort. Cemal war das zweitjüngste der acht Geschwister gewesen, alle wohnten in einem Raum mit Wellblechdach, alle schliefen auf dem Boden, alle wurden im selben Badewasser gewaschen, er kam als Zweiter in das Badewasser, dann das nächstgrößere Kind und so weiter, der Vater durfte sich dann in einer graubraunen Suppe waschen. Wo die Mutter sich wusch, hat Cemal nie gesehen.

Cemal war der Erste in seiner Familie, der studiert hatte, der Erste, der im Anzug nach Hause kam und von seinen Geschwistern dafür ausgelacht wurde. Er vertrat wichtige Leute vor Gericht, wurde selber immer wieder inhaftiert, wann und unter welchen Umständen, darüber gab es zu viele unterschiedliche Erzählungen, alle endeten damit, dass Cemal nach acht Monaten Gefängnis zu seiner Mutter kam, die plötzlich verschleiert am Küchentisch saß, nach fünfzig Jahren ohne Kopftuch, und sie über Cemals Leben so in Streit gerieten, dass er sie nie wieder besuchte. Sie lernte weder seine erste noch seine zweite Frau kennen, manchmal sprach er auch von drei Ehen, das Ende war immer dasselbe: Sie liebten ihn, aber er musste arbeiten.

Manchmal setzte Cemal an, um etwas über seinen Vater zu erzählen, aber er kam nie über das Öffnen der rissigen, breiten Lippen hinaus, er atmete trocken ein, seine Zunge fuhr über die Innenwände seiner Backen und befeuchtete die Mundwinkel, mehr ging nicht. Und Ali fragte nicht nach.

In den letzten Jahren hatte Cemal immer seltener seine Wohnung verlassen, die auch sein Büro war und sein Hamam und was nicht noch alles, warum auch, der Kleine aus dem Laden unten, Orhan, brachte ihm alles, was er brauchte, in den ersten Stock hoch – Milch, Zigaretten, Fleisch –, der Efeu vor seinem Fenster schützte vor der Sonne, so konnte er noch an Dinge glauben und musste nicht sehen, dass um sein Büro herum schon längst Cafés aufgemacht hatten, die ihre Aushängetafeln nur noch auf Englisch beschrieben und überall auf Free WiFi hinwiesen, und dass selbst der Gemüsemann weggezogen war, Oğuz, sein Freund seit zweiundvierzig Jahren, der im schmalen Hauseingang zwischen Cemals Büro und dem Metzger Pfirsiche verkauft hatte, die so groß waren wie Boxhandschuhe. Cemal wusste nicht, warum er sich so lange nicht gemeldet hatte, er wusste nicht, dass Oğuz jetzt mit einem Bauchladen am Taksim-Platz stand und bunte Vogelgezwitscher-Pfeifen an Touristen verkaufte. Cemal wusste auch nicht, dass in dem Haus nebenan das Hotel Zurich aufgemacht hatte und Horden von Touristen die Straßen bevölkerten, die gerne bei Madame Coco an der Ecke ihren Samowar für zu Hause kauften, und dass es für den Laden unten im Haus, in dem der kleine Orhan seinem viel zu alten Vater half, nicht gut lief und dass auch die beiden bald wegziehen würden und wahrscheinlich auch dort ein WiFi-Zeichen an die Fensterfront gemalt werden würde. Warum sollte Cemal in diese Welt hinaus, wenn es bei ihm noch das alte Sofa gab und den Boden aus schwarzweißen Kacheln und die Wände aus türkisblauen.

Cemal brauchte etwas, woran er glauben konnte. Er glaubte an die Demokratische Partei der Völker, an Marx, an junge Frauen, die sich einmal im Monat bei ihm zeigten und weinend und lachend Geld verlangten. Er glaubte an die Liebe, und er glaubte, dass Ali Anton wiederfinden würde in einer Stadt mit fast fünfzehn Millionen Einwohnern, ohne ein Lebenszeichen von ihm, ohne zu wissen, ob er überhaupt je da gewesen war, denn nur weil eine Postkarte aus Istanbul geschickt worden war, musste das noch nichts bedeuten.

Er war mit Ali auf Polizeistationen gewesen, um Vermisstenanzeigen von Anton aufzuhängen, und auf einer traf er einen alten Schulfreund wieder, der damals einige Klassen unter ihm gewesen war und einige Köpfe kleiner und auf den Cemal auf dem Schulhof aufgepasst hatte. Während des stundenlangen Küssens, Umarmens und Teetrinkens zeigte Cemal immer wieder mit der flachen Hand auf Ali: »So wie sie, er sieht aus wie sie!« Der Schulfreund musterte Ali von Kopf bis Fuß, ihre braunen kurzen Locken, die sie sich nicht kämmte und die an den Spitzen verfilzt wie ein Dreieck hochstanden, die dünne, bläulich schimmernde Haut unter ihren runden Augen, die hängenden Arme, er umarmte Cemal, küsste ihn noch einmal links und rechts und sagte, dass es keine Aussichten auf Erfolg gebe, außer das Schicksal oder Gott wollten es so, da atmeten beide Männer aus und zündeten sich ihre Zigarette an. Ali tat es ihnen nach, ohne zu wissen, worüber sie gesprochen hatten, und Cemal redete Ali zu, dass alles schon irgendwie werden würde.

Und für all das, woran Cemal glaubte, und dafür, dass er sie vom Boden des Atatürk-Flughafens aufgehoben hatte wie ein kleines Kind, würde sie ihn, da war sie sich sicher, nie verlassen. Daran dachte sie, während er nervös und ungelenk durch das Zimmer stolperte, als würde er Ordnung schaffen wollen zwischen den drei Gegenständen im Raum.

Ali dachte, der Grund für seine Zappeligkeit sei der Mangel an Rakı im Haus oder das Unglück, das bald in diesem Land passieren würde und von dem Cemal unentwegt sprach. Er sagte, »bald passiert hier in diesem Land etwas, bald. Nichts Gutes«, aber das konnte man schließlich immer sagen. Dann wechselte er dazu, dass die Menschen zwar böse seien, sich die Begegnung mit ihnen aber immer lohnt, und dass man auf jeden Fall von ihnen enttäuscht werde, aber genau darum für sie kämpfen sollte. Cemal widersprach sich ununterbrochen in seinen Arien von einer besseren Welt, die kommen würde, obwohl gerade alles den Bach runterging. Cemal glaubte, dass Menschen zu einem zurückkehren, weil sie einen lieben.

Seit Neustem ließ er sich von einer Frau in Alis Alter an der Nase herumführen und beharrte darauf, dass sie es ernst mit ihm meinte, sie brauche nur gerade jetzt Geld, Zeit, ihre Ruhe, ihre Phasen, ihre Reisen, andere Erfahrungen. »Sie ist doch noch jung.« Und es war ganz egal, wie sehr Ali Cemal deutlich zu machen versuchte, dass das, was die junge Frau mit ihm machte, viele Bezeichnungen hatte, aber dass Liebe wohl nicht dazu gehörte, Cemal war nicht von seinem Glauben an etwas abzubringen, wofür Ali nicht einmal Worte hatte. Sie konnte nicht begreifen, was Cemal an diese Geschichte glauben ließ, aber sie fand es schön, dass der alte Mann so aufblühte in seinem Kummer, wie er immer wieder verstohlen auf das grüne Telefon auf dem Tisch schielte, ein altes mit Schnur, weil Cemal einen Hang zum Altmodischen hatte, er dachte, das mache ihn attraktiv, wenn schon seine Haare fast ganz ausgefallen waren, und Ali fand es schön, dass sie sein Herz rasen sehen konnte, wenn das Telefon klingelte, und brechen, wenn nicht die Kleine am Apparat war, deretwegen er nicht schlafen konnte. Sie war nie dran. Aber es machte ihn trotzdem glücklich, zu warten. Es machte ihn zappelig. Ein guter Grund, zappelig zu sein, vielleicht der beste, dachte Ali.

Auf der Fotografie von den beiden, die Cemal Ali fast jeden Abend zeigte, bis Ali bat, er möge damit aufhören, hatte die rothaarige Schickse, die an der Schulter von Cemal hing, fast keine Nase, nur einen dünnen Strich mit kleinen, dunklen Flügeln und überall Sommersprossen, als wäre eine Erdbeere vor ihrem Gesicht geplatzt. Der Mund war konturlos, endlos und schief und lächelte in die Kamera. Cemal, die Hand um ihre Taille, die Brust aufgepumpt, schaute ernst. Die von der Hitze elektrisierten roten Haare der jungen Frau standen in alle Richtungen ab, vor allem in Cemals Gesicht. Ali verstand Cemals Sehnsucht, in diese Haare eintauchen zu wollen, sie sagte es ihm, da wechselte er das Thema und redete über die Wahlen in diesem Land, das kurz vor einem Bürgerkrieg stünde, und dann davon, dass nicht genug Rakı im Haus sei.

Heute war die Unsicherheit in seinen Bewegungen eine andere. Vielleicht war es die verschobene Zeitumstellung, dachte Ali, die angehaltene Zeit zwischen den Wahlen, die bedeutete, dass man sich weder auf den Mond noch auf die Planeten verlassen konnte, darauf, wann Nacht und wann Tag war. Wie spät es war, bestimmte in diesen Tagen der Ministerpräsident. Vielleicht spürte Cemal, dass die Zeit aus den Fugen war und sein Kautabak ihn nicht davor bewahren würde, dass nichts je wieder gut werden wird, nicht mit der Türkei, nicht mit der Rothaarigen. Cemal spuckte aus, als wäre ihm eine Mücke in den Mund geflogen. Dann leuchtete dieses kurze Wissen um das Verloren-Haben in seinem Gesicht auf, breitete sich wie eine Röte aus, und wenn es verschwand, redete er laut vor sich hin, schob den Stuhl immer wieder von einer Wand zur anderen und schimpfte laut mit Ali.

»Du hast Angst, kuşum. Angst, an das Gute zu glauben. Wo soll das nur enden mit dir? Wie willst du leben?«

»Gute Frage.«

Obwohl die dreißigjährige Schlampe sich wahrscheinlich mit einem anderen gerade in Antalya ein schönes Wochenende machte und die Wahlen genauso verlaufen würden, wie alle es befürchteten, schüttelte es Cemal geradezu vor Kampfgeist:

»Nach dem Anschlag in Ankara werden wir noch stärker werden –«

Dieser Anschlag in Ankara. Ali sah die Bilder von Explosionen immer und immer wieder, als hätte die Zeitplatte einen Sprung, sah den Eilmeldungsstreifen auf dem Bildschirm ihres Laptops, ihr Telefon, das blinkte. Das Abtelefonieren von Freunden, der Anruf ihrer Mutter, die verlangte, dass sie sofort nach Hause komme. »Hast du vor, da zu bleiben, was hast du vor?« Die Mutter, die versuchte, nicht zu schreien. »Ich bin in Istanbul, Mama. Nicht in Ankara«, sagte Ali. »Ich finde ihn, und dann komme ich wieder.«

Und als die Anschläge Istanbul erreichten, spürte sie die Detonation bis nach Tarlabaşı und ging so lange nicht an das Telefon, bis die Namen aller Opfer bekanntgegeben waren. Sie hielt die Luft an, bis sie wusste, dass Antons Name nicht dabei war. Dann biss sie die Zähne zusammen, weil sie merkte, dass sie insgeheim gehofft hatte, sein Name würde genannt werden. So hätte sie ihn gefunden. Dann wäre wenigstens ihre Suche vorbei. Als die Anspannung ihres Kiefermuskels nachließ und sie den Mund wieder öffnen konnte, rief sie ihre Mutter zurück, die sich dieses Mal keine Mühe mehr gab, sich zu beherrschen. Ali auch nicht.

Als Cemal zum dritten Mal gegen das Sofa stieß, auf dem sie lag, während er ziellos durch die Wohnung rannte, rief Ali ihm hinterher: »Was springst du so herum, willst du dich nicht zu mir setzen? Komm, lass uns die Bilder von Ara anschauen.«

Er wollte nicht. Ali setzte sich auf.

»Deine Perle. Erzähl mir von deiner Perle.«

»Perle?«

»Dieses Mädchen, das du so liebst.«

»Lass mich, kuşum.«

Ali wollte schon aufspringen und Cemal zur Beruhigung beide Schläfen küssen, da tauchte ein beiger Anzug im Türrahmen auf mit einer Flasche Rakı in der Hand.

»Mustafa! Gott sei Dank, wir warten schon den ganzen Abend auf dich!«

Ali kniff die Augen zusammen. Das sonnengegerbte Gesicht des Gastes grinste fett, und Onkel Cemal strahlte.

Mustafa Bey begrüßte sie überschwänglich und beteuerte in schwindelerregend schnellem Deutsch, dass er viel von ihr gehört habe.

»Was denn gehört, es gibt nichts zu hören«, gab Ali zurück und überlegte, ob sie sich unter einem Vorwand – die Wanzen, die Uhrzeit, der Staub in ihren Augen – sofort verabschieden sollte, aber Cemal strahlte, und sie wusste, dass sie jetzt nicht gehen konnte, während der Onkel die weißen Mezeschälchen auf die Zeitungen stellte, die auf dem Tisch verteilt lagen. Seine Stimme überschlug sich.

»Weißer Käse, Oliven, Moment, ich habe auch grüne da, nicht doch, setz dich hin, ich hole Wasser und Eis, ich habe gesagt, setz dich, hier ist ein Aschenbecher, magst du eingelegte Tomaten dazu, oder ist es dann zu sauer?«

Ali setzte sich auf, schob die Füße in ihre Sandalen und schaute zu, wie Cemals Gesicht aufweichte, Bartstoppel für Bartstoppel, mit jedem Satz wurde es weicher und kindlicher, sie wusste plötzlich, wie er als junger Mann ausgesehen haben musste. Wie stolz, wie albern, wie schlaksig, bevor er Fett angesetzt hatte. Sie sah ihn unten am Wasser bei Karaköy nach dem Luftgewehr greifen und auf bunte Ballons schießen, die auf der Wasseroberfläche zitterten, diese trostlose Touristenattraktion, wo junge Männer ihren Freundinnen zeigten, was sie in den zwei Jahren Militärdienst gelernt hatten, außer um die Wette zu masturbieren. Cemal hatte versprochen, Ali das Schießen beizubringen. »Erst einmal üben wir Zielen mit den Luftballons, dann sehen wir weiter«, lachte er, und Ali konnte nicht anders, als auch zu lachen, und wollte ihm immer wieder um den Hals fallen und die Stirn an seine Schulter drücken, aber sie tat es nicht.

Ali zog die Brauen zusammen und begutachtete den Mann im beigen Anzug, der sich, die Rakı-Flasche immer noch in der Hand, an den Tisch mit den ausgebreiteten Zeitungen gesetzt hatte und mit Cemal Floskeln austauschte. »Mir geht es gut, danke, wie geht es dir, das ist schön, so muss es sein, und wie geht es dir, danke, mir geht es gut, das ist schön, so muss es sein, danke.«

Cemal stellte drei Rakı-Gläser auf die Zeitungen und zog Ali vom Sofa. Sie starrte auf den Aschenbecher aus Ton, in dem vor langer Zeit Joghurt von den Inseln gewesen war und jetzt eine Schicht feuchter Asche. Sie wollte nicht hochschauen. Auf dies und das wurde getrunken. »Auf das Leben von Demirtaş« war dabei und Alis Gesundheit. Ali starrte auf die Zeitungen. Das Schälchen mit den Oliven stand auf der Brust einer Sängerin, die sich zu dem Krieg im Nachbarland äußerte. Ali sah die Worte Flüchtlinge ... sie zu uns ... Bei ... Hunger und ... von meinem Blut.

Die Lücken füllte Ali stumm im Kopf und wünschte sich die Zeiten zurück, in denen sie noch kein Türkisch konnte. Und auch kein Deutsch. Sie fragte sich, ob es nicht einfacher wäre, verblödet und sprachlos in Russland zu sitzen und Liebeslieder auf den Präsidenten zu singen. »Natürlich kommt sie mit, richtig, Ali?« Der Satz riss sie raus aus ihrer Jukebox im Kopf, die gerade russische Popsongs spielte, die sie dann singen würde. Sie schaute auf.

Mustafa Bey hatte große, tabakfarbene Zähne, und in diesem Licht, das auch noch der zweite Rakı filterte, dachte sie daran, dass alle Männer, die ihr bis jetzt in der Aynalı Çeşme begegnet waren, diese Anzüge trugen, die aussahen, als wären sie in ihnen auf die Welt gekommen, als hätten sie in ihnen geschlafen und getrunken, gevögelt und sich geprügelt, wären damit in die Berge gegangen, um dort zu den Waffen zu greifen.

»Ich komme wohin mit?«

Ali stellte sich Mustafa vor, wie er, Kinn am Knie, auf einem niedrigen Hocker saß, ein Tesbih in der Hand, seinen Çay würde er nur zur Hälfte ausschlürfen, dann aufstehen, das Tesbih ein paar Mal um die Finger schlagen und dann in sein Auto steigen, fühlen, ob die Waffe unter dem Sitz noch da war und nicht von den Nachbarsjungen geklaut, um die Mädchen zu beeindrucken, und dann losfahren, mit Wind in den paar Haaren über der Glatze.

»Warum kommst du nicht auch mit, Onkel Cemal?«

»Was soll ich da, amüsiert ihr euch, junge Menschen. Das ist nichts für mich.«

Ali schaute zu Mustafa und fragte sich, wen der Onkel mit »junge Menschen« meinte und warum er sie mit einem Menschen mit so großen Zähnen aus seiner Wohnung ins

Ungewisse schickte, aber dann sah sie Cemal strahlen und nickte.

Es tat gut, in einem Auto zu sitzen und durch die Stadt gefahren zu werden. Das war eine der wenigen Beschäftigungen, zu denen man sie nie überreden musste. Sie ließ sich auf den Beifahrersitz fallen, zog sich zusammen zu einem Knäuel, nur der Kopf guckte raus, drückte sich gegen das Fenster, und es ging.

Elyas hatte das oft gemacht, wenn sie wieder tagelang nicht aus ihrem Zimmer kam, die Schulterblätter in die Matratze auf dem Boden bohrte, mit ihrem Blick stumm die Decke absuchte. Dann warf er ihr seine Autoschlüssel auf den Bauch, das hieß, raus hier und ab in den Wagen. Sie kletterte, Pfote für Pfote, an der Tür hoch, kurbelte das Fenster runter – so ein Auto hatte Elyas, eines mit einer Kurbel, und er hatte einen Kassettenrekorder, was will man mit so einem Auto machen, außer oft, sooft es geht, damit fahren –, steckte den Kopf weit aus dem Fenster und rauchte. Der Zigarettenqualm zog in das Innere des Autos, vorbei an ihren Ohren, hin zu Elyas, der die Kassetten wechselte und mit sich selbst sprach. Dann wurde sie ruhiger, lächelte irgendwann, und wenn sie anfing zu sprechen, wusste Elyas, dass sie langsam nach Hause konnten und zum Abschluss an der Tankstelle Espresso aus Pappbechern trinken würden, der wie Fischtinte ihre Lippen färbte, und irgendeinen unanständigen Witz müssten sie sich zum Ende der Nacht erzählen, wie echte Lastwagenfahrer, aber Mustafa Bey kannte keinen.

Ali hatte keine Ahnung, woher Mustafa oder Cemal wussten, dass für diesen verfilzten Lockenkopf auf einem zusammengestauchten Kinderkörper eine Autofahrt die beste Medizin war. Sie glaubte nicht, dass Elyas seinen Onkel regelmäßig anrief und sich nach ihr erkundigte. Sie konnte sich nicht vorstellen, dass er ihm in einem vertrauensvollen Arztton sagte: »Wenn sie das und das macht, dann musst du sie nur ins Auto stecken. Kurbel das Fenster runter, lass sie halb rausklettern und rauchen, dann wird das schon.«

Warum eigentlich nicht, warum rief er nicht an, warum war er nicht hier, wo war Elyas, wenn man ihn brauchte?

Mustafa und Cemal hatten etwas von einem Theaterbesuch gesagt, dahin sollte es gehen. Tanztheater, sehr besonders, Mustafa war da schon mal gewesen und empfahl es sehr, sie hatte nicht zugehört, sie hatte auf die ausgebreitete, von Rakı und der Salzlake des weißen Käses aufgeweichte Zeitung gestarrt und versucht, sich in die Fotografien hineinzuprojizieren.

Als sie an Sultanahmet vorbeifuhren, wurde es kurz sehr hell im Auto, ein mondscheinstarker Scheinwerfer strahlte sie an, und dann wurde es schlagartig dunkel, die Straße vibrierte. Vereinzelt durchbrach das gelbe Licht der Straßenlaternen das Grau ihrer Profile.

»Was hast du noch gesehen von der Türkei außer Istanbul?«, fragte Mustafa nach einer Schweigepause. »Hast du überhaupt was gesehen?«

Ali schwieg, drückte ihre Nasenspitze und die Stirn gegen die Fensterscheibe und hinterließ Fettflecken.

»Ich kann dir die gesamte Westküste zeigen. Ich habe das jahrelang gemacht. Für deutsche und englische Touristen. Die ganzen Plätze: Pergamon, Troja. Ich zeige dir den Olymp, wenn du willst.«

»Ich dachte, der ist in Griechenland«, hauchte Ali auf die Fensterscheibe.

»Griechenland war hier.«

»Ach so.«

»Magst du so was?«

»Was?«

»Olymp. Reisen. Sollen wir so eine Reise gemeinsam machen? Wir mieten einen Wagen und fahren von Antalya hoch.« Ali zog ihr Gesicht von der Scheibe ab wie eine Folie und wandte es ihm zu. Mustafas übriggebliebene graue Locken sahen den ihren ähnlich. Würde sie so aussehen mit fünfzig? Möglich. Wenn sie weiterhin so viel rauchte und anfing, Anzüge zu tragen, wäre das vielleicht eine Variante von ihr in zwanzig Jahren. Sie würde junge Frauen auf ihren Beifahrersitz einladen und ihnen den Olymp anbieten, eigentlich nicht schlecht.

»Ich bin nicht hier, um Urlaub zu machen.« Sie streifte mit ihrem Blick über das Wageninnere, in der Hoffnung, doch einen Kassettenrekorder zu finden oder irgendwas, das Mustafa zum Schweigen bringen würde.

»Cemal hat mir erzählt, warum du hier bist, aber wenn du Ablenkung brauchst, meine ich. Würde dir bestimmt guttun. Bloß nicht verkrampfen, wenn man verkrampft, findet man niemanden, und wenn du schon hier bist, kann man doch gleich auch mehr von dem Land sehen, oder willst du nichts sehen?«

Ali lächelte. »Ich würde gern Kurdistan sehen. Kennst du dich da aus?«

Mustafa schaute sie an. Er hatte sehr müde Augen, eine sehr müde Haut, sie bildete tränenförmige Ausstülpungen, die langsam von den Wangenknochen nach unten zogen, in Zeitlupe tropfte seine Haut von seinem Gesicht. Große, runde Sogpupillen, die ohne jeden Ausdruck auf Ali ruhten.

Den Rest der Autofahrt verbrachten sie schweigend.

Als sie ausstiegen, fand sich Ali umgeben von Anzeigen in kyrillischen Buchstaben. Die Leuchtreklamen versprachen auf Russisch Pelzdiscount und beste Qualität so ziemlich von allem, was möglich war. Schwach beleuchtete Schaufensterpuppen glitzerten in Schlangenhaut, gesichtslos, mit nach vorne ausgestreckten Armen, die Finger weit gespreizt. Sie blieb stehen vor einem Brautmodengeschäft, die Puppen in weißen Kleidern hatten den Brautschleier über dem Gesicht, den Kopf nach hinten gedreht.

Es war zu dunkel, um zu verstehen, was das für ein Theater war oder ob es überhaupt eines war, in das sie jetzt gingen, es gab keine Schilder draußen, aber Aufschriften waren nicht üblich, man wusste oft nicht, welche Bar, welcher Club oder welches Büro einen erwartete, wenn man die Wendeltreppen in den alten Seitengassen in Beyoğlu hochstieg. Ali war dort ein paar Mal verlorengegangen zwischen Unbekannten, hatte sich mitnehmen lassen in der Hoffnung, Anton zu finden oder überhaupt irgendwas. Die Leute trauten sich nicht, näher zu kommen als bis vor die Fußspitzen, die Typen redeten über ihre Jobs, die Schönheit von Almanya und dass sie heiraten sollten, manche sagten direkt, dass sie mit ihr schlafen wollten, aber sie hatten Angst vor ihren Augen, sagten was vom bösen Blick, dass sie böse schaue, Aberglaube eben, aber es half gegen unerwünschte Arme um die Schultern.

Im Hauseingang saß ein junger Mann im Anzug und spielte auf seinem Handy ein Spiel, das Geräusche machte, als würde er Glasflaschen zerschmettern. Er blickte kurz auf, murmelte einen guten Abend und schaute wieder auf sein Display. Sie stiegen die Treppe nach oben, Mustafa ging voran. Ab dem zweiten Stock verwandelte sich das grünliche Neonlicht in rotes, warmes, blinkendes, und Bässe zogen durchs Geländer wie Strom. Die Wände waren abgeschabt und beschmiert, vor der Tür stand ein weiterer junger Mann im Anzug und schaute die beiden an. Mustafa sagte, sie stünden auf der Gästeliste. Der Türsteher sagte, er wisse nichts von einer Gästeliste, darauf sagte Mustafa, er kenne den Besitzer, Hafif möge doch rauskommen und selbst sagen, ob sie auf der Gästeliste stehen oder nicht. Ali zündete sich eine Zigarette an und lehnte sich an die Schmierereien. An der gegenüberliegenden Wand stand »Ich bin Ulrike Meinhof« und dann noch etwas, was sie nicht verstand. Sie streckte den Arm nach dem Satz aus, dann ging über ihr die Tür auf. »Gel«, sagte Mustafa. Das war das erste Mal, dass er etwas auf Türkisch zu ihr sagte. Seine Stimme klang gereizt.

Es sah aus wie die Kulisse der Siebziger-Jahre-Filme, die Cemal manchmal im Hintergrund laufen ließ. Der Raum bestand aus einer großen Bühne und einem polierten Parkettboden, auf dem ein paar Plastikstuhlreihen aufgebaut waren. Die komplette Decke war verspiegelt, bunte Kronleuchter sahen aus wie gerupfte Papageien, aufblitzende Gesichter waren in Rot getaucht, Bülent Ersoy säuselte etwas aus den Boxen, die Spiegel reflektierten die Silberfetzen der Diskokugel. Die paar Besucher, die sich unschlüssig zwischen der Bar und den Stühlen bewegten, trugen Anzüge, die Kellner Frack, und weiße Masken bedeckten ihre Gesichter bis zu den Nasenflügeln. Ali neigte den Kopf zur Seite und folgte ihnen mit ihren Blicken. Sie schaute an sich runter, auf ihre Jeans und den Pullover, dann zu Mustafa, auf sein zerknittertes Jackett und dann wieder den Kellnern hinterher.

Dann steuerte sie die Bar an, Mustafa folgte ihr, rief ihr etwas hinterher wie: »Was willst du trinken?«, aber für die Frage war es zu spät, Ali hatte schon Wodka Tonic bestellt, fragte Mustafa im Gegenzug, ob er auch einen wolle, er nickte, kramte nach seinem Portemonnaie, aber auch das zu spät, Ali bezahlte und zog an ihrem Strohhalm, bevor Mustafa sein Geld gefunden hatte. Er stützte sich mit beiden Ellenbogen auf den Tresen und fragte, ob sie wisse, wer Bülent Ersoy ist. Ali reagierte nicht. Mustafa setzte an zu einem Vortrag über geschlechtsangleichende Maßnahmen, den Militärputsch in den Achtzigern und Bülent Ersoys Exil in Freiburg im Breisgau, sie drehte sich von ihm weg, löste sich von der Bar und schlenderte durch den Raum. Sie suchte sich einen Platz weiter hinten, von dem aus sie die Bühne sehen konnte, auf einem samtroten, nach außen gewölbten Sofa mit einer Metallstange auf dem Plateau, das die Rückenlehne bildete, legte ihren Kopf zurück und schaute auf die giftgrünen Plastikkristalle der Lüster über ihrem Kopf, dazwischen ihre Augen, auseinandergebrochen und im Spiegel verteilt. Dann sah sie ihr Gesicht noch einmal. Ein Körper, genau wie ihrer, im gleichen schwarzen Pullover, in Jeans und weißen Turnschuhen, schmal und schlaksig, stellte seinen Wodka Tonic auf dem klebrigen Parkett ab, setzte sich rechts neben sie, lehnte sich zurück, ihre Schultern berührten sich, sonst nichts, ihre Köpfe lagen im Nacken und auf der Rückenlehne und schauten hoch in die Spiegel über ihnen. Ihre Locken standen auf die gleiche Art ab, Korkenzieher wuchsen von den Schläfen hoch und an den Ohrläppchen runter, kratzten kleine Risse in die Decke.

Ali schaute in Antons Gesicht neben sich und lächelte, und Anton lächelte in exakter Spiegelung zurück, sie bewegte ihren kleinen Finger auf dem Sofapolster auf ihn zu in der Hoffnung, seinen Finger zu finden, schaute aber nicht weg, hielt ihn mit ihrem Blick an der Decke fest. Dann zuckte etwas in Antons Gesicht, ein Kristall löste sich aus der Fassung des Lüsters, der sein und ihr Gesicht im Spiegel verzerrte, und fiel runter, direkt in das Wodkaglas in Alis Hand. Sie fuhr hoch, starrte auf den grünen Stein in der klaren Flüssigkeit, schwenkte das Glas, nahm einen Schluck und legte den Kopf wieder zurück. Kein Anton im Spiegel, kein kleiner Finger neben ihr auf dem Polster, sie beobachtete den Raum durch die Spiegelung an der Decke, ohne zu blinzeln.

Die Show begann, oder so etwas wie eine Show, von einem Theaterstück konnte keine Rede sein, der Conférencier trug ein goldenes Kleid und eine weiße Maske, die sein Gesicht vollständig verdeckte. Das Kleid erinnerte Ali an ihr erstes Westkleid, das ihre Mutter, unter Einsatz ihres Lebens, irgendwo in einem dieser Läden unter der Hand für ihren gesamten Monatslohn eingetauscht hatte. Es war komplett golden und hatte Puffärmel, Ali wollte lieber sterben als es anziehen, sie heulte, schrie, biss sogar, es war aber nicht zu verhindern, dass Fotos gemacht werden sollten, wofür sonst der ganze Aufwand, und es war erst Ruhe, als Anton in das Kleid kletterte, ganz ohne Aufforderung, sogar die Hände hob und mit den Hüften wackelte, als würde er darin tanzen. Das Foto hatte Ali noch vor Augen: ihr verheultes Gesicht, sie in Leggins und Unterhemd und Anton im goldenen Kleid.

Eine Dragqueen begrüßte das Publikum und kündigte ein Programm an, das mit Witzen und Anspielungen gespickt war, von denen Ali nichts verstand. Ohnehin bezweifelte sie, dass irgendwer im Publikum zuhörte, das Geklirr der Gläser verriet die Anspannung, die Vorfreude – wofür auch immer die Leute hergekommen waren. An beiden Seiten der Bühne, links und rechts, fielen dicke, dunkelrote Stoffbahnen von der Decke, an denen zwei Frauen in schwarzer Unterwäsche anfingen sich hochzuschlängeln, die Luft im Raum schien sich zu Teer zu verdichten, eine runde, kleine Frau im Samtkleid tänzelte über das Parkett und sang »Sex Bomb« zwei Oktaven zu tief. Ali setzte sich auf, pustete in ihren Strohhalm und zog die Augenbrauen hoch, legte ihre Stirn in Falten. Ihre Mutter hatte die Falten immer gezählt, indem sie vor den Tanten an ihnen gezupft hatte. »Eins, zwei, drei, vier – mach das nicht, Alissa, mach das nicht, keine Grimassen schneiden, noch bist du jung, aber weißt du, wie du aussehen wirst mit fünfunddreißig?« »Nein, wie?« »Wie Onkel Serösha.« Ali schlug die Hand der Mutter aus ihrem Gesicht, und damit keine unangenehme Stille entstand, legten die Tanten nach: »Mädchen, wenn du aufhören würdest, wie eine Lesbe rumzulaufen, könnte man wirklich was aus dir machen.«

Ein Kellner mit einer Maske, die die linke Hälfte seines Gesichtes verbarg, beugte sich über Ali und hauchte ihr ins Ohr, ob er ihr etwas zu trinken bringen dürfe. Sie dachte, bei der Nähe müsste sie ihm sagen, ja, ich will mit dir auf der Toilette verschwinden, sagte stattdessen: »Votka, lütfen.« Das Getränk kam sofort, sie zahlte. Der Raum war mittlerweile voll, die Luft roch beißend feucht, Ali sah Mustafa nicht und hoffte, dass er beleidigt abgefahren war oder sich zumindest mit den anderen, hungrig blickenden Männern an der Bar betrank. Sie fragte sich, ob Onkel Cemal seinem Freund in das rechte Auge schießen würde, wenn er wüsste, wohin Mustafa Ali gebracht hatte. Wie Yılmaz Güney dem Staatsanwalt.

Bei »99 Luftballons« von Nena stürzte eine Horde leichtbekleideter Körper in goldenen Hotpants und mit schwarzen Afroperücken in die Menge und tanzte zwischen den Reihen auf Ali zu. Ali verstand plötzlich, dass das, was sie in ihrem Rücken für ein unverkleidetes Metallteil gehalten hatte – eine übriggebliebene Fehlkonstruktion wie diese Rohre an den Häuserfassaden von Tarlabaşı, die ins Nichts führten oder mal irgendwohin geführt hatten und jetzt nur noch eine Erinnerung waren, eine Dekoration, etwas, das der Efeu überwuchs und das für die Touristen schön aussah oder, noch schlimmer: authentisch –, dass diese Konstruktion eine Tanzstange war, die sehr wohl noch benutzt wurde. Eines der Mädchen stellte sich direkt vor sie hin, um auf das Plateau zu klettern, das Ali für die Rückenlehne ihres Sofas gehalten hatte. Die mit goldenem Stoff überzogenen Hüftknochen der Tänzerin starrten Ali fordernd in die Augen. Ali rührte sich nicht, starrte zurück und saugte an ihrem Strohhalm, das Mädchen stieg über sie, setzte den rechten Fuß auf Alis Knie, den linken auf die Sofalehne, zog sich hoch und presste sich an die Metallstange. Scheinwerferlicht verbrannte Ali die Augen, der Zuschauerraum hatte sich gedreht, alle wollten sehen, was die Kniebeugen der jungen Frau mit der Tanzstange anstellten. Ali blieb nichts anderes übrig, als sich in die Polster zu drücken und nach oben zu schauen. Die Tänzerin warf ihre Beine von sich, sie flogen wie weiße Zahnstocher um Alis Ohren, und die schwarze Synthetikperücke wuschelte über ihre Locken. Ali kaute langsam am Strohhalm.

Erst als er nichts mehr hergab und die Zahnstocherbeine verschwunden waren, das Licht milder wurde, dunkel und wie Milch, und Ali sich sicher sein konnte, dass niemand sie beobachtete, stemmte sie sich aus den Polstern hoch. Das Publikum hatte sich im Raum verteilt in Grüppchen von Hoffenden, Lachenden, Wartenden, sie fand die Toilette, war sich aber sicher, dass sie nicht in die Kabine kommen würde, weil irgendwer samt Begleitung mit der Nase am Spülkasten hing, und wahrscheinlich hätten die beiden danach noch Spaß, so stellte sich Ali die Toilette dieses Ladens vor, aber die Kabine war frei und sauber und seltsam steril mit leuchtend weißer Neonröhre über Alis elektrisiertem Kopf und ihren geröteten Augen. Sie blinzelte nicht. Sie wusch sich lange die Hände, dann das Gesicht, dann hielt sie die Lippen in den kalten Wasserstrahl, schmeckte Chlor auf ihrer Zunge und schaute noch mal im Spiegel nach. Anton schaute böse zurück. Eine Frau kam herein, sie schien viel gelacht oder geweint zu haben, ihr Make-up war verschmiert. Die Frau fing an, sich das Gesicht nachzumalen, und Ali beobachtete, wie sie die Tupfen Farbe auf ihrer Haut verteilte, wie sie Striche um die Augen malte, dann um den Mund. Der Lippenstift war schwarz. Als sie fertig war, drehte sie ihren Kopf zu Ali. Ali fragte, ob sie den Lippenstift borgen könne, nahm ihn und schrieb damit an die weißen Kacheln »Anton war hier«. Die

Frau schrie los, etwas von »du hast meinen Lippenstift ruiniert, weißt du, wie teuer der war«, Ali ging einen Schritt auf sie zu, griff ihr in den Nacken, zog ihr Gesicht zu sich heran, küsste sie auf den nachgezogenen Mund und ging an ihr vorbei.

Finde die Tür, geh einfach raus, du musst hier nicht sein, redete sie auf sich ein – dann betrat Aglaja die Bühne.

Sie trug ein Akkordeon, oder es trug sie, ihr Oberkörper bestand aus der schweren Ziehharmonika, sie spielte darauf, als würde sie den eigenen Grätenkörper aufreißen, ein runder Kopf mit kurzen roten Haaren ragte oben heraus, unten schmolzen zwei Beine in Netzstrumpfhosen zu flachen, langen, schwarzen Schuhen wie zu einem Meerjungfrauenschwanz zusammen. Ihre Arme, die das Monster von Instrument umklammerten, waren bis zum Ellenbogen in schwarze Fischschuppenhandschuhe gehüllt. Sie warf ihren Kopf zurück, als hätte man ihr ins Gesicht geschlagen, die rotgeschminkten Lippen verschlangen die gesamte Decke, ihre Zunge stach heraus wie ein Finger, der nach oben ragte. Ihre Stimme zitterte von der Kehle bis zu den Kristallen an der Decke und in Alis Eingeweide hinein, Ali blieb stehen wegen des heftigen Vibratos, dann sah sie Aglajas Gesicht. Alis Augen weiteten sich, Tränen schossen hoch, sie fing an zu blinzeln, dann starrte sie wieder hin.

Die Kristalle über Aglajas Kopf schwangen hin und her, die langen, stoffbewachsenen Finger drückten langsam die Akkordeonknöpfe. Ali hätte schwören können, dass der Geruch der Frau bis ganz nach hinten in den Raum drang. Sie roch Freesien und Bergamotte, Ananas, Orangen, Zedernholz und Vanille. Sie öffnete den Mund und stellte sich vor, diese roten Haare würden jetzt in ihren Mund wachsen. Sie stellte sich vor, sie würde auf die Bühne laufen und diese Frau wegbringen, irgendwohin. Sie stellte sich vor, alle anderen würden sofort den Raum verlassen und niemand wäre jemals hier gewesen außer ihnen beiden.

Die Akkordeonspielerin bekam verhaltenen Applaus und ging von der Bühne. Ali setzte sich an die Bar und wartete. Sie reckte den Hals nach der Meerjungfrau, sah stattdessen Mustafa auf sich zukriechen und schaute sich schnell nach einer Beschäftigung um. Eine Frau mit Glatze, in goldenen kurzen Hosen, ihren synthetischen Afro unter den Arm geklemmt, stand plötzlich vor ihr. Sie wusste nicht, ob es die war, die sich eben über ihrem Kopf an der Metallstange ausgezogen hatte.

Sie hatte die Lippen geöffnet, um etwas zu sagen, aber schaute plötzlich weg, hinunter auf Alis Hand, die auf der P&S-Packung lag, und fragte, ob sie eine von ihren deutschen Zigaretten haben könne.

Sie sagte, ihr Name sei Katho, Katharina, Katüscha, wie das Lied Выходила на берег Катюша, Katüscha ging an das Flussufer.

»Kennst du es?«

Natürlich kannte Ali dieses Lied, es gab kein Kind, dessen Muttersprache Russisch war, das dieses Lied nicht kannte, das wusste Ali, das wusste Katharina, aber da kam sie schon einen Schritt näher, stellte sich zwischen Alis Beine, die angewinkelt auf dem Barhocker nicht zu zittern versuchten, und sang leise die paar Zeilen des Liedes in ihr Ohr, das natürlich nicht von einer Frau handelte, die an ein Flussufer ging und »Расцветали яблони и груши« – es blühten Apfelbäume und Birnen –, sondern von einem Mehrfachraketenwerfer, entwickelt während des Großen Vaterländischen Krieges 41 bis 45, im Russischen liebevoll »Katüscha« genannt, und der Rest des Liedes handelte schon von großen Gefühlen, aber von anderen als jenen, von denen manche dachten, das sei die russische Seele, die da nach Liebe heult.

Katharina zog an der Zigarette, Ali hörte das raue Einatmen und das leise Schmatzen, wenn Katharina den Mund mit Rauch füllte und ihre Lippen die Zigarette losließen. Als würde etwas platzen. Alis Ohren liefen rot an, vor allem das linke an Katharinas Wange, dann lachte sie auf, zog ihren Kopf zurück und schaute in das Gesicht dieser Frau, das so offen war, als hätte man ein Fenster aufgerissen. Ihre Augen standen weit auseinander, schienen fast über die breiten Wangenknochen hinunterzustürzen, so dass Ali versucht war, sie mit ihren Augen einzufangen. Sie folgte den Linien der Augenwinkel und Wangenknochen zum Mund und bemerkte ein Ziehen im Kiefer. Sie sprachen Russisch, da ging alles schneller. Diese Katüscha, dieser Raketenwerfer, küsste Ali, bevor sie das zweite Getränk bestellt hatten. Ali schmeckte dicke, ölige Farbklumpen in ihrem Mund und von da an nicht mehr viel.

Katharina studierte Alis Gesicht, fuhr mit den Fingerkuppen der linken Hand über ihre Augenbrauen, Ali schaute hinunter und sah einen dünnen Goldring an Katharinas rechtem vierten Finger.

»Zur Abschreckung«, sagte sie, »damit die Männer mich in Ruhe lassen.«

»Tun sie es denn?«

»Natürlich nicht.« Sie drückte die Zigarette auf dem Tresen der Bar aus, ohne die Augen von Ali abzuwenden. »Ist egal. Alles, was mir passieren könnte, ist mir schon passiert.«

»Ich hoffe nicht, Katüscha.«

Sie hatten aufgehört, die Wodkas zu zählen, Ali sah Mustafa aus den Augenwinkeln wie ein Pendel näher kommen und wieder weichen. Die Decke schien auch immer weiter herunterzusinken, die Kristalle über ihnen klimperten.

»Kann ich dich was fragen, diese Akkordeonspielerin, ist sie –«

Ihr war schwindelig. Katharina griff sie am Arm und zog sie vom Hocker, sie schwankten gemeinsam ins Treppenhaus, wo Katharina sie stehenließ und in den Umkleideraum verschwand. Ali lehnte an der Ulrike-Meinhof-Schmiererei, rauchte und schaffte es, mit dem Türsteher ein Gespräch anzufangen. Als er meinte sie am Oberschenkel anfassen zu können, erschien Katharina in Jeans und Shirt und führte sie die Treppen hinunter. Ali wusste nicht wie, aber sie fand den Weg zu sich nach Hause, Katharina drückte ihren Arm, immer wieder blieben sie in Hauseingängen stehen und saugten sich die Gesichter aus den Köpfen, drückten die Becken gegeneinander und hörten auf, wenn sie Schritte hörten, dann zog Ali Katharina weiter, die steilen Straßen hinunter, stolperte über graue Katzen, brauchte eine Ewigkeit, den richtigen Schlüssel zu ihrer Eingangstür zu finden, warf sie aufs Bett, oder Katharina warf sie aufs Bett, und dann hielt die Zeit an.

Der Mond stand über der Süleymaniye-Moschee und leuchtete auf den langgestreckten schmalen Körper neben ihr auf dem Bett, die blassen Zehen ragten über das Matratzenende, der fast kahl rasierte Schädel drückte gegen den hölzernen Rahmen. Wie eine marmorfarbene Linie lag sie auf dem Laken, wie ein langgezogenes Fragezeichen. Die Brüste hoben und senkten sich, das Gesicht war abgewandt.

Katharinas Brustwarzen glänzten im Mondschein, und Ali war versucht, sie mit ihrer Stirn zu berühren, widerstand aber dem Wunsch, weil sie Angst hatte, den Körper zu wecken, der sich dann bewegen, sich aus seiner Fragezeichenhaltung herauswinden und zu sprechen anfangen würde. Das Telefon war unter das Bett gerutscht, als Katharina sie auf die Matratze gestoßen hatte, oder war es andersrum gewesen, sie erinnerte den Rest in Abfolgen blitzender Bilder. Ali setzte die

Füße auf den kalten Linoleumboden und zog den Vorhang beiseite. Draußen war es Nacht.

Katharina gurrte leise vor sich hin, ihr Mund halb offen, ihre Augen bewegten sich unter den Lidern, das konnte Ali nicht sehen, aber sie war sicher, dass es so war. Der Muezzin sang sein Morgengebet. In Alis Augen pulsierte es, der Mond verwirrte sie, sie ließ den Vorhang los, ging auf die Knie, legte die Stirn auf den Boden und tastete nach dem Telefon zwischen den Staubmäusen unter dem Bett. Soweit es der Wodka zwischen ihren Schläfen zuließ, versuchte sie sich zu erinnern, was Katüscha, die leise auf der Matratze über ihr atmete, erzählt hatte, wer sie war oder an irgendeine ihrer Geschichten, aber ihr fielen nur die paar russischen Weisheiten ein, die sie zwischen dem vierten und siebten Kurzen fallengelassen hatte.

Sie lag mit dem Kopf zwischen Staubmäusen auf dem Boden unter ihrem Bett und wusste nicht, welche Sätze und Bilder der letzten Nacht, der letzten Nächte, der letzten Wochen verlorengegangen waren. Sie kam auf die Beine, stieß sich den Kopf an der Bettkante und schaute ratlos auf ihr Handy, das Display hatte vergangene Nacht einen Riss bekommen, sie starrte auf die Uhrzeit und hatte Schwierigkeiten, sie zu verstehen. Sie fand in ihrer Jeans eine halbleere Packung P&S. Dass das noch funktionierte, deutsche Zigaretten, pack deutsche Zigaretten auf den Tisch, und Menschen kommen und fragen dich, wie es dir geht, so auch Katharina, dieses Fragezeichen auf ihrem Bett, Ali vermutete, ein Au-pair-Mädchen aus der Ukraine oder eine Politikstudentin aus Rumänien, Russisch konnten sie ja alle.

Ali zündete sich ihre Player's an und schaute auf Katharinas Körper. Er schien wie aus reinem Sauerstoff, Sauerstoff und ein bisschen Mond, sie überlegte, wie sie wirklich hieß. Anna, Elvira, Zemfira, Petka, könnte alles sein, sie fand nichts, was zu diesem Gesicht passte, alles konnte stimmen. Sie schaute wieder aus dem Fenster. Die Muezzins fielen einander unrhythmisch ins Wort.

Der Muezzin links von ihrem Balkon war verschnupft und grölte heute mehr, als dass er sang, der zweite stimmte immer etwas später ein, er genoss es, kostete es voll aus, dass er besser war als sein Nachbar. Ali stellte ihn sich vor in einem Elvis-Presley-Look, er fasste die silberglitzerumrandete Sonnenbrille leicht unten am Gestell, lächelte, entblößte zwei weiße Zahnreihen, vielleicht mit einem Goldzahn, der aufblitzte, klopfte auf das Mikrophon und sang sein Morgengebet. Und er war gut. Er wusste, er war der Beste in der Umgebung. Gott ist groß. Und das Gebet besser als der Schlaf.

Von dem Geruch der Zigarette verzog Katharina das blasse Gesicht, sie öffnete ihre Augen und schielte leicht. Sie hatte die Backen aufgebläht, die Lippen waren zu einer Chrysantheme zusammengezogen, und sie blinzelte mehrmals, bis sie verstand, wo sie war, oder bis sie verstand, dass sie nicht wusste, wo sie war. Sie zog sich zusammen zu einem Halbmondkringel, den Kopf schräg auf der Seite. Ali reichte ihr eine Zigarette.

»Wie spät ist es?«, fragte sie und setzte sich auf.

»Die Uhr sagt fünf. Kann nicht sein, oder? Schau raus, der Mond scheint wie in tiefster Nacht, aber der Muezzin singt das Morgengebet. Alles ist durcheinander.«

»Ja.«

»Sie haben die Zeit abgeschafft.«

»Hast du geschlafen?«

Ali hatte geschlafen, sie konnte sich sogar an ihren Traum erinnern, was immer öfter vorkam, seit sie in die Türkei gekommen war. In diesem Traum tanzte sie mit Onkel Cemal in einer Menschenmenge, die so dicht war, dass sich die Körper der beiden zu der Musik aus einem Siebziger-Jahre-Film bewegten ohne ihr Zutun. Sie standen in einer festen Umarmung, und die Menge schaukelte hin und her. Dann erblickte Cemal jemanden, schaute über alle Köpfe hinweg, fixierte einen rothaarigen Schopf irgendwo weit hinten im Raum und ließ Alis Hüften los, er ging einfach weg von ihr, drängelte sich vorbei an den anderen Paaren, ließ sie stehen und alleine hin und her schaukeln. Ali hielt noch kurz ihre Arme dort, wo gerade noch seine Schultern gewesen waren, ihren Kopf nach vorne gebeugt, als würde er auf Cemals Brust ruhen, und dann zerfloss sie in der Menge zu einer Pfütze.

»Nein. Ich schlafe nicht gern.«

»Ich schon«, sagte Katharina und gähnte. »Ich liebe Schlaf. Ich wünschte, ich könnte mein Leben lang schlafen.«

»Ach, Katüscha.«

Katharina umklammerte ihre Knie und sah plötzlich ernst aus, fast gemein, sie schnitt mit den Augen durch den Raum und sagte mit einer Stimme, die vielleicht mehr die ihre war als jene zuvor, in der sie den Schlagabtausch russischer Vulgarität zelebriert hatten, einer tieferen als jener Stimme, die wimmerte und schrie, als sie in Alis Mund ejakulierte:

»Ich muss dir etwas sagen.«

Ali durchzuckte der Gedanke, dass sie sich genau in der Situation befand, vor der ihre Mutter sie immer gewarnt hatte.

»Ich bin nicht Katüscha.«

»Das habe ich auch nicht gedacht«, lachte Ali nervös. Sie hoffte, dass jetzt nichts mehr kommen würde. Wenn es nur um den Namen ging, war das okay, sie hatte Angst vor mehr Enthüllungen, ansteckenden Krankheiten und vorgegebenen Geldnöten.

»Ich bin Katho.«

»Okay«, sagte Ali und dachte, dass sie dringend mehr Worte brauchte als dieses »okay«. Sie wusste nämlich nicht, was okay war.

»Ich bin keine Sie.«

»Aha.«

»Ich bin ein Er.«

»Ja.«

»Verstehst du?«

»Brauchst du Geld?«

»Was, wieso Geld?«

Ali war sich unsicher, ob sie Russisch verlernt hatte oder noch betrunken war oder einfach nicht richtig verstand. Katho stand auf, griff nach der Zigarettenpackung und ging raus, Ali blieb auf dem Boden sitzen und schaute aus dem Fenster. Die Lichter der Stadt rissen an ihren Lidern. Aus dem Schaum der Farben drückten sich die Fenster der Gecekondular. Die Lichterkette um einen Parkplatz auf dem Dach zog eine weiße Linie durch das Stückchen Schwarz am Himmel, der ansonsten aus gelben, orangen, roten und violetten Rechtecken bestand, einige flimmerten im synthetischen Licht der Fernseher. Drei Minarette ragten aus der vorderen Häuserfront, gelb erleuchtet, bei Tag lehmgrau, mit Lautsprechern wie viel zu kleinen Dornen für einen so dicken Stamm.

Katho kam mit der glühenden Zigarette wieder und setzte sich auf die Bettkante. Er stellte die Beine breit auf den Boden.

»Komisch, der Mond liegt hier immer auf dem Rücken. Er steht nie aufrecht wie die Sichel auf ihrer Flagge, er liegt wie ein Stückchen Apfelsine, sieh doch mal.«

Katho schaute nicht hin, er sah runter auf Ali, sie drehte den Kopf zu ihm.

»Willst du frühstücken?«

Er drückte die Zigarette am Fensterrahmen aus, zog die Beine an, kroch unter die Decke und murmelte durch das Laken: »Es ist Nacht. Lass uns schlafen.«

In Alis Hals tickte es, sie schaute hoch zu Kathos Körper, den sie irgendwo erahnte, aber nicht sah, kletterte aufs Bett, ging ihn suchen.

Sie presste die Augen zusammen und wartete, bis es hell genug wurde, um aufzustehen. Rote Locken und eine Zunge, die sich der verspiegelten Decke entgegenstreckte, tauchten immer wieder vor ihren geschlossenen Lidern auf, sie öffnete den Mund und schnappte nach ihnen. Plötzlich schmeckte sie etwas Salziges und riss die Augen auf. Kathos Lippen hatten sich von ihrem Hals hochgearbeitet und legten sich auf ihre, Ali schrak auf, wirbelte herum und sprang aus dem Bett. Das Linoleum war so kalt, dass es auf den Sohlen brannte. Katho drehte sich auf den Bauch und sagte etwas in die Kissen. Ali schlüpfte in ihre Hausschuhe und sperrte sich im Bad ein. Der Wasserboiler gab ein Pfeifgeräusch von sich, ein lauwarmer Strahl floss dünn über ihre frierenden Glieder. Sie schaute an sich herunter, betrachtete die Haare auf ihren Unterarmen, sie waren ganz hell, lang und weich, fast unsichtbar. Sie setzte sich in die Hocke und betrachtete ihre Waden. Die Waden einer Katze mit weißem Fell. Sie seifte sich den Kopf im Sitzen ein und dachte daran, was Katho ihr heute Nacht gesagt hatte: Sie war ein Er. Katho war ein Er. Ihre Kopfhaut juckte, sie kratzte sich mit der Innenfläche ihres Unterarms an der Schläfe, die Seife lief ihr über das Gesicht und den Rücken, sie streckte die Zunge heraus, riss den Mund auf, versuchte den Wodka aus ihrem Kopf zu spülen. Gerade als ihr der Geruch der Akkordeonspielerin, der Geruch von Freesien, Bergamotte, Ananas, Orangen, Zedernholz und Vanille, wieder in die Nase stieg, setzte das Pfeifgeräusch des Boilers aus, und es wurde dunkel. Das Wasser wurde schlagartig kalt, und Ali war schlagartig wach. Sie sprang aus der Wanne, schlug ein Handtuch um ihren Körper und stolperte in Kathos Arme, der auf dem Flur verständnislos um sich blickte.

»Stromausfall. Passiert ständig, wenn ich dusche.«

Mit dem Handtuch unter die Achseln geklemmt stieg sie die Treppen in den Keller zum Sicherungskasten hinunter, auf dem Weg begegnete sie dem Nachbarn von nebenan, der es vermied, sie anzuschauen, grüßte ihn freundlich, die Seife noch in den Augen, das Blut schlug ihr gegen die Stirn, sie war sich nicht sicher, ob der Nachbar sie gestern Nacht gehört hatte, seinem Gesichtsausdruck nach schon, und jetzt lief sie nackt durch das Treppenhaus. Sie drückte die schwarzen flachen Schalter im Stromkasten hoch und rannte wieder in die Wohnung. Katho stand in der Küche, das Licht des Kühlschranks beleuchtete seinen kahlrasierten Kopf.

»Ich wollte Frühstück machen, aber es gibt nur ein Stück alte Butter.«

»Und eine Tonicflasche.«

»Und eine Tonicflasche.«

»Komm, wir gehen raus.«

Die Straßen waren leer, so leer wie zu Sommerzeiten, Urlaubszeiten, wenn die Menschen aus der heißen Stadt flohen, aber es war November, und das Licht richtete sich nicht nach den Uhren oder den Muezzins. Es war seltsam still, die Luft spannte. Die halb zerfallenen Fassaden sahen aus wie eine eingefrorene Kulisse, in den verlassenen Bars im Erdgeschoss standen noch Stühle, viele Häuser waren Ruinen, nicht alle. Als hätte eine Abrissbirne einmal in die Häuserfront geschlagen und wäre dann weitergezogen. In einigen Wohnungen lebten noch Menschen, die Gardinen waren zu, aber sie verdeckten nicht die aufgerissenen Mauern, die Kabel spuckten. Aus einem ausgebrannten Auto krochen zwei Katzen, die zu einem Knäuel verflochten waren. Beim Gemüsehändler hingen Luftballons neben den braunen Bananen am Pfosten und eine Flagge der Demokratischen Partei der Völker, als Symbol ein Baum, der Baumstamm aus lila Händen und die Blätter grün und dazwischen Sterne, wählt, wählt, wählt, der ganze Bezirk war voll davon.

Es roch nach Waschmittel und Lack. Als sie an der armenischen Kirche abbogen, blieb Ali vor einem alten, roten Graffito einer Frau stehen, aus deren Kopf Vögel kamen. Ali ging näher, musterte es, Katho zog sie schnell weiter. Im Halbdunkel kickten Jungs ihren Lederball gegen die Türen der Kirche, er prallte ab, Katho konnte ihn auffangen und zurücktreten, die hänselnden Stimmen der Jungs hallten noch lange durch die Straßen, Ali und Katho hörten sie bis in den Park, wo sie sich auf den feuchten Rasen setzten.

Die Wasserspiele lagen trocken, die Autobahn fuhr über ihren Köpfen eine Schleife, auch sie war leer. Ali ließ sich ins Gras fallen, ihr Magen knurrte vor Hunger, Katho redete, und seine Stimme klang blechern, wie das Echo der Jungs mit dem Ball.

Er erzählte von den Hormonen, die er nahm, und dass er bald mit schwarzen Haaren zuwachsen würde. Von seinem glattrasierten Schädel konnte man nicht schließen, welche Haarfarbe er hatte, auch seine Arme und Beine waren noch glatt, aber seine kantigen Augenbrauen waren schwarz wie mit Kajalstift gezogen. Ali dachte sich die Linie der Augenbrauen runter zu seinem Kinn, stellte ihn sich mit Bart vor, zog einen Rahmen um das breite, offene Gesicht, das sie an jemanden erinnerte, aber ihr fiel nicht ein, an wen.

Katho sagte, dass er bald den Job als Tänzerin verlieren würde, wegen des Bartes eben und dann noch die schwarzbewachsenen Beine, die machen sich nicht so gut in goldenen, kurzen Hosen, dann wird jemand anders sie tragen, und er, er fährt zurück in die Ukraine und zeigt sich seiner Familie, vor allem seinem Vater, schau Papa, das ist es jetzt, das bin ich jetzt. Er erzählte von seinem Vater, dem Säufer, Ali hörte kaum hin, schweifte in Gedanken ab, fragte sich, warum alle Väter immer Säufer sein müssen, können sie nicht Schachspieler sein oder notorische Matetee-Trinker und unbedingt stumm, können die nicht einfach stumm sein, nie etwas von sich geben. Kathos Mutter war wohl eine Heldin, Heldin der Arbeit, wie Lenin sich das vorgestellt hatte, und zwei kleine Geschwister hatte er auch, denen schickte er kein Geld, er schickte niemandem irgendwas, aber er dachte manchmal an sie und fragte sich, ob sie an ihn dachten. Er redete und redete, und der Himmel über ihnen wurde weiß wie Spülwasser.

Ich habe Russisch vermisst, dachte Ali. Aber »Vermissen« kann man nicht denken. Sie wusste nicht, was sie alles vermisste, und wenn sie anfing, es zu denken, dann gäbe es erst Platz dafür, warum also. Ihre Mutter hatte es einmal gesagt, irgendetwas mit Gedanken, die Parasiten sind, aber ihr fiel die Formulierung nicht ein.

Katho war still geworden und schaute Ali an. Ihr wurde klar, dass er sie etwas gefragt hatte. Er beugte sich über sie und wiederholte die Frage.

»А ты?«

Und du?

In seinem Gesicht war nichts Erwartungsvolles, er würde sie nicht küssen, er meinte die Frage ernst, er wollte es wirklich wissen. Und du? Ali schaute an ihm vorbei und dachte: Tarlabaşı wird abgerissen werden. Alles wird abgerissen werden. Ich werde Anton nie finden.

Ein Straßenverkäufer fuhr seinen Karren an ihnen vorbei, hinter dem Glas eine fettglänzende Schicht Reis, große, gekochte, perlmuttfarbene Kichererbsen, dann wieder Reis und das gekochte Hähnchen als braune Schicht obendrauf.

»Pilav! Tavuklu Pilav!«, schrie er. »Wollt ihr, Mädchen?«

Katho sah weg, Ali schüttelte den Kopf. Sie schaute auf die schmalzige Schicht Hähnchenfleisch, das Wasser in ihrem Mund vermengte sich mit Galle.

»Das ist frisches Hähnchen! Pilav schafft ein Gefühl von Geborgenheit, Schwestern.« Der Verkäufer stand über ihnen, die Fäuste in die Hüften gestemmt, der kleine Kopf auf einem dünnen Hals beugte sich zu ihnen herunter.

Das Hähnchen starrte sie an, Ali versuchte, dem Blick standzuhalten.

36 Stunden Die Fleischstückchen rutschten ihren Rachen runter, als wären sie flüssig. Der tote Vogel lag entblößt und halb zerrupft auf dem kleinen Tisch zwischen ihnen im vierten Wagen des Zuges Moskau–Berlin. Anton und sie hatten Fensterplätze, mit Händen klebrig vom Fett des Hähnchens und der Kartoffeln und Tomaten schubsten sie sich gegenseitig, malten Buchstaben auf die Fensterscheibe, und die Eltern schaukelten auf zwölf Koffern und noch mehr Kisten, und da drin Bettwäsche und Adidasanzüge in Plastikverpackung, vielleicht zum Verkauf, man weiß ja nie, und sogar vergoldete Uhren, aber hauptsächlich Bettwäsche und Socken und Höschen und Bücher, »warum nehmt ihr so viele Bücher mit, seid ihr von Sinnen, die kann man drüben nicht verkaufen«, hat der Vater des Vaters den Kopf geschüttelt. Mutter und Vater saßen mit zusammengepressten Lippen und zusammengepressten Knien im Waggon und schauten auf die Kinder, die an Hähnchenkeulen kauten und grinsten, und hatten ihnen nicht gesagt, dass sie für immer fahren, von wegen Kinder verstehen es auch so, Kinder verstehen alles, Kinder verstehen immer nur Spiel, also spielten sie und alberten herum und schauten nicht auf die Eltern, die sich vor Angst in die Hosen machten und sich darum immer mal wieder ankeiften, aber was war schon dabei, das fiel nicht weiter auf, das machten die Eltern eigentlich immer so, und die Kinder konnten ja nicht ahnen, dass die Eltern es immer so machten, weil sie immer die Hosen voll hatten. Und der Vater der Mutter saß im Abteil daneben und tat so, als würde er nichts hören, und rauchte aus dem Fenster und schaute ab und zu bei Valja und Kostja und Ali und Anton rein, um zu fragen, ob

Valja Analgin für ihn hatte. Valja kramte aus ihrer Handtasche die Aluminiumverpackung heraus, sie knisterte und sprang auf, rostbraune Kügelchen fielen auf die ausgestreckte Handfläche, auf die die Zwillinge starrten, weil sie so groß war und gelb mit tiefblauen Linien, Valja drückte ihrem Vater einen Plastikbecher mit Wasser in die andere Hand, und er verschwand wieder, der Nikotingeruch blieb.

Seine Frau, die Mutter der Mutter, war nicht mitgekommen, sie musste noch warten. Sie musste die Wohnung verkaufen, in der sie nie mehr wohnen, die sie nicht mehr besuchen würden, sie musste sich von Freunden verabschieden, sie musste den Umzug *ihrer* Eltern vorbereiten, denn auch sie würden nachkommen, die Mutter der Mutter der Mutter und der Vater dazu, also musste man alle einpacken, niemanden zurücklassen, ob man wollte, wurde nicht gefragt. Ali und Anton hatte man nicht gefragt und auch die Eltern der Eltern der Eltern nicht. Manche wurden mitgenommen, andere nachgeholt, ging nicht anders. Die Mutter der Mutter würde dann mit dem Flugzeug nachkommen mit einem Koffer voll Geld vom Verkauf der Wohnung, und diese fünf führen schon mal vor mit Koffern voll Sachen, die man drüben nicht verkaufen konnte.

Das Schaukeln des Zuges tat anfangs gut, wie ein tiefes Atmen in den Schlaf, und der heiße Tee auch, der von der Schaffnerin gebracht wurde, »hier, meine Süßen, sollt doch nicht frieren, mit Zucker und Zitrone«, die Mutter steckte eine Hand in ihren Büstenhalter und zog einen Schein heraus. »Danke, danke, meine Miezen«, die Schaffnerin verschwand wieder im Gang, Ali lugte ihr hinterher und konnte noch sehen, wie ein Mann im weißen Unterhemd, mit Hüften so breit wie der Flur selbst, hinterherdackelte und mit ihr in einem Abteil verschwand.

Die Reise würde nur sechsunddreißig Stunden dauern, wenn

man den Zoll nicht mitrechnete. Der Zoll bedeutete ein Schütteln in der Nacht, ein Schlagen gegen Bettgestelle, die mit dicken Ketten an den Wänden befestigt waren und klapperten, als würde man an Gittern rütteln. Dann hieß es aufstehen, so tun, als hätte man geschlafen, sich ans Herz fassen, in den Büstenhalter, dort wo die zweihundert Dollar auf den Beamten warteten, einen unrasierten Mann mit blutunterlaufenen Augen, der so schaute, dass Valja froh war, ihren Mann mit im Abteil zu haben, auch wenn er nur ängstlich in der Ecke kauerte. Sie wusste, was wäre, wenn er nicht da wäre. Was wäre, wenn sie nicht die zweihundert Dollar genau für diesen Anlass auf der nackten Haut getragen hätte – ab auf den Bahnsteig bei Temperaturen unter null Grad, wo andere schon standen, die Nichtwissenden oder die Nichthabenden, das machte dann bei Minustemperaturen keinen Unterschied mehr. Sie schaute durch das beschlagene Glas zu ihnen hinaus, dann in die blutunterlaufenen Augen vor ihr, dann zu ihren Kindern, den zwei Augenpaaren, die unter einer Decke auf dem Bett über dem Fenster hervorblinzelten. Das Blutgesicht spuckte etwas durch die Zähne, sie hörte gar nicht hin, sie wusste, ihre Papiere waren in Ordnung, sie starrte wieder auf den Peron, auf dem sich drei, vier, fünf, sieben immer mehr Familien mit Kindern, Säuglingen zum Teil, junge Männer, eine Frau allein versammelten, und alle machten wie von einem Dirigenten angeleitet dieselbe Geste – sie griffen in ihre Jackentaschen, holten Zigaretten heraus, und über ihren Köpfen stieg wässriger Rauch auf. Die Abteiltür fiel zu, die Eltern fielen wieder in ihre Betten, die Zwillinge krallten sich gegenseitig in die Schulterblätter und hielten sich fest, um bei all der Schaukelei nicht vom Hochbett zu fallen, und wenn, dann gemeinsam.

Als die Familie Tschepanow am nächsten Morgen aus dem Zug stieg, tat die Welt so, als würde sie stehenbleiben, aber unter Alis kleinem Körper schaukelte es weiter. Das Hähnchenfett zitterte ihr im Rachen, kletterte aus dem Magen wieder zurück in ihren Mund, vielleicht war das Essen auch schlecht geworden auf dem Tisch im warmen Waggon, Anton grinste und hatte nichts, aber aus Ali wollte das Hähnchen wieder raus, auf die Schuhe des Mannes, der dem Vater gerade die Koffer abnahm. Onkel Leonid, der gekommen war, um die Ausreisenden oder Einreisenden abzuholen, je nachdem von wo aus man schaute, um sie erst mal nach Hause zu bringen, erst mal zu sich und dann zu den Behörden, der wundervolle Onkel Leonid stand vor ihnen und breitete die Arme aus, und Ali kotzte ihm auf die Schuhe, das ganze halbe Hähnchen, das sie gegessen hatte, und fiel selber hin.

»Alissa? Was ist mit dir? Alissa!«

Alissa lag im Erbrochenen neben Onkel Leonids schwarzen Turnschuhen und sah seine Schnürsenkel auf sich zukriechen. Außerhalb ihres Kopfes verlief die Zeit schneller, es bewegten sich Dinge in Blitzgeschwindigkeit, Schuhe, die wie Schlangen um sich schnappten, Ottern und riesige Insekten, die sie ansprangen, sie schrie auf und hatte das Gefühl, geschrumpft und in ein Bild gesteckt worden zu sein, das bei McDonald's an der Wand hing. Alles war Dschungel, alles war Farben, alles machte ihr Angst, und sie wusste nicht, ob sie auf dem Boden lag oder in ein Loch gefallen war.

»Entschuldige dich«, hörte sie. Es hallte von oben aus dem Himmel.

Ihr Vater hob sie vom Boden auf, hielt sie vor Onkel Leonids Gesicht und sagte: »Entschuldige dich.«

»Weißt du nicht, wohin mit den Füßen«, sagte die Mutter und wischte an Alissas vollgekotztem Hemdchen herum. »Du, weißt du, Leo, wir sind sechsunddreißig Stunden gefahren –«

»Mehr!«, unterbrach der Vater.

»Mehr. Und da wackelt der Boden halt immer noch, meine Knie zittern auch. Deine auch?«

»Meine? Nein.«

»Meine auch nicht!«, schrie Anton. Ali schoss auf ihn mit ihren Augen, er wich ihr aus. Der Vater wippte mit Alis Körper vor Leonid und forderte erneut, dass sie sich entschuldigte. »Na wird's bald?«

»Извините.« Ali heulte los.

»Nein, sag es ordentlich«, der Vater schüttelte sie, die Mutter: »Lass.«

»Извините«, piepste Ali durch Tränen.

Onkel Leonid wischte sich mit einem Taschentuch die Galle von den Turnschuhen, mit einem Papiertaschentuch aus einer Plastikverpackung, Ali kannte das noch nicht, sie kannte nur die Tücher aus Stoff mit Rotze an Zipfeln in den Hosentaschen, Leonid murmelte irgendwas in der Art »na ja, ist nicht so schlimm«, und als er in ihr verheultes Gesicht schaute, lachte er auf und sagte: »Weißt du, was Entschuldigung auf Deutsch heißt?«

Ali schüttelte den Kopf, alle schüttelten den Kopf, die ganze Familie schüttelte einen einzigen Kopf, keiner hatte hier Sprachkenntnisse, außer der Vater der Mutter, aber der war gerade eine rauchen, für Valja und Kostja kam der Sprachkurs noch, »eins, zwei, drei« konnte man vielleicht noch sagen und »Hände hoch«, aber das tat man nicht, über so etwas machte man keine Witze.

»Entschuldigung«, sprach Onkel Leonid das deutsche Wort aus. »Извините heißt auf Deutsch Entschuldigung.«

»Aha.«

»So heißt es. Sag mal. Sag es auf Deutsch. Извините auf Deutsch.«

Ali schaute, alle schauten.

»Sag es, sag es auf Deutsch. Entschuldigung. Извините auf Deutsch. Sag doch mal.«

Ali roch Erbrochenes und verzog die Nase.

Die Mutter half nach, formte mit ihren Lippen das Wort E-ntschu-ldi-gung, »sag doch mal, meine Kleine, na? E-«.

Der Vater wiegte Ali leicht hin und her und flüsterte ihr dieses Wort in die Locken, ihr erstes deutsches, »na sag mal, stell dich nicht so an, was ist denn los mit dir. Jetzt sag einfach das Wort E-ntschu-ldi-gung. Извините auf Deutsch«.

Ali wollte wieder heulen, aber stattdessen schaute sie von Mama zu Anton zu dem Onkel mit den Papiertaschentüchern und sagte: »Извините auf Deutsch«, und vergrub ihr Gesicht in Vaters Hals.

Eine Pause entstand, man schaute sich an, man war so erleichtert, angekommen zu sein, egal wie, die Koffer alle unversehrt, die Taschen auch, und die Kinder, ach, das bisschen Kotze am Schnabel, na und, »wir sind da!«, und sie prusteten los, die Erwachsenen lachten sich die Kehle wund, »Извините auf Deutsch« und das gerötete, ratlose Gesicht des Kindes. Sie lachten und lachten, und Ali schaute zu Anton, der zwischen den Großen hin und her lief, an ihnen zupfte und auch nichts verstand, aber verstand, dass man jetzt wahrscheinlich lachen musste. Also lachte er. Und Ali kotzte noch mal.

Und ohne Unterbrechung lachten die Eltern weiter, über das schüchterne Glucksen aus dem Rachen ihres Kindes, das fast wie ein Schluckauf klang, wie ein Ausatmen.

Valentina und Konstantin, was für Namen, warum gibt man Menschen solche Namen, außer wenn man verbergen will, dass sie Juden sind und eigentlich so etwas wie Esther und Schmuel heißen sollten, aber wer nannte seine Kinder schon so in der Sowjetunion der sechziger Jahre, es sei denn, man hasste seine Kinder oder hasste sich selbst. Bei Valentina, Valja gab es wenigstens noch einen guten Grund, ihr einen hässlichen, ehrlich sozialistischen Namen zu geben, denn an dem Tag, als ihre Mutter sie, fast selber dabei das Leben lassend, in die Welt katapultierte, wurde die erste Frau der Welt ins All geschossen. Valentina Tereschkowa durchbrach mit acht Kilometern pro Sekunde die Erdatmosphäre und flog zu den Sternen, Valentina Pinkenzon durchriss das Gewebe zwischen der Vulva und dem After ihrer Mutter und landete in den Händen eines vollständig vermummten Arztes, der durch seinen Mundschutz eine sofortige Operation der Gebärenden anordnete.

Konstantins Eltern hatten keine Ausreden. Konstantin hieß einfach Konstantin, Kostja, mit Kosenamen Kissa, da gab es nichts zu diskutieren. Diese zwei Russifizierten also wurden einander zugeführt, als gäbe es Liebe auf Bestellung und ohnehin keine andere Wahl, wenn man nicht grün und blau geschlagen werden wollte, so wie Valja in ihrer ersten Ehe.

Den ersten Fehler hatte Valja gemacht, als sie jung war, viel zu jung zum Denken, aber nicht zu jung zum Heiraten. Wo waren die Eltern, könnte man fragen, als sie beschlossen hatte, einen Goj zu heiraten, das Mädchen mit den schwarzen Haaren, so viel schöner als die Kosmonautin Valentina Tereschkowa, und mit diesem Nachnamen, Pinkenzon, da hätte man sie auch gleich Esther Rahel nennen können, was sollte einem da Valentina nützen, aber die Eltern hatten nicht aufgepasst, nicht beim Vornamen und nicht beim Bräutigam. Die Eltern haben auf die Berge von Kislowodsk gestiert, da waren sie gerade auf Kur, als die kleine Valja beschloss, dass zu einem Schulabschluss auch das Heiraten gehörte. Nicht weil der Junge einen so großen Schnauzbart hatte, das mochte sie gar nicht, und auch nicht, weil er so überzeugend auf seiner Trompete blies, wofür ihn eigentlich alle mochten oder eher die Mädchen mochten und die Jungs beneideten – »was spielt er sich so auf, glaubt er, er ist Armstrong« –, Jazz war gar nicht Valjas Ding, er nervte sie eher, es war die Aussicht, endlich von zu Hause ausziehen zu können, die Valja so sehr angezogen hatte, so wie viele Mädchen, so wie alle.

Also sah sie sich ein paar sowjetische Filme über Liebe an, um zu wissen, wie so was auszusehen hat, wie man schauen muss, wie man küsst vielleicht sogar – das kam selten in den Filmen vor, meistens zum Schluss, man presste die Lippen aufeinander, wobei der Mann meistens die Frau an den Schultern packte und sie sich auf das Gesicht drückte, die Frau schaute dabei überrumpelt und verzweifelt – das hatte wenig mit dem zu tun, was beim Küssen dann tatsächlich passierte, und mit allem danach. Warum eine fette Zunge in ihren Mund musste, fand Valja erst später heraus.

Wenn die Eltern nicht da waren, übte sie Blicke und Gesten. Gute Schülerin, die sie war, saß sie im Schneidersitz auf dem geblümten Teppich dicht vor dem Fernseher und machte sich Notizen. Sie ging gern zur Schule, las gerne Bücher, hatte Tolstoi und Achmatowa unter ihren Schreibheften versteckt, aber in den Büchern stand nichts von dem, was man machen soll, wenn der Mann einen bei den Schultern packt, jedenfalls nicht in jenen, die bei der Familie Pinkenzon im Regal standen.

Und weil Valja auch noch außergewöhnlich aussah, man könnte sagen außergewöhnlich hübsch – aber vor allem sah sie anders aus als die anderen Mädchen mit langen, glatten Haaren, ihr Haar war kraus und dick und kurz, seit der Kindheit hat die Mutter darauf geachtet, dass ihre Tochter eine ordentliche sozialistische Frisur trug, die sich wenig von der der Jungen unterschied, und dann noch die gerade Nase und der feste Mund, man könnte auch von ihren Hüften sprechen –, jedenfalls hielt der Trompetenspieler mit dem großen Schnauzer es für eine gute Idee, jeden Morgen zu beobachten, wie Valjas schwarze Locken über ein weißes Laken aus dem Bett krochen.

Die beiden fragten ihre Eltern nicht, ignorierten alle klugen Ratschläge, sperrten sich im Zimmer ein, und dann war klar, dass das Mädchen kein Mädchen mehr war und heiraten musste. Das Hochzeitskleid nähte die Mutter des Bräutigams aus Tüll mit einem Tulpenmuster, von dem sie zu viel für ihre Vorhänge im Wohnzimmer gekauft hatte. Den Kopfschmuck bastelte sich die Braut selber aus Pappmaschee. Sie klebte einen runden Topf zusammen und spannte weißen Seidenstoff darüber, und obwohl der Weißton der Kopfbedeckung nicht ganz zu dem des Kleides passte, strahlte Valja wie ein Fotomodell, und jede ihrer Bewegungen knisterte wie Zuckertorte.

Die Ehe hielt fast ein Jahr. Nach sieben Monaten und ein paar Tagen stieg Valja in das Auto ihrer Großmutter, mit der sie auf die Datscha fahren wollte, die Neunzehnjährige hatte Hämatome im Gesicht. Die Großmutter, Etina, von denen, die sie liebten, Etinka gerufen, schnappte sich das Kinn der Enkelin, die weder verstört aussah noch traurig, auch nicht überrumpelt und verzweifelt, im Gegenteil, sie lächelte, weil sie sich freute, die geliebte Großmutter zu sehen, die sie mehr vermisste als alle anderen. Valja strahlte Etinka an und vergaß schon fast, dass die besorgten, sehr dunklen Augen der Großmutter ein bisschen mehr in ihrem Gesicht lasen als die Freude auf die Tage an der Wolga und ihre eingemachte Marmelade. Sie hatte versucht, sich die Blutergüsse zu überschminken, aber sie war von Ärzten umgeben, alle in ihrer Familie würden genau wissen, was unter ihrer hellen Haut schimmerte, da nutzte keine Camouflage. Etinkas Augen wurden noch dunkler, und sie fuhr mit ihren rauen Fingerkuppen über die blauen Flecke in Valjas Gesicht.

»Du lässt dich scheiden«, war das Einzige, was sie sagte, bevor sie den Motor startete.

Valja blieb die Luft weg. Vielleicht vor Schreck, weil der Wagen so schnell anfuhr und die Reifen durchdrehten, ein alter Lada, was konnte man da erwarten, vielleicht, weil Etinka so bestimmt geklungen hatte, aber bestimmt klang alles, was aus Etinka rauskam, sie hasste überflüssige Sätze, vor allem hasste sie die Geschwätzigkeit der Männer. Etinka war der festen Überzeugung, je weniger du sagst, desto klüger siehst du aus. Und darum traf es auch fast immer zu, was Etinka sagte, in diesem Fall, dass Valja sich scheiden lassen würde. Valja war die Sache vor allem eins: peinlich. Sie wollte nicht blaugedroschen vor ihrer Familie sitzen, und vor allem wollte sie nicht wieder bei dieser Familie einziehen. Sie hielt immer noch die Luft an und verstand, dass Etinka nicht weiter nachfragen würde.

Sie hätte gern geredet, sie hätte gern erzählt, dass der Trompeter, der einen lächerlichen Namen trug, und erst jetzt fiel ihr auf, wie lächerlich er war, so sehr, dass sie ihn gar nicht mehr aussprechen wollte, nie mehr, nämlich Iwan, wie der Held aus den russischen Märchen, der Volksheld, der Idiot, dass Iwan sich also auch Filme angeschaut hatte, nämlich um zu wissen, was es heißt, ein Mann zu sein. Ein Mann, wie er einer sein wollte. Dann hat er sich noch was von seinem Vater und seinen Onkeln abgeguckt und angehört, und da waren ihm zwei Dinge klargeworden, diesem sehr jungen Mann, damals zwanzig: erstens, dass ein Mann trinkt. Ein Mann trinkt, bevor er redet und danach. Dazwischen kann er eine Träne vergießen, das kann schon sein, aber nur, wenn er trinkt. Wenn er nicht trinkt und heult, ist er entweder eine Schwuchtel oder ein Jid, womit er bei seinem zweiten Punkt war. Ihm war nämlich auch aufgefallen, dass die schwarzen Locken, die Valja über das weiße Bettlaken warf, und auch ihr Nachname, den sie nach der Hochzeit behalten hatte, der Grund sein konnten, warum sie an allem schuld war, was ihm je widerfahren war. Diese Einsichten führten in seinem wodkagetränkten Gehirn zu Schlussfolgerungen wie: »Du Judensau, verreck doch in deinem Israel, mich machst du nicht kaputt –«

Diese Einsicht zu brüllen, reichte bald nicht mehr aus, um Iwan zu befriedigen. Reichte nicht aus für eine Wiedergutmachung, für all das, was diesem jungen Mann widerfahren sein mag, und die völlig verschreckte Valja hatte noch nie derartige Sachen gehört, also schon, aber nicht so, nicht so nah dran, nicht mit seinem Atem auf ihren Wangen, sie war aufgewachsen mit allerlei Kinderreimen auf das Wort Jid.

Два еврея третий жид по веревочке бежит. Веревочка лопнет и жида прихлопнет, vielerlei solche Dinge, aber die Wucht machte sie sprachlos, mit der Iwan, der Trompetenspieler, ihr aus dem Nichts Dinge in den Nacken schrie, als sie sich über die »Geschichte der Medizin« beugte. Sie paukte Medizin, da musste Achmatowa jetzt warten, überhaupt hatte Achmatowa in vielen Punkten unrecht gehabt, gelogen hatte sie, oder Valja hatte was überlesen, das verstand sie jetzt. Sie hatte was überlesen.

In Valjas Familie wurde nie geschrien, für Familien untypisch, aber das konnte Valja nicht wissen, ihre Eltern liebten sich, und der Vater machte der Mutter Frühstück, nicht weil er musste, sondern weil er wollte. Der Vater hatte Valja gewickelt, als sie ein Säugling war, und zur Schule gebracht als Kind, und die Mutter ging zu Massagen, während er Valja auf die Universität vorbereitete, und es war nie ein böses Wort gefallen, jedenfalls konnte sie sich nicht daran erinnern. Sie wusste nicht, dass man sich schlagen kann, sie wusste, dass Kriege geführt wurden, sie wusste, dass die Nachbarin oft nach Mitternacht schrie, aber all das war weit weg für die junge Valja und hatte nichts mit ihrem Leben zu tun, bis

Iwan anfing, sich wie ein echter russischer Mann zu benehmen.

Если бьет – значит любит, eine alte russische Weisheit: Wenn er schlägt, dann liebt er. Daran erinnerte sich Valja, wenn sie ihren Mann schwankend auf sich zukommen sah, sie nuschelte es manchmal vor sich hin.

Weder in den Filmen, die sie gesehen hatte, noch in den Büchern, die sie las, war etwas Aufschlussreicheres dazu zu finden, was man macht, wenn man geschlagen wird, außer es zu ertragen. Ein anderes russisches Sprichwort, das Valja in den Sinn kam, lautete: Wenn du die Vergewaltigung nicht verhindern kannst, entspann dich und versuche zu genießen. Es hieß, vielen ging es so, also war es normal, damit gehörte Valja dazu, zum Kreis der Geliebten. Vielleicht war sie Iwan wirklich so wichtig, dass er schreien musste vor Verzweiflung, vielleicht versuchte er wirklich, etwas zu verstehen vom Geschehen der Welt. Valja jedenfalls versuchte, sich zu entspannen, und dachte nicht an die Zukunft, nicht daran, ob der Rest ihres Lebens so aussehen würde, dafür war sie zu jung, so etwas wie den Rest ihres Lebens konnte sie da noch nicht denken. Sie dachte nichts, paukte für ihr Medizinstudium, fühlte sich erwachsen und wichtig, weil sie ein Geheimnis in sich trug und sich eine Schwere auf ihr Gesicht legte, die Schwere des Erwachsenseins, dachte sie, das Erwachsensein selbst nistete sich unter ihren Augen ein. Doch bevor dieses Erwachsensein Valjas Gesicht so zerfressen und entstellt hatte wie das ihrer Namensgeberin Tereschkowa, verfügte Etinka, dass sie das Schwein verließ, und wenn er je wieder Hand an Valja legte, würde sie einen Metzger bestellen, der das Problem ein für alle Mal löste, das verspreche sie. Das alles und noch mehr sagte Etinka dann später vor dem Gerichtsgebäude, wo beide Scheidungspartner einen Termin hatten, aber jetzt im Auto mit durchdrehenden Reifen sagte Etinka nichts, und das mit einer Bestimmtheit, die den kleinen blauen Lada vollständig ausfüllte. Valja dachte, Etinka frage nicht, weil sie Angst habe, dass Valja zu weinen anfinge und so was wie »aber ich liebe ihn doch« schluchzte oder »er ist eigentlich ganz anders«, aber Etinka fragte nicht, weil bei ihr eigene Bilder hochkamen, der Kiefer tat ihr plötzlich weh und der rechte Wangenknochen, sie presste so viel Luft, wie in dem Lada zu kriegen war, die Kehle hinunter, und darum war es sehr wichtig, jetzt im Auto zu schweigen und Valja nichts zu fragen.

Etinka kamen die Tränen, damit hatte sie selber nicht gerechnet.

Mit Etinkas Hilfe, die Eltern waren wieder irgendwo auf Kur, wurde Valja schnell geschieden, sollte halt nicht sein, manche sagten »Schicksal!«, und die Kleine mit den noch kürzeren Haaren, mittlerweile schnitt sie sie selbst, in Schlagjeans und Rollkragenpullover und einem kleinen Koffer, als wäre nur ein Grammophon drin, zog wieder in das Durchgangszimmer bei ihren Eltern ein, das Arbeitszimmer ihres Vaters. Die Eltern sagten nicht viel, fragten sie nach ihrem Studium, lobten ihre guten Noten, sagten, sie könnte noch besser sein, sie legte sich auf die Federkernmatratze, die sich so anfühlte, als wäre Valja wieder fünfzehn, legte sich ein Buch aufs Gesicht, die Komödie »Wehe dem Verstand« von Gribojedow, der viel zu früh viel zu dumm gestorben war in Teheran, was hätte er alles noch schreiben können, pflegte Etinka zu sagen, legte sich also das Buch aufs Gesicht und bewegte sich nicht, bis die Eltern irgendwann nach konspirativen Gesprächen am Küchentisch zu Valja ins Zimmer kamen und sagten, in Moskau, Moskau, Moskau, der Stadt, von der alle in der Sowjetrepublik, ach was, der ganzen Welt, träumten, da gäbe es einen entfernten Cousin, der sei noch nicht vergeben und das Allerwichtigste – er ist Jude. Er würde sie niemals schlagen und dazu Judensau schreien.

Das nahmen sie an, sie hatten unrecht.

Was den Eltern nicht klar zu sein schien, war, dass trotz einer entfernten Verwandtschaft zu Valentinas Familie – der Bruder des Cousins von Konstantins Vater war der Cousin des Bruders und so weiter und so weiter – Kostja doch aus ganz anderen Verhältnissen als seine zukünftige Frau und Mutter seiner Kinder kam, mit der er den Beschluss fassen würde, das Land zu verlassen, als Anfang der neunziger Jahre Panzer auf den Roten Platz rollten, der nicht wegen der Farbe des Blutes seinen Namen hatte, sondern weil rot und schön im Russischen dasselbe Wort sind. Valjas Eltern dachten wenig über solcherlei Dinge nach, sie wollten ihre Tochter abgesichert sehen, und wer hätte damals ahnen können, dass irgendwann Panzer auf den Schönen Platz rollen und die Familie Papiere einreichen würde für Amerika und in Deutschland landen würde, bei Onkel Leonid und seinen vollgekotzten Schuhen.

Kostjas Eltern kamen vom Dorf, aber aus keinem Stetl, so etwas gab es bei Moskau nicht, sie kamen aus einem guten, sowjetischen Dorf, wo der Bart eines Mannes bis zur Hüfte reichte, Frauen geblümte Kopftücher trugen und geblümte Hauskleider und wo man sich morgens einen Wodka in den Rachen kippte, bevor man zur Arbeit ging, und diese Arbeit hatte was mit den Händen zu tun, also waren die Hände kräftig, von Männern wie von Frauen. Nur die Hände von Kostjas Vater waren es nicht, obwohl bei ihm zu Hause nicht an Butter im Haferbrei gespart wurde, seine Hände sind auch nie kräftig geworden, die Hände von Kostjas Mutter hingegen konnten für zwei anpacken, und so hatte man sich arrangiert. Beide trugen sie Nachnamen, für die es im guten, sowjetischen Dorf Prügel gab, zumindest rennen mussten beide immer mal wieder, und das vereinte sie, das Rennen, auch wenn Kostjas Vater nicht mal das wirklich konnte.

»Schau die Judensau, wie sie läuft, wie eine Schwuchtel.«

Kostjas Vater war schlaksig und klein und lief, als hätte er Steine in den Schuhsohlen stecken, die Zehen zu weit nach innen gedreht wie ein humpelndes Tierchen, das gleich stolpert und fällt. Weder die Butter im Brei noch das Fett in der Suppe konnten was an seinem Gang ändern, und wehren konnte er sich schon gar nicht, was ihn zum Spielzeug des ganzen Dorfes machte, vor allem zu dem der Jungs, wenn sie damit fertig waren, Katzen die Augen auszustechen. Das änderte sich, als Kostjas Vater zum Militär ging, dort lernte er so einige Kniffe, er konnte sich ab da mit Kannen voller heißen Öls verteidigen, das er den anderen ins Gesicht schüttete.

Kostjas Mutter war eine stämmige junge Frau, die auch als Kind nie Kind gewesen war. Sie hatte sich schon mit sechs Jahren um die kaputtgetrunkene Mutter und die fünf Geschwister gekümmert, seit sie stehen konnte, wusste sie, wie man Säuglinge wäscht, Suppe kocht, Holzsplitter aus Fußsohlen zieht und Verwandte begräbt. Warum sie sich auf Kostjas Vater eingelassen hatte, bleibt ein Geheimnis, denn sie war immer auf Sicherheit aus, und man hätte meinen können, sie würde sich einen ordentlichen russischen Bauern suchen, einen ordentlichen russischen Nachnamen annehmen und die ganze Sache mit der Thora im Schrank vergessen, dann hätten wenigstens die Kinder eine Chance auf ein vernünftiges Leben gehabt. Aber sie entschied sich dagegen, oder vielleicht war es keine Entscheidung gewesen, denn sie hatte keine Mitgift zu bieten außer der Thora eben und einer großen Familie voller Diabetes und Demenz. Bei ihnen gab es keine Butter im Haferbrei und auch Brei nicht immer, dass sie trotzdem stark sein wollte, beschloss Kostjas Mutter ganz allein, und dass sie schnell wegwollte auch. Sie wollte weg von ihrer Familie, weg von dem vor sich hin verfallenden Haus, sie wollte nach Moskau, wo sie keinen kannte und nie wieder halbvermoderten Leichen den Arsch abwischen müsste. Ihr war klar, dass das weder allein ging noch mit einem russischen Bauern, der keinen Grund hatte, sein Dorf zu verlassen, also heiratete sie den einzigen anderen Jid aus dem Dorf.

Kostjas Eltern beschlossen noch vor der Hochzeit, nach Moskau zu ziehen, was nur fünfzig Kilometer entfernt war, für russische Verhältnisse also quasi vor der Tür. Als Kostja älter wurde, fragte er immer wieder nach dem Dorf, aus dem seine Eltern kamen, und ob sie nicht gemeinsam mal dorthin fahren wollten, ist doch so nah, aber die Eltern lehnten ab, und Kostja bohrte nicht nach, weil er sah, dass ihnen etwas weh tat, und Kostja liebte seine Eltern.

Sein Vater wurde Schneider. So ungeschickt und schlackernd der Rest seines Körpers war, mit den Händen war er flink und genau, er stieg schnell auf, vielleicht auch wegen seines Geschäftssinns, den er sich beim Militär als eine Überlebensstrategie antrainiert hatte, so dass er bald Anzüge für wichtige Männer nähte, wie er betonte, vielleicht sogar Männer im Kreml. Er schaffte es, obwohl er nie schreiben und lesen gelernt hatte, zum Abteilungsleiter aufzusteigen, und lief durch die Flure mit seinem Rechenschieber, mit dem er, die Holzkugeln gegeneinanderknallend, den Mitarbeitern laut ihre Mängel vorrechnete und rasselte wie mit einem Tamburin. Die Mutter blieb nach der Geburt des Kindes zu Hause und kochte Kostja Suppe mit Butter und löffelte gierig selbst davon. Kostja war ganz dünn auf die Welt gekommen, so dünn wie sein Vater, das ging nicht, man wollte doch keine Kranken in die Welt setzen, »ich kann deine Rippen sehen, das ist eine Schande, soll das heißen, ich koche nicht gut!«. Kostjas Mutter war eine sehr zielstrebige Frau und sorgte dafür, dass ihr Sohn schon früh Fett ansetzte.

Kostja liebte Essen. Er liebte Spielzeuggewehre, und er liebte Musik. Wenn Onkel Wasja vorbeikam in der winzigen Zweizimmerwohnung mit Wänden aus Pappe, im vierten Stock eines Hauses mit dreizehn Etagen, in einem Stadtteil am Waldrand, wohin die junge Familie gezogen war, und sich sein Akkordeon auf die Schultern hievte, wackelten Kostjas Ohren, und das Wasser lief ihm im Mund zusammen. Dort, in diesem Bezirk Tschertanowo, am Rand von Moskau, sang Onkel Wasja, als wären sie immer noch auf dem Land, in dieser Weite, in der die Lieder über die Felder geschickt wurden und wie ein Windhauch zurückhallten, als würde es niemandem etwas ausmachen, dass man so grölte, als würde niemand mit einem Besenstiel gegen die Decke klopfen und schreien, »ey, fickt ihr gerade eure Mütter, oder was?«.

Wenn Onkel Wasja das Akkordeon dann absetzte, um mit dem Vater zu trinken und zu essen und Dinge zu besprechen, Weltschmerz hauptsächlich und Löhne, die nicht mal für Tabak reichten und einen ordentlichen Fusel, »davon kann man doch blind werden, von dem Spiritus hier, bäh«, und den Schenkeln der Kassiererin in dem Laden über die Straße und dem entsetzlichen, alles ausfüllenden, bittersüßen Gestank, der von der Müllkippe hinter dem Haus ausging, »selbst hierher, zu euch in den vierten Stock, kommt er, macht ja nicht das Fenster auf, verreckt lieber in eurem eigenen Dreck« – wenn die Männer also Männer waren und niemand hinschaute, krabbelte Kostja hinter das Akkordeon von Onkel Wasja, steckte seine dünnen Ärmchen durch die breiten Ledergurte, drückte sein Kugelbäuchlein gegen die Ziehharmonika, er konnte das Instrument nicht anheben, also lag er dahinter, ganz verschwunden, und fuhr mit seinen Fingern über die schwarzen, glatten Knöpfe, die sich anfühlten wie Murmeln. Irgendwann fiel es der Familie auf, dass der Junge sich immer wieder an das Akkorden schmiegte, also nahm ihn Onkel Wasja auf den Schoß, und das Monster von Akkordeon packte er obendrauf und legte seine fleischigen Finger auf Kostjas kleine und drückte mit ihm gemeinsam die Klaviatur.

Was Kostjas Eltern nicht wussten, war, dass damit zwei Dinge ihren Lauf nahmen, sie konnten es nicht wissen, weil diese Dinge nicht Teil ihrer Welt waren, also für sie schlicht nicht existierten: erstens, dass Kostja acht Jahre später, da wird er sechzehn sein, beschließen wird, Musiker zu werden, Klavier und Akkordeon, mit voller Überzeugung und Inbrunst: »Mama, Papa, das ist es, was ich werden möchte, ich werde auch zum Militär gehen und eine Ausbildung machen, aber ich werde Musiker werden und im gesamten Land auftreten.« Das Gelächter der Mutter war so laut, dass es Kostja bis an sein verfrühtes Lebensende nicht vergaß.

Und die zweite Sache war, dass Onkel Wasja Kostja nicht uneigennützig immer wieder auf den Schoß nahm und sich nicht schämte, es vor den Eltern des Kindes zu tun, sie konnten ja nicht ahnen, was Kostja unter seinem Steißbein sich bewegen spürte, auf solche Gedanken kamen sie nicht. Onkel Wasja machte leichte, kreisende Bewegungen mit der Hüfte, wenn er das Gewicht des Akkordeons auf den Schoß von Kostja presste, und rieb seine Hose an dem kleinen, knochigen Po des Jungen. Beide, das Akkordeon und Kostja, fest an sich drückend, atmete er schwer durch den offenen Mund, und der stechende Geruch verwirrte Kostja, weil er wusste, dass es nicht Spiritusgeruch war, den Geruch kannte er gut, es roch säuerlich und nach Eiern, und trotzdem kletterte er immer wieder auf Onkel Wasjas Schoß, um die Tasten zu drücken und die kalte Luft an den Wangen zu spüren, die die schwere Ziehharmonika aus sich herauspresste, wenn sie sich schloss. Weder der stechende Geruch noch das leise Stöhnen des Onkels brachten Kostja von seinem Entschluss ab, sein Leben mit diesem Musikinstrument zu verbringen. Aber jetzt hatte Kostja die Bekanntschaft mit einem Gefühl gemacht, das für immer bleiben würde. Einem Gefühl, das nach Eiern roch und oft wiederkam, er konnte es sauer auf der Zunge schmecken, er machte alle und alles dafür verantwortlich, den Sozialismus, den Staat, die Politiker, seine Eltern, die Ehefrau und diese ganzen anderen Arschlöcher, mögen sie alle verrecken – das Gefühl des Missbrauchs.

Kostja und Valja wurden einander zugeführt, so sagte man das damals, so sagt man das auch heute, vielleicht mischt man heute noch ein paar englische Begriffe in diese Prozedur des Verkuppelns, damit es mehr nach Weddingplaner klingt als nach arrangierter Ehe, damals aber, in den achtziger Jahren des realgelebten Sozialismus, keine so schlechten Jahre, sagten Valjas Eltern im Nachhinein, war nichts dabei außer vielleicht nackter Überlebenswille und die Notwendigkeit, die Schande zu verdecken, dass die Tochter, die noch nicht zwanzig war, sich schon scheiden ließ, und wer weiß, ob sie überhaupt noch mal jemand finden wird jetzt, mit ihrem Aussehen, nicht dass sie hässlich war, aber eben – wie war das Wort – außergewöhnlich.

Kostjas Eltern war es egal, wen er heiratete, solange er aufhörte, mit der Schickse von Nachbarin herumzuhuren, »die wartet doch nur darauf, von ihm schwanger zu werden«, die hatte es bestimmt auf die sich häufenden Adidas-Sportanzüge im Schrank und die Golduhren abgesehen, vielleicht wusste sie auch von dem Schmuck, der unter dem Ladentisch ergattert und natürlich nie getragen wurde, »wo denn tragen, willst du damit in den Hof und vor den anderen Omis herumstolzieren oder was«, jedenfalls wollte die blonde Nymphomanin an den einzigen Sohn ran, und der wollte zu allem Überfluss immer noch Musiker werden, da musste man schnell handeln. So wie sich Kostjas Eltern nicht vorstellen konnten, was Onkel Wasjas Unterleib an Kostjas Steißbein verursachte, so existierten für sie auch viele andere Dinge nicht, und dazu gehörte die Vorstellung, dass Musik machen etwas anderes war als Zwiebeln essen und Hochprozentigen saufen und weinerliche Gespräche führen über den Schmerz in der Brust, bis man sich in den Armen lag, brüderlich und kein bisschen schwul, und dass es so was wie Liebe gab, also dass Kostja und die angeblich mitgiftgeile Schickse vielleicht verliebt waren, das konnte er denen auch nicht klarmachen, das hatte Kostja eingesehen. Seit die Mutter lachend vom Stuhl gekippt war, als er seinen Musikkarrierewunsch geäußert hatte, wusste er, dass er lieber den Mund halten sollte. Verliebt war er trotzdem.

Das Mädchen hieß Oksana und hatte lange Haare bis dahin, wo einem Flügel wachsen. Das versuchte er mal ihr als Kompliment zu machen, aber sie verstand ihn nicht, bis er sich traute, seine Hand an den Flügelansatz zu legen: »Spürst du? Hier würden sie wachsen.« Dass Oksana ihn überhaupt beachtete, war für ihn ein Wunder. Er war rothaarig, sein Gesicht, sein Hals und seine Schultern waren mit Sommersprossen übersät, mit seiner schlaksigen Statur kam er nach seinem Vater, trotzdem hatte er schon einen Bauchansatz – die Kampfansage der Mutter gegen das Vermächtnis des Vaters in ihm. Er stotterte leicht, allerdings immer weniger, nur wenn er in Oksanas Gesicht sah, musste er erst schweigen und warten, bis sich die Konsonanten neu geordnet hatten. Aber eins war er nicht, er war nicht schüchtern.

Er ging geradewegs auf sie zu auf dem Hof zwischen den in Rautenform zueinander stehenden Plattenbauten, wo sie mit ein paar Freundinnen saß und mit dem Finger in die Erde malte, und sagte:

»Привет. Как дела?«

Hallo. Wie geht es? Und alle haben geschaut und sie noch

am allerwenigsten, aber das war, bevor das Westfernsehen oder gar das Internet die jungen Menschen lehrte, wie Ansprechen und Abblitzenlassen ging, sich lustig machen, um dann doch Interesse zu zeigen, also wie all diese Spiele funktionierten, so dass es auch gut aussah und man sich nicht unter Wert verkaufte, lange davor ging Kostja auf Oksana zu und sagte: »Hallo. Wie geht es?«, und sie schaute ihn irgendwann an und wusste, dass allein die Aufmerksamkeit, die ihr in diesem Augenblick zuteilwurde, wertvoll war und besonders und man so etwas nicht in den Dreck schmeißt, also lächelte sie, und ab da gingen sie miteinander. Zur Empörung nicht nur von Kostjas Eltern, die bereits die Adidasanzüge schwinden sahen, verkauft an der Metrostation Tschertanowskaja weit unter ihrem Preis, für ein Ticket nach Leningrad.

Oksanas Eltern hielten die Verbindung der jungen Leute auch für ein völliges Missverständnis, ein Totaldesaster, dieser Jid durfte sie nicht haben, die schönste, die beste aller Töchter, das Juwel hier auf diesem Haufen Scheiße, »ich meine, guck sie dir an, wie sie strahlt, allein ihre Haut, so eine gibt es nur im Fernsehen!«, hier in dieser Siedlung am Rande der Stadt. Sie sollte sich mit ihrer Haut und den Haaren in die Stadtmitte vorarbeiten, mit so einer makellosen Silhouette hatte sie Aussichten auf eine gute Partie, vielleicht wohnt sie mal in einer Wohnung im Zentrum, vielleicht nimmt sie der Zukünftige auch mal mit ins Ausland, aber was nun gar nicht in Frage kam, war, dass sie sich mit einem rotschopfigen Jid vom Dorf einließ mitsamt seinen мещанин-Eltern, so ein Wort gibt es nur im Russischen, diese dreckigen Kleinbürger mit Mundgeruch. Kurz: Die Eltern auf beiden Seiten waren gegen die Verbindung, und da die Kinder bei ihnen wohnten – wie so viele, bis sie weit über dreißig waren, weil der Sozialismus das freie Menschenleben so organisierte –, bestimmten die Eltern, was ein freies Leben war, und wenn Oksana schwanger werden würde, dann triebe man eben ab, das war eine bewährte Verhütungsmethode, aber bevor es so weit kam, riefen sie die Verwandten aus Wolgograd an, oder vielleicht haben die anderen zuerst angerufen, jedenfalls gab es diese glückliche Fügung, da waren zwei Familien, entfernt miteinander verwandt, alles wasserfeste Juden, wie sie selber sagten, die wollten ihre Kinder in Sicherheit bringen. So kam Valja nach Moskau.

Als Kostja Valja gegenüberstand, wusste er, das läuft auf einen Heiratsantrag hinaus. Entgegen seinen Erwartungen oder seinen Hoffnungen, das Mädchen aus der fernen Stadt an der Wolga niemals gut finden zu können mit dem warmen Oksana-Gefühl im Bauch, fiel ihm doch auf, dass sie außerordentlich hübsch war, auf eine ganz andere Art als Oksana, und dass sie zudem vertraut aussah, sie sah jemandem ähnlich. Und dieses Vertrauen packte ihn mehr noch als ihre großen erdfarbenen Augen, die so rund waren wie ihre Locken. Ob ein Vertrauen wirklich aus sich heraus entsteht oder ob man Vertrauen empfindet, weil die Eltern die ersten zwanzig Jahre des Lebens auf einen einreden, dass man unter sich bleiben soll, weil man dann Ruhe habe, »uns ist schon so viel passiert, es ist Zeit für ein wenig Frieden«, das sei dahingestellt, aber auf irgendeine Weise sah Valja jemandem in Kostjas Familie ähnlich, nicht seiner Mutter, nicht seinem Vater und auch nicht Onkel Wasja, der ja gar nicht verwandt war, vielleicht kannte Kostja diese Person, der das kraushaarige Mädchen ähnlich sah, auch nur von Fotos, aber was soll man schon gegen Gefühle machen, die sind einfach da oder nicht. Sie gingen zusammen aus und schliefen miteinander in der vierten Nacht.

Schnell miteinander ins Bett zu gehen, war üblich. Trotz des Mangels an Räumen, in denen man den Akt vollziehen konnte, ergaben sich immer Möglichkeiten, irgendein Freund passte auf eine Wohnung auf, während die Besitzer auf der Datscha grillten, oder die Eltern waren verreist, und es gab ja auch noch Parkbänke in der Nacht, aber das war was für Hartgesottene, zu denen die beiden nicht gehörten. Valja und Kostja schliefen das erste Mal miteinander bei Kostjas Cousin Mischa, der schon damals einen Bart trug wie Trotzki und, immer wenn er konnte, Karikaturen zeichnete, übte, um ein berühmter russischer Cartoonist zu werden, was er letztlich auch wurde, mit Ausstrahlungen im Staatsfernsehen und sieben Kindern von begeisterten Anhängerinnen, die dann kamen und Unterhalt verlangten. Für deren Versorgung musste er irgendwann seinen Traum, trotz des beachtlichen Erfolgs, an den Nagel hängen und einen vernünftigen Job annehmen, wie alle vernünftigen Menschen, aber das kam erst später, noch war er dabei, ein Cartoonist zu werden, und überließ seine Wohnung Kostja und Valja, damit sie Zwillinge zeugen konnten.

Diese zweite Hochzeit war weniger spektakulär als Valjas erste, aber die Vorbereitungen dafür aufregender, denn es gab welche. Dieses Mal nahmen Kostjas Eltern Valja mit ins Warenhaus Berjoska, und sie durfte sich ein Kleid aussuchen. Ein riskantes Unternehmen, weil alle wussten, dass im универмаг Берёзка nicht einfach eingekauft werden konnte, da zahlte man mit Vouchers, die für Geld standen, das es in der Sowjetunion nicht gab. Wenn man in Russland mit grünen Scheinen erwischt wurde, hieß das Knast, aber die Schwiegereltern hatten keine Dollars, sie hatten Papierschnipsel, die dafür standen.

Kostjas Mutter zog Valja hinter sich her durch die Reihen mit pompösen Kleidern, Valjas Herz schlug so laut, dass sie fast nicht hörte, wie Kostjas Vater die Stoffe kommentierte und bereits im Gehen den Preis schätzte. Sie wurde in die Kabine gestellt, zog sich bis auf die Unterwäsche aus und schaute in den Spiegel. Sie hatte zugenommen um die Hüften, und ihre Oberschenkel schienen weicher zu werden, die Zwillinge drückten sich aus dem flachen Bauch heraus, ihre Taille hingegen blieb schmal und hoch, ihre Brüste wölbten sich nach oben, und jetzt schon schmerzte ihr der Rücken. Ihre Lockenkringel begannen bereits direkt am Haaransatz und wippten wie bei einer Puppe, wenn sie den Kopf hob oder senkte. Sie sah auf ihre Füße, dicke Adern drückten sich durch die gerötete Haut, sie waren geschwollen, sie würde flache Schuhe tragen müssen.

Sie schreckte hoch, weil die Schwiegermutter in die Kabine gestürzt kam, als müssten sie sich beeilen, und anfing, ihr ein Kleid überzustülpen, zwei weitere auf dem Arm, sie wartete Valjas Urteil nicht ab, riss runter, setzte auf, zog am Verschluss, drückte Knöpfe, hielt den Saum hoch, fasste Valja an den Hintern, verdrehte ihren Nacken, begutachtete ihre Brüste und schien nie zufrieden. Was sie murmelte, hörte Valja nicht, dafür war sie zu nervös und außerdem mit allem einverstanden. Kostjas Mutter entschied sich also für ein Kleid, während Valja mit ausgestreckten Armen dastand und von all dem Adrenalin im Körper nicht aufhören konnte zu lächeln. Als sie dann, aus der Kabine spähend, den Schwiegervater Voucher auf den Tresen legen sah und wie er bedeutungsvoll dem Kassierer in die Augen blickte, der daraufhin langsam nickte und nicht die Milizionäre rief, sondern den weißen Berg Stoff in eine große Tasche legte, biss sie sich auf die Unterlippe, um nicht aufzuschreien.

Für Valja blieb dieser Einkauf einer der aufregendsten Momente in ihrem Leben, aufregender als die Hochzeitsfeier in jedem Fall, auf der sie nicht trinken konnte und Angst hatte, zu tanzen, mit gleich zwei Lebewesen im Bauch, trotz flacher Schuhe. Vor der Hochzeitsfeier musste sie zwei Monate im Krankenhaus liegen, ihr Körper drohte die Kinder abzustoßen, zwei lange Monate, in denen sie an den Süßigkeiten knabberte, die sie von ihrer Bettnachbarin, auch Medizinstudentin, bekam, die von ihren Eltern täglich versorgt wurde. Valjas Eltern waren in Wolgograd, mussten viel arbeiten, so sagten sie es am Telefon, Etinka kam zweimal vorbei, brachte Blumen, saß am Bettrand und erzählte von den toten Kindern in ihrer Tuberkuloseklinik, die sie leitete. Da fiel Valja zum ersten Mal auf, wie alt Etinka geworden war.

Als man sie aus dem Krankenhaus entließ, warnte man sie davor, sich allzu viel zu bewegen und sich aufzuregen, das Risiko für die Ungeborenen, viel zu früh auf die Welt zu kommen, bestand immer noch, also saß Valja auf ihrer Hochzeit still am Tisch und schaute ihrem Mann zu, wie er schweißgebadet im blauen Hemd mit hochgekrempelten Ärmeln die Beine von sich warf.

Und weil er seit dem Ja-Wort im Standesamt nicht mit ihr gesprochen hatte und alle anderen auch nicht, weil sie mit Feiern beschäftigt waren, sprach sie mit sich selbst und erinnerte sich an all die schönen Dinge, die Kostja ihr so oft gesagt hatte:

»Du bist das Schönste, was ich je gesehen habe.«

»Ich werde dir jeden Wunsch von den Lippen ablesen.«

»Wenn ich die Augen schließe, sehe ich dich in einer großen Badewanne liegen und um dich nur Edelsteine und Seide und Golduhren, und alles, alles was du möchtest, besorge ich dir.«

Valja war also zu Kostja in die Chruschtschowka gezogen, eine sowjetische Architekturmeisterleistung, ein Plattenbau, der nach Nikita Sergejewitsch Chruschtschow benannt war, dem, der seinen schwarzen Lederschuh ausgezogen hatte in dem überfüllten Saal der Vereinten Nationen und mit seinem Gummiabsatz auf die Mahagonitischplatte hämmerte, während er schrie: »Мы вам покажем кузькину мать!«

Seine Simultanübersetzer hatten keine Ahnung, wovon der Mann sprach, und übersetzten wortwörtlich, dass Nikita Sergejewitsch allen Anwesenden die Mutter von Kuzkin zeigen möchte. Man mag sich gar nicht ausmalen, was passiert wäre, wenn die Übersetzer damals, im Jahr 1960, über die Mikroports die wahre Botschaft des sowjetischen Führers an die Vereinten Nationen weitergegeben hätten, nämlich: »Wir werden euch alle fertigmachen!« Dieser große Mann also war Namensgeber für die Platte, in der Kostja aufgewachsen war und in die seine Kinder hineingeboren werden sollten. Die Wohnung hatte zwei Zimmer, seine Eltern blieben im Wohnzimmer, die frisch Vermählten bekamen das Schlafzimmer. Kostjas Mutter begutachtete Valja und fand, dass ihre Hüften vielversprechend waren, dass sie Medizin studierte, war in Ordnung, die verdienten zwar nichts, aber es war gut, einen Arzt im Haus zu haben, nur sollte sie sich nicht für was Besseres halten und ihre Bücher wegräumen vom Esstisch.

Valja war nämlich fast nur mit Büchern nach Moskau gekommen. Irgendwie hatte es in Kostjas Familie die Hoffnung gegeben, dass sie, da aus gebildetem Haus und alles Ärzte, mit feiner Ware kommen würde, mit irgendetwas Brauchbarem, mit guten Stoffen vielleicht, einer Golduhr, Familienschmuck, oder dass sie wenigstens vernünftiger angezogen wäre als mit diesem Hippiezeug, Jeansschlaghosen und Lederjacke, aber so kam die Braut und hatte fast nur Bücher dabei, und das war sehr suspekt, so dass Kostjas Mutter, als Valja in der Uni war, alle ihre Bücher durchblätterte und ausschüttelte, um zu schauen, ob sie nicht doch zwischen den Seiten oder im Buchdeckel bordeauxfarbene oder egal welche Scheine versteckte. Sie fand nichts, aber Valja blieb ihren Schwiegereltern verdächtig:

»Wo bist du gewesen?«
»In der Universität.«

»Weißt du, wie spät es ist?«
»Wir hatten eine Chemie-Arbeitsgruppe.«
»Verkauf mich nicht für blöd.«
»Ich gehe schlafen.«
»Du bist doch im Theater gewesen, das rieche ich.«
»Man kann Theater nicht riechen.«
»Also doch!«

Valjas Körper schwoll an und verlangte von allem das Doppelte: Buchweizen, Butter, Weißbrot mit Zucker, Schokolade, viel, viel Schokolade und Kekse, und Gott sei Dank sparte die Schwiegermutter nicht an der Creme in ihren Torten. Obst gab es keines auf dem Markt, und Valjas Eltern fanden es nicht gesund, dass sie nur Weizen- und Hefeprodukte zu sich nahm.

»Dann schickt mir doch was, Schwiegervater weigert sich, auf den Schwarzmarkt zu gehen, er sagt, das Obst dort kommt direkt aus Leichenschauhäusern, es wird dort neben den Leichen gelagert.«

Die Eltern versprachen, etwas zu schicken, und als Valja fragte, wann sie selber zu Besuch kommen würden, sagten sie, bald, aber wann genau, könnten sie nicht sagen.

Eine Woche später ging Valja zum Pawelezer Bahnhof und saß am Gleis, bis der blaue Zug aus Wolgograd einfuhr, er war tagelang durch die Steppe gefahren, Valja beneidete ihn, beobachtete die Rauchwolken, die bis in die hohe Kuppel der Bahnhofshalle stiegen. Sie dachte, wie gerne sie jetzt Conan Doyle lesen würde, die Bücher ihrer Kindheit, das alles schien so weit weg, jetzt hatte sie nur eine Zeitung dabei, und die konnte sie nicht lesen, sie musste darauf sitzen, um sich nicht den Hintern auf der Bank zu verkühlen. Sie schaute in die großen Augen der Lok, dann auf die Beine, die aus den Waggons sprangen, alles in Blau und Beige, keiner blieb stehen, alle liefen irgendwohin. Die Zugbegleiterin Elena Wladimirowna stieg aus und ging auf sie zu, schon lange eine wertvolle Bekanntschaft der Familie auf der Strecke Wolgograd–Moskau. Sie zog einen Karton an einem festen Band hinter sich her, den Valja sofort erkannte.

»Deine Eltern wissen auch nicht, was sie tun, ich glaube, da sind Wassermelonen drin.«

»Danke. Wie geht es Ihren Kindern?«

»Ach, die wollen mich im Grab sehen.« Elena Wladimirowna zündete sich eine Zigarette an und reichte Valja auch eine, Valja schüttelte den Kopf.

»In welchem Monat bist du denn jetzt?«

»Im achten.«

»Und wie schleppst du die Wassermelonen nach Hause?«

»Ich frage jemanden.«

»Na ja, Tochter, pass auf dich auf.«

Valja nahm das rote Band, zog das Paket wie einen toten Hund hinter sich her, und als sie bei der Metrostation angekommen war, rief sie Kostja an und bat ihn, zu kommen. Kostja lallte, aber er holte sie ab.

Valja fand erst nach Monaten heraus, dass Kostja trank. Er trank nicht, wie ein russisch-orthodoxer Mann zu trinken hatte, auch nicht wie ein Jid, sondern mehr wie ein kleiner Junge, dem man gesagt hatte, dass er sonst nicht mitspielen darf, wenn er diese Gülle aus der Pfütze nicht bis zum letzten Tropfen ausleckt. Er hasste es. Er fand, es schmeckte nicht, er wusste aber auch, dass er keine andere Wahl hatte. Umso nervöser trank er, umso ungeschickter, umso weniger konnte sein eigentlich doch schmaler Körper mit dem Hochprozentigen in seinem Kreislauf umgehen, so dass er zwischen zwei Extremen schwankte: Einschlafen und Jähzorn.

Zuerst hatte sich der Jähzorn nur gegen seinen Vater gerichtet. Gründe gab es zur Genüge, es reichte schon völlig aus, mit dem eigenen Vater unter einem Dach zu wohnen, mit einem Vater, der mit einem Messer am Tisch die Plastikdecke abfuhr, mit der Klinge die roten und blauen Blumenumrisse nachzeichnete und durch seine Bartstoppeln spuckend zischte: »Es wird gemacht, was ich sage.« Dieser Vater, das kleine, ungeschickte Tierchen vom Dorf, das kaum einen Fuß vor den anderen setzen konnte, das Spielzeug gewesen war sein halbes Leben lang für die, die stärker waren, hatte es gerade geschafft, aufrecht zu stehen, und schon war sein Sohn größer und dicker geworden als er und bekam die wenigen Umarmungen ab, die seine Frau ohnehin nur mit Bedacht verschenkte, also sah er sich gezwungen, seine Autorität durchzusetzen mit Besteck aus der Schublade. Er glaubte, dass es an ihm lag, dass die Familie überlebte, und nicht an seiner Frau, die in der Fabrik arbeitete, für vier kochte, den Haushalt schmiss und sich danach in sein Bett legte, damit er sich wie ein Mann vorkam. Und da sein einziger Sohn Konstantin in jeder Hinsicht keine Ahnung vom Leben hatte, denn er wollte immer noch Musiker werden und verlor jeden Ausbildungsplatz nach wenigen Wochen, wegen seines Jähzorns oder weil er sich auf der Arbeitsstelle hinlegte und einschlief, und aus dem Militärdienst musste man ihn freikaufen, weil ihm da Gott weiß was zugestoßen wäre, denn wehren konnte er sich ja nicht, »schau ihn doch an, ist nur ein Halber geworden, die spießen ihn auf mit einem Besenstiel«, seinem Sohn also musste man noch Vieles beibringen, und das ging aus der Sicht seines Vaters nur mit einem Messer in der Hand, weil Kostja sonst nicht zuhören wollte.

Konstantin hatte keine Angst vor der Klinge in der Hand seines Vaters, er fand sie fast lustig, es wäre leicht gewesen, sie ihm aus der knochigen Hand zu schlagen, wenn es zum Äußersten gekommen wäre, was es nie tat oder nur ein Mal, als es um die endgültige Ausreise ging, эмиграция, die Emigration. Wovor Kostja aber Angst hatte, war, was der Vater mit seiner Mutter anstellte. Er wusste nicht genau, was es war, er beobachtete die immer tiefer werdenden Falten im Gesicht der Mutter, die herunterhängenden Mundwinkel, die wie eingeritzt aussahen, die hervorquellenden Augen mit den rötlichen Fäden um die Pupillen und wollte sich nichts vorstellen. Seine Mutter war einmal eine schöne Frau gewesen, dessen war er sich sicher, nur konnte man nichts mehr davon sehen unter der zerfurchten Haut und in dem zerlumpten Hauskleid, das sie immer wieder zusammennähte, im Schrank hingen mindestens zehn neue Kleider noch in ihrer Originalverpackung, aber warum sollte man sie anfassen, solange dieses eine noch etwas taugte. Und weil Kostja immer wieder seine Arbeit verlor, war er viel zu Hause, also hatte er viel Zeit, sich seinen Gefühlen hinzugeben.

Valja kam nach Hause, Adidasanzüge in knisternder Verpackung flogen durch die Luft und knallten gegen den Teppich an der Wand. Valja kam nach Hause, Kostja hing halb aus dem Fenster, bis zur Hüfte nackt, seine roten krausen Brusthaare nach Tschertanowo streckend, und schrie aus dem Fenster, dass das Leben einen Sinn habe, »ja! Hat es, hat es, hat es!« – Valja kam nach Hause, Kostja lag zusammengekauert vor dem Sofa und kicherte wie ein Kind und sagte, wie sehr er sie vermisst habe und dass sie ihn nie, nie verlassen dürfe. Valja kam nach Hause, Kostja redete von Weltschmerz und meinte damit sein Sodbrennen, in seinem Weltschmerz war so wenig Welt, dass sie nicht neben ihm sitzen konnte, in dem Gestank von Selbstgebranntem, von dem man noch tagelang Kopfschmerzen hatte.

In dieser Luft reiften die Zwillinge unter Valjas Herzen, die ahnte, dass nicht nur die Welt, sondern auch sie bald an der Reihe sein würde, für Konstantins Brennen im Magen verantwortlich gemacht zu werden.

Der erste Schlag kam allerdings von der Schwiegermutter. Valja war später als üblich aus der Universität gekommen, sie hatte gute Laune, ein Kommilitone hatte mit ihr stundenlang über Solschenizyn diskutiert und ihr dann, ihr tief in die Augen blickend, gesagt, ihr Bauch stehe ihr ausgezeichnet. Sie warf die Haare zurück, die ihr jetzt schon bis zu den Schultern gingen, und lächelte in die Küche hinein, in der die Schwiegermutter gerade am Herd etwas Dampfendes umrührte, sie von oben bis unten musterte, die Kelle in das Spülbecken warf, auf Valja zuging, ausholte und ihr ins Gesicht schlug. Aus Valja kam ein Ton, kurz und dumpf, sie fühlte keinen Schmerz, auch wenn die Schwiegermutter sehr kräftig war, sie fühlte gar nichts.

Valja starrte in das bleiche, fahle Gesicht dieser Frau, die neun Monate lang das ausgetragen hatte, was ihr Mann geworden war, und davor und danach diverse Fehlgeburten und Schwangerschaftsabbrüche und Vergewaltigungen durchgestanden hatte, oder hat man das damals überhaupt schon so genannt, das Gesicht einer Frau, das wie eine hohle Mauer war, und tief unter dem Putz und dem Pilz und dem Schwamm sollte mal jemand gelebt haben. Valja schaute und schaute und suchte nach etwas Lebendigem in diesem Gesicht, Tränen stiegen ihr in die Augen und blieben dort, sie rieb sich die Wange und fragte: »Warum?«

»Weil du Hure mit anderen Huren herumhurst, das sieht man dir auf weiteste Entfernung an, du stinkst nach teurem Parfüm, wo hast du das Geld her, wo versteckst du es, du Flittchen, wo treibst du dich herum, glaubst du, ich merk nichts, denkst du, ich weiß nicht, was du treibst, Gott verfluche den Tag, an dem ich meinen einzigen Sohn an dich, Hure, gegeben habe, glaubst du, du bist was Besseres, weil du studierst, glaubst du, du bist was Besseres, weil deine Missgeburt von Mutter Ärztin ist, so wie alle Schweine in deiner Sippe, glaubst du, du kannst meinen Einzigen kaputtmachen, schau dir an, wie es ihm geht, schau, wohin du ihn getrieben hast –«

Müßig zu spekulieren, ob dieser Ausbruch der liebenden Mutter davon ausgelöst worden war, dass Kostja an diesem Tag schon wieder eine Ausbildungsstelle verloren hatte, oder weil sich zwangsläufig etwas aufstaut, wenn Mädchen wie Valja, in Jeans mit Schlag und Locken in alle Richtungen, mit Büchern statt Seidenraupen im Gepäck, bei Menschen aufschlagen, die noch vor kurzem für einen halben Laib Brot durch das Dorf gejagt wurden wie Tiere. Das war der erste Schlag seit Valjas Scheidung von Iwan, und dieser war ganz anders gewesen. Vielleicht weil er von einer Frau kam, nein, nicht von einer Frau, von einer Mutter. Valja sagte nichts, weinte auch nicht, ging in das Schlafzimmer, setzte sich an den Schreibtisch am Fenster und packte ihre Bücher aus.

Kostja wollte seine Frau nicht schlagen. Er wollte niemanden schlagen. Er war ein friedfertiger Mensch, der nur Musik machen wollte. Von dem, was er sich erspart und erbettelt hatte, kaufte er ein kleines Klavier, das er in das Zimmer stellte, in dem er mit Valja schlief, zum Entsetzen der Eltern, die ihn zwar beschimpften, aber nichts dagegen unternehmen konnten, als das Klavier die Treppe hochkam, getragen von drei von Kostjas Freunden. Die Mutter schenkte den Jungs sogar ein paar Kurze ein und trank einen mit, was sie selten tat, dann legte sie einem von ihnen die schwere Hand auf die Schulter.

»Was soll ich mit dem Jungen nur machen?«

»Was wollen Sie mit ihm machen, ist doch eh zu spät.«

»Aber ihr passt auf ihn auf, ja?«

»Ja, machen wir.«

»Wenn ich das Klavier verkaufe, kommt ihr dann und schleppt es wieder weg?«

Kostja schrieb sich auf der Musikschule ein und schien tatsächlich Talent zu besitzen, auch wenn er nicht Schumann lernte oder Schubert oder Rameau, er spielte nur, was er wollte, und das waren russische Kabarettlieder, Popsongs und Schlager, zu denen alle mitgrölen und mitlachen konnten. Das mochte er, er mochte es, wenn sich die Kumpels trafen und alle gemeinsam glücklich waren. Er mochte es, sie zu unterhalten, er liebte ihren ausgelassenen Ton, er liebte den Klang der Stimmen mit all ihren Intervallen und Tonarten, und heimlich liebte er doch Schumann, aber er wusste, dass er nie gut genug sein würde, seine Kumpels damit in Ekstase zu versetzen, also ließ er es. Seine Nasenflügel blähten sich, wenn er sich an die ausländischen Romantiker wagte, seine Augen wurden feucht, er schwitzte selbst für seine Verhältnisse stark, und die Anstrengung, die ihn das kostete, war es einfach nicht wert, auch wenn er ahnte, dass diese geheimnisvolle Welt der Musik ihn in Sphären mitnehmen könnte, in denen er vielleicht das Universum sehen könnte oder Gott, aber lieber noch das Universum, und die Sterne und die Meteoritenschweife aus nächster Nähe. Aber all das blieb ihm verborgen, weil er sich nicht traute, etwas zu riskieren, nämlich das Scheitern an der Welt der klassischen Musik, die für Leute wie ihn keinen Platz hatte.

Er wusste nicht mehr, warum er Valja zum ersten Mal geschlagen hatte, eigentlich hatte er sie auch nicht direkt geschlagen, also nicht schlagen wollen. Der Schlag galt nicht ihr, sie war dazwischengeraten, zwischen ihn und seinen Vater. Valja bat um Ruhe, sie bat um Frieden, oder vielleicht ging sie einfach nur in die Küche für ein Stück Wassermelone aus der Sendung ihrer Eltern, als Kostja ausholte und sie zum ersten Mal traf. Und als er sah, dass es Valjas Kopf war, der wegprallte von seiner Hand, und nicht der kahle Schädel seines Vaters, schlug er noch einmal zu, weil er plötzlich ein Kribbeln in den Hals-muskeln verspürte, die Schläge schienen ihn mehr zu befriedigten als die Angriffe gegen den Alten. Valja ging zu Bo-den, und er trat auf sie ein, und sie schrie nicht.

Mit blauen Flecken im Gesicht, auf den Handrücken und dem Brustkorb konnte sie nicht in die Universität. Valja lag eine Woche im Bett, atmete tief ein und aus und dachte, Pä-dagogik, Histologie, klinische Embryologie werden schwere Prüfungen, aber die würde sie schaffen. Wissenschaftlicher Kommunismus und die Geschichte der Partei waren schon schwieriger.

Und die Fremdsprache, welche Fremdsprache – der Kurs, in dem sie so taten, als würden sie in Englisch unterrichtet, eine Stunde in der Woche, in der sie so taten, als würde sich der Eiserne Vorhang einen Spaltbreit öffnen, aber nur mit Kreide eine Tür darauf zeichneten, gegen die alle rannten. Sie wusste nicht, ob sie die Englischprüfung hinbekommen würde. Valja spürte, wie ihr die Wut darüber in den Hals stieg und ihre Augen feucht wurden.

Dann dachte sie wieder: Chemie, kein Problem. Anatomie, Latein, Psychologie kein Problem.

Ich sehe sie in Jeans und Rollkragenpullover mit am großen Zeh gestopften Socken auf der karierten Steppdecke liegen, mit den Händen auf dem gewölbten Bauch, der große, brau-ne Kleiderschrank bildet eine Wand hinter ihrem Kopf, dann kommt das Klavier, darüber das Fenster, die Gardinen sind zugezogen und liegen auf dem geschlossenen Klavierdeckel, rechts daneben der Schreibtisch mit einem Stapel ihrer Medi-zinbücher und zwei Heften in ausgewaschenem Türkis, gleich daneben wieder das Bett, auf dem Valja liegt und flach atmet und die Decke anstarrt, die zwei Meter fünfzig über ihr wie der Deckel eines Einmachglases fest zugezogen ist. Vielleicht habe ich damals ihr flaches Atmen gespürt, aber das kann ich heute nicht wissen. Ich reihe meine Vielleichts aneinander, Kügelchen für Kügelchen, ungeschliffene Murmeln, die für keine vorzeigbare Kette reichen. Nichts von dem, was sie neben ihrem Examensplan noch gedacht, gerochen, gefühlt haben muss in diesen Augenblicken, wird je zu mir durchdringen.

Ich liege auch irgendwo da auf dem Bett, aber ich kann mich nicht sehen, ich habe keine Erinnerungen, habe eine Nabelschnur, die ins Nichts führt, habe ein anderes Lebewesen neben mir, in demselben Nichts, das mich streift, leicht wie ein Luftballon, höre Fetzen von dem, was Valja sagt, und bringe sie zusammen mit anderen Bildern aus Quellen, für die ich nicht bürgen kann. Was davon ein Film war, über dem ich spätnachts eingeschlafen bin, oder die Zeile eines Liedes in meiner Muttersprache, die mir vorkam wie die Zusammenfassung eines Lebens, das ich kenne, kann ich nicht auseinanderhalten, ich kann mich an nichts festhalten, ich weiß, das hier, das wurde mir erzählt, aber anders.

Der Anfang

Anton hatte eine Postkarte geschrieben. Geschrieben war eigentlich zu viel gesagt, es kam eine Postkarte ins Haus mit der Schwarzweißfotografie einer schmalen Straße zwischen heruntergekommenen Gebäuden, die schief aneinanderlehnten, darauf stand in rotweißer Schrift geschrieben: Istanbul.

Seine Art zu sagen, dass es ihm gutgeht, dachte Valja.

Sie hielt das Stück Pappe mit dem Zeigefinger an einer Ecke aufgestellt, schnipste es mit dem Daumen hin und her und schaute auf die Etagere, als Ali die Küche betrat. Sie hatte ihre Tochter schon von weitem gehört, Ali hatte den Schlüssel behalten, seit sie vor neun Jahren ausgezogen war, sie benutzte ihn alle sechs Monate, seit Anton verschwunden war, jetzt zum ersten Mal. Dieser Schlüssel klemmte leicht, und nur die, die in der Wohnung lebten oder gelebt hatten, wussten, wie man die Tür anheben und an den Rahmen drücken musste, damit das Schloss aufsprang. Ali stieß die Tür auf, murmelte etwas, was Valja nicht verstand, aber sie war sich sicher, dass es keine Begrüßung war. Sie hörte das Geräusch von Sohlen auf dem Linoleum im Flur, das Gummi an Alis Fersen schmatzte, als sie sich die Turnschuhe abstreifte. Sie schlich durch die Wohnung, war verschwunden, irgendwo abgebogen, und es war wieder still.

Родительский дом начало начал, ты в жизни моей надежный причал, summte das schwarzweiße Gesicht von Leschenko in Alis Kopf. Ein sicherer Hafen bist du mir, mein Elternhaus, der Anfang aller Anfänge. Die russische Musiklegende sang das mit aufgedunsenem Gesicht und nach links verzogenem Mund, die Augenbrauen des Sängers sprangen dabei unentwegt hoch in die Stirn, er fuchtelte mit den Armen und animierte das Publikum, mitzusingen. Und alle sangen, die ganze Sowjetunion sang mit. Was er allerdings in Alis Kopf suchte, war ihr ein Rätsel, sie schüttelte ihn heraus und sah sich um.

Sie hatte sich ihren sichersten Gang aufgezwungen, bevor sie diese Wohnung betrat, in der sie so etwas wie aufgewachsen war, in der sie zumindest eine wichtige Zeit ihres Kinderlebens verbracht hatte, sie erinnerte sich, in welcher Ecke sie stehen und sich schämen musste, weil sie Anton in den Oberschenkel gebissen hatte, da gleich links, wenn man ins Wohnzimmer kam, wo sie das Spielzeugauto versteckte, damit der Bruder es nicht fand, und wo der Tannenbaum, der zu Neujahr aufgestellt wurde und nicht zu Weihnachten, kippelte, wenn die Geschwister an ihm zerrten, dort an dem Fenster.

Ali sah reflexartig auf die Stelle auf dem Boden, wo sie und Anton den Teppich versengt hatten, als sie versuchten, den großen roten Stern von dem Wipfel der Plastiktanne zu holen. Sie begruben sich gegenseitig unter Lametta, das sie wie Spinnweben vom Baum zogen, gossen es einander über die Köpfe, knitterten die bunte Stanniolfolie zwischen den Fingern, knabberten daran mit den Zähnen. Über der verbrannten Stelle stand jetzt ein neues Ledersofa. Sie schob es beiseite, ging in die Hocke und schaute auf die winzigen braunen Härchen um das Loch herum. Dann erinnerte sie sich an das gleiche Brandloch in der elterlichen Wohnung in Moskau, fragte sich, ob die Stelle genauso aussah, es war das gleiche Spiel damals, das gleiche Rumkauen auf dem Lametta, der gleiche rote Stern, der fallen sollte, derselbe besoffene Vater, der weinte und dann schlafen ging.

Das helle Braun des neuen Sofas kratzte ihr im Auge. Der Fernsehtisch aus Spanplatte war geblieben, er sollte wie Eiche aussehen und hatte durch das Staubwischen und das ständige Hin- und Hergeschiebe der Fernsehzeitschriften an Kratzern dazugewonnen, Bücher wurden hier nicht mehr gelesen.

Die Gardinen aus feinem Baumwollgewebe waren auch neu und zu lang, sie schleiften auf dem Boden und gerieten in Bewegung, wenn man an ihnen vorbeiging. Ali streckte ihnen ihre Handfläche entgegen und rieb einen Zipfel zwischen den Fingern. Die Tapete war styroporweiß mit eingestanztem silbernem Rosenmuster, Anton hatte es hinter der Tür nachgezeichnet, und Ali hatte ihn verpetzt. In den Vitrinen standen Büsten von Unbekannten, und Fotos ohne Rahmen lehnten an billigen Kristallvasen. Hier standen Schura, Etja, Danja, Emma, Valja und noch mal Valja und dann die Kinderfotos. Alle Fotos, auf denen Ali zu sehen war, zeigten sie mit langen Haaren bis zur Hüfte, Zeugnisse ihrer Kopfbeschneidung gab es hier nicht. Anton daneben lächelte immer in voller Breite, und seine Haare waren gekämmt, wie Ali sie nie gesehen hatte, was aber auch daran lag, dass sie sie bei jeder Gelegenheit durcheinanderwühlte, weil sie auch solche Haare haben wollte, abschneiden kam damals aber nicht in Frage, Haare seien nämlich »die Ehre einer Frau, was willst du mit deiner Ehre auf dem Müllhaufen?«.

»Und was ist, wenn ich keine Frau bin?«

»Was bist du dann, ein Elefant?«

Und alle lachten, vor allem die eingeladenen Tanten mit der Marmelade und der Zitrone in ihren Schwarzteegläsern, kopfschüttelnd, dass die Kleine es schon noch verstehen würde – ist das Alter, die Flausen im Kopf, der schlechte Einfluss von der Straße, läuft ja nur mit Jungen herum und will keinen Büstenhalter ummachen.

Ali stand im Türrahmen und lehnte sich an das mit blauem Kugelschreiber an die Wand improvisierte Maßband, die aus

Moskau mitgebrachte Gewohnheit, das Wachstum der Kinder an der Tür des Wohnzimmers mit einem Kugelschreiber zu markieren, dann Datum daneben und immer wieder nachmessen und kommentieren, wie schnell die Zeit vergeht, »ein Meter zwanzig, ein Meter siebenundvierzig, ein Meter sechzig, hey, nicht so schnell, meine Güte!«. Für Ali und Anton waren weder die Zeit noch ihr Wachstum von so großem Interesse wie das schöne Muster, das sich am Türrahmen ergab, so dass sie die Striche zu verbinden versuchten, vor allem Anton versuchte immer wieder, sie zu Schleifen und Kringeln weiterzuzeichnen, und bekam dafür eins auf den Hinterkopf, »wie oft soll ich dir sagen, du sollst nicht auf Wände malen!«, Kostja riss ihm die Stifte aus der Hand.

»Wieso, du malst doch auch!«

Das Maßband, an dem Ali jetzt lehnte, fing an bei »1996 – 141 cm«. Ali fuhr die Striche, mit denen Anton ihre und seine Größen zu Sternbildern verbunden hatte, mit dem Fingernagel ab und sah hinüber zu ihrer Mutter in der Küche. Nichts war hier neu, und Ali schrumpfte wieder zu dem Kind am Maßband, sie roch den bekannten Naphthalin-Geruch, er hing ihr in den Haaren. Ganz gleich, wie kurz sie waren, sie wurde ihn nicht los, als würde ihre Kopfhaut den Geruch wieder verströmen, sobald sie diese Wohnung betrat. Ihr lief eine Schicht Naphthalin übers Gesicht, und nichts hatte sich geändert, ja, die Haare waren ab, aber das sah hier eh keiner. In den Augen ihrer Mutter, die jetzt am Küchentisch am Fenster saß und den Keks vor sich auf der Etagere anstarrte, war sie noch das Abziehbild einer Erinnerung mit langen Haaren und diesem anderen Geruch, vielleicht produzierten ihre Drüsen darum Naphthalin, damit die Mutter sie am Geruch erkannte.

Vielleicht lasse ich mir das Gesicht operieren, dachte Ali, ich lasse mir die Nase vergrößern und schaue, ob sie es merkt.

Valja bewegte sich nicht, schaute weder ihre Tochter noch den Keks an, sondern starrte auf die Etagere selbst, auf das golden umrandete Schwarz mit roten Kirschen drauf und fragte sich, warum sie das billige Ding nicht schon längst weggeschmissen hatte, wie lange stand es jetzt da, seit fünfzehn Jahren vielleicht, seit zehn bestimmt. Es war jedenfalls alt. Die Tischdecke auch. Ich sollte alles wegschmeißen, dachte sie.

Die Haut an ihren Wangen spannte vor Trockenheit, sie hatte vergessen, sich nach dem Duschen einzucremen, sie war lange unter dem Wasserstrahl gestanden und hatte geweint und sich dann abgetrocknet und an den Esstisch gesetzt, da saß sie jetzt, und während sie auf Ali gewartet hatte, hatte sie überlegt, ob sie etwas mit ihrem Gesicht anstellen sollte, Gift in die Wangen spritzen, ein bisschen die Augenwinkel hochziehen oder erst mal nur Permanent-Make-up, und dann bekam sie Angst, was wäre, wenn die Ärzte einen Fehler machten, was wäre, wenn sie dann so anders aussähe, dass ihre Tochter sie nicht mehr erkannte.

Jede Locke, die Ali damals abgeschnitten hatte, hatte Valja an sich gespürt, als hätte man an ihr herumgeschnippelt. Sie wollte die Haare einsammeln und aufheben für bessere Zeiten, wenn Alissa sich endlich wieder entschließen würde, nicht mehr wie ein Junge rumzulaufen, noch mehr Junge als Anton. Ging es ihr darum, mehr Junge zu sein als ihr Bruder, oder was wollte sie der Welt beweisen? Wenn sie eine Lesbe war, konnte sie das doch auch mit langen Haaren sein, war doch nicht verboten, gut auszusehen.

»Sind das noch die Kekse, die ich letztes Mal mitgebracht habe«, fragte Ali in den Raum hinein. Die Frage fiel aus ihr heraus und blieb auf dem Linoleumboden liegen.

Valja lächelte und wollte die Hand nach Ali ausstrecken, sie bitten, sich hinzusetzen und ihr etwas von sich zu erzählen, stattdessen drückte sie ihre Finger auf die Postkarte auf dem Tisch.

»Ja, kann sein, weiß ich nicht.«

Alissa ging an der Wand entlang, zählte die Hängeschränke, schaute auf die verbogenen Zeiger der lange schon stehengebliebenen Uhr an der Wand, zählte ihre eigenen Schritte. Als sie es zur Arbeitsplatte geschafft hatte, umklammerte sie den Wasserkocher mit beiden Händen und drückte den Boilerknopf hoch, auf dem weißen Plastikbauch des Kochers waren braune und rote Spritzer eingetrocknet. Rote Spritzer vom Saft eines Granatapfels, ein paar zerquetschte Samen lagen noch auf der Marmorplatte, braune Spritzer vom Tee selber. Das zischende Geräusch des aufkochenden Wassers stand als feuchter Strahl vor Alis Gesicht, Ali atmete tief ein und fing an, langsam die Luft durch den geschlossenen Mund zu pressen, sie ließ die Lippen vibrieren, sie blubberte mit dem Kocher mit, versuchte mit ihm mitzuhalten, dann öffnete sie den Schrank über der Spüle und nahm eine Tasse heraus. Sie war marineblau, darauf die cartoonhafte Zeichnung einer Karte vom Schwarzen Meer.

»Guck, hier ist ja noch die Krim drauf«, sie drehte sich zu ihrer Mutter und hielt die Tasse in die Höhe.

»Natürlich ist sie drauf, wo soll sie sonst sein?«

Ali drehte sich wieder um und zog die Teeschublade auf, ein starker Bergamottegeruch stieß ihr in die Nase.

»Onkel Mischa hat sie bemalt, die ist alt«, sagte Valja in Alis Rücken.

»Wer war noch mal Onkel Mischa?« Ali kramte in der Schublade zwischen den Beuteln herum und spürte den Blick ihrer Mutter auf ihrem Körper. Sie trug einen grauen Männerpullover über einem zu weiten, weißen Hemd, beides steckte in einer schwarzen Männerhose, ihr Körper verschwand unter den Schichten. Ali sah, wie Valja ihre Augen schloss und sie wieder öffnete. Sie goss die Teebeutel auf und setze sich Valja gegenüber. Ihre Mutter faltete die Hände und spitzte leicht die Lippen.

»Sollen wir dir Klamotten kaufen gehen?«

Ali zog die Ärmel ihres Pullovers runter, vergrub ihre Finger in dem Wollstoff, umklammerte den Henkel. »Kenne ich Onkel Mischa?«

»Er hat die ganzen Kinderzeichentrickfilme gezeichnet, die ihr früher geguckt habt. Warum trägst du so was?«

»Kann ich die Tasse haben?«

Valja schaute ihr lange ins Gesicht.

»Kannst alles haben. Nimm, was du willst.«

Ali überlegte, was sie aus dieser Wohnung mitnehmen würde, die Ohrringe ihrer Großmutter, die sie nie trug und nie tragen würde, die Fotos, die bei ihr genauso in Umzugskisten vergilben würden wie bei ihrer Mutter, das Spielzeug war längst verkauft oder weggegeben, die Bilder an den Wänden, schlechte Reproduktionen, die Hemden ihres Vaters vielleicht, aber das konnte sie Valja unmöglich sagen, sie schaute durch die offene Tür in den Flur, und ihr Blick blieb an dem Türrahmen mit dem Maßband hängen. Den wollte sie haben, die Latte mit dem Maßband auf der Schulter hier raustragen und bei sich in der Wohnung an die Wand lehnen. Ali öffnete den Mund und sagte:

»Dort ist es jetzt dunkel.«

»Wo?«

»Auf der Krim. Ganz dunkel. Die Stromleitungen sind gekappt, Trolleybusse fahren nicht. Was machen sie jetzt dort im Dunkeln?«

Ali schaute über den Tisch, der unendlich lang wirkte.

»Du kannst die Tasse haben.«

Ali schob ihre Finger in die Locken und schaute aus dem Fenster auf die Straße dieser ausgedörrten westdeutschen

Stadt, in der die Nachbarn wussten, ob man seine Blumen im Vorgarten goss und wer die Nachbarskatze erstochen hatte. In dieser Straße hatte sie Fahrradfahren gelernt, ihr Vater hatte sie angeschoben und ihr dann hinterhergebrüllt, dass sie geradeaus und nicht zu ihm zurückschauen sollte. Sie stürzte oft und schrammte sich regelmäßig die Knie auf, während Anton lachend um sie Kreise fuhr.

»Weißt du, wenn du mit deinen Klamotten erreichen willst, dass dich keiner anschaut, dann hat das den gegenteiligen Effekt.«

Ali starrte nach draußen.

»Du siehst aus wie eine Vogelscheuche. Sind die Sachen vom Roten Kreuz?«

»Ja, Mama.«

»Kannst du mir das erklären?«

»Ich habe keine Lust auf dieses Gespräch.«

»Verzeihung, worüber würdest du gerne reden?«

Über diesen Kiesweg da unten, meine Knie erinnern sich. Über Tassen, bemalt von Menschen, die ich nicht kenne, aber die dir etwas bedeuten. Darüber, dass du darauf wartest, dass ich dir um den Hals falle zur Begrüßung als schwacher Ausgleich für all das, was du nicht haben konntest in deinem Leben, weil du mich dafür bekommen hast. Über das Bedürfnis nach menschlicher Nähe und wohin man damit soll. Über das Verfärben von Zähnen durch Zigaretten und schwarzen Tee, darüber, warum du noch nicht ausgezogen bist aus diesem Museum hier, brauchst du das, diesen Mief, statt neue Möbel zu kaufen und über alte Brandlöcher zu stellen, alles verbrennen, die Klamotten verschenken, von mir aus ans Rote Kreuz, in eine andere Stadt ziehen, zu mir ziehen, nein, bitte nicht zu mir ziehen, aber auch nicht weit weg, mit mir deinen Sohn suchen, aber nicht darüber sprechen. Einfach so tun, als würden wir gemeinsam verreisen. Über diesen Mangel, den ich nicht aufhören kann zu empfinden und du auch nicht, schoss es Ali durch den Kopf. Sie sagte nichts.

Sie sah, wie sich Valja auf die Unterlippe biss und durch die Nase ausatmete.

Es war nicht alles beim Alten geblieben, weder in dieser Wohnung, aus der Ali mit sechzehn Jahren weggelaufen war, zuerst weggelaufen und dann zurückgekehrt, um ihre Sachen zu holen, und auch Valentina war nicht die Alte geblieben, oder vielleicht verwandelte sie sich langsam zurück zu einer Alten, von der Ali keine Ahnung haben konnte. Ali wusste nicht, dass sich die Jungs auf dem Arbat den Hals nach ihrer Mutter verdreht hatten, sie konnte sich beim besten Willen nicht vorstellen, dass diese Jungs bettelten, sie malen zu dürfen. Ali hatte mal Ölportraits von Valja in einem Karton gefunden, sie aber nicht in Verbindung gebracht mit dem aufgeschwemmten Gesicht, das sie jeden Tag zur Schule schimpfte und nicht da war, wenn sie zurückkam. Sie hatte sich nicht gefragt, wer diese junge Frau mit den breiten Wangenknochen war, mit einem bübischen Grinsen, einem spitzen Kinn, mit Augen, die stachen. Für Ali waren diese Bilder ihrer Mutter so fiktiv wie Postkarten am Kiosk. Das Gesicht, das sie kannte, hatte wie ein Wattebausch das schlechte Essen der Wohnheimkantinen, den modernden Geruch der Schlafräume, den Mangel an Schlaf und guter Kosmetik aufgesaugt und war auf einem kurzen Hals eingetrocknet. Das Gesicht sah aus, als würde es sich selbst verdauen. Seit der Scheidung von Konstantin allerdings bewegte sich etwas in dem Wattebausch, die Wangenknochen zeichneten sich wieder ab, die Augen zogen sich zurück in ihre Höhlen, Valentina war auf dem Weg zu der schönen jungen Frau, die über den Arbat flanierte, ohne einen Arbat zu haben. Arbat, die kleine Fußgängerzone, die man sich in Europa als große Weltstadtstraße erzählte, die aber in Wirklichkeit schmal war, ihre Ränder gesäumt von Musikern und Malern und Wolltuch-Verkäuferinnen, von all diesen Arbater Helden, denen Onkel Lenin zugerufen hatte: Не гуляйте по Арбат, а арбайт, арбайт, арбайт! Gehen Sie nicht auf den Arbat, sondern Arbeit, Arbeit, Arbeit! Da war ihre Mutter gern gewesen und hatte sich Bücher gekauft, deretwegen sie Ärger mit ihren Schwiegereltern bekam, weil sie sinnlos Geld ausgab für Bücher, die sie nicht lesen durfte, denn wenn sie für so etwas Zeit hatte, dann konnte sie stattdessen auch Staub wischen, und Valentina musste sich auf der Toilette einschließen, um zu lesen, und jetzt ging das alles, alles ging, lesen und spazieren gehen, zu viel war möglich, und all das, was Valentina mal gewesen war, drückte sich langsam wieder in ihr Gesicht, durch die Leberflecken und geplatzten Äderchen auf den Wangen, aber wie sollte Ali das alles wissen, sie war ja noch nicht einmal auf dem Arbat gewesen.

»Anton hat geschrieben.«

Valentina streckte Ali die Postkarte entgegen, auf der ihre Hände gelegen hatten. Ali griff nach ihr mit aller Beherrschung, die sie aufbringen konnte.

»Wann kam sie an?«

»Gestern.«

Kein Text, kein Gruß. Die Adresse war mit der Schrift eines Neunjährigen gekritzelt, nicht einmal ein »Mir geht es gut. Anton« oder »Ich hoffe, ihr verreckt alle, es ist mir egal, wie es euch geht. Anton«.

Ali sah von der Karte, diesem leeren Stück Pappe, in das Gesicht ihrer Mutter.

»Vielleicht macht er eine Weltreise.« Ali schnalzte mit der Zunge.

Valentina nickte. Sie schien nicht geschlafen zu haben, ihre Tränensäcke waren bläulich unterlaufen, vielleicht hatte sie auch geweint, aber es war schwer für Ali, sich das vorzustellen, weil sie ihre Mutter noch nie hatte weinen sehen.

Ali hatte plötzlich Valjas Gesicht vor Augen, als die in Moskau bei Verwandten anrief, um zu fragen, ob Anton bei ihnen aufgetaucht sei, nachdem die Polizei eingeschaltet worden war und gesagt hatte, wenn er die Zeit und Ruhe gehabt habe, seine Sachen ordentlich zu packen, würde es schon nicht so schlimm sein und er irgendwann irgendwo wieder auftauchen, und er es nicht tat. Ali hörte nicht, was die Verwandten sagten, sie hörte nicht mal, was Valja sagte, sie sah nur ihr Gesicht auf stumm gestellt und begriff, dass von allen Situationen, in denen sich ihre Mutter je in ihrem Leben befunden hatte, diese hier die erniedrigendste war. Ab da hörte Ali nichts mehr. Zuerst war es nur ein Druck im linken Ohr, dann breitete er sich aus, ging unter ihrer Stirn auf wie eine Blume und platzte. Die Ärzte diagnostizierten einen Hörsturz, wie lange er anhalten würde, konnten sie nicht sagen, Ali hatte keine Angst, dass er bliebe, sie hatte Angst, dass er irgendwann weggehen würde. Das kam nach drei Wochen.

»Sag mal, wann hast du das letzte Mal gegessen?«, fragte Ali und legte die Postkarte beiseite.

Valja nickte.

»Hast du was gegessen?«

»Trink deinen Tee, er wird kalt.«

Ali stand auf und ging zum Brotkasten, von ihrem Urgroßvater selbst geschnitzt, auf dem Deckel stand in Schnörkelschrift хлеб. Brot. Selbst das hatten sie mitgebracht als Erinnerung an die Datscha an der Wolga, heute nur noch eine Ablagefläche, der Brotkasten war leer. Sie ging zum Kühlschrank, kramte nach Weißbrot. Alles, was es in der Wohnung an Essbarem gab, wurde im Kühlschrank gelagert. Butter, Tomaten, Gurken, Pflaumen, eine leere Packung Emmentaler, die sie rausnahm und wegschmiss, ein Netz Gala-Äpfel, ein offenes Schälchen körniger Frischkäse, eine Dose Sprotten, ein ziemlich tot aussehender Salatkopf, auch ihn beförderte sie in den Müll, eine Birne, Marmelade, Honig und dann noch Borodinsky, das Schwarzbrot mit Koriandersamen oben auf der Kruste.

Das Weißbrot war hinten an der feuchten Innenwand festgefroren, sie musste daran zerren, um es rauszuholen, schnitt zwei dicke Stücke vom Laib ab, legte fingerdick Butter darauf, ohne sie zu verschmieren, fand die Zuckerdose da, wo sie immer stand, zwischen den Medikamenten im Schrank, streute Zucker auf die Butter, bis man das Stück Brot auf dem kleinen Teller unter den weißen Kristallen nicht mehr sehen konnte. Sie stellte den Teller vor Valja hin.

»Iss.«

Valentina nickte, schaute vom Teller auf, nickte und lächelte wieder.

»Du musst essen. Ich sehe doch, dass du seit Tagen nichts gegessen hast.«

Valja lächelte noch einmal, dieses Mal ehrlich.

»Das ist schlecht für den Kopf«, Ali setzte sich wieder Valja gegenüber, »das ist Unterzuckerung.«

»Deshalb willst du mich jetzt durch einen Zuckerschock umbringen?«

Ali beobachtete, wie Valentina ihre Hand unwillig in Richtung des Tellers bewegte. Dann schaute sie wieder aus dem Fenster, dann zu Ali, dann zu den Zuckerkristallen, die glänzten, ihre Augen wurden wacher. Sie griff nach dem Brot mit der rechten, nach der Teetasse mit der linken Hand, fror für einen kurzen Augenblick ein, ihre Arme weit offen, und Ali sah ganz deutlich Antons Gesicht in Valjas lächeln.

Anton hatte Ali das Lesen beigebracht. Nicht dass er damals mit drei schon lesen konnte, aber er erklärte ihr die Buchstaben, als hätte er sie erfunden. Er fuhr mit seinem Finger durch die Stoppeln des türkischen, rotgrünen Teppichs im Wohnzimmer und machte Laute dazu. Ali sprach sie nach und starrte dabei auf seine Lippen und wie sie Gegenstände formten, einen Apfel, einen liegenden Halbmond mit Spitzen nach unten, ein weit aufgerissenes Fenster mit Zunge raus. Sie griff in sein Gesicht, während er mit dem Finger die imaginären Buchstaben auf dem Teppich nachfuhr, Ali fuhr mit ihren über seine Lippen und krabbelte mit den Fingerkuppen in seinen Mund. Wie in Pudding, dachte sie. Anton malte Buchstabenmuster auf ihre Beine. Wie auf Pudding, dachte er. Dann kam Oma und zog sie auseinander und schimpfte laut über etwas, das die Dreijährigen nicht verstanden.

Die Zwillinge schliefen auf dem ausgeklappten Sofa, die Großmutter saß oft daneben und streichelte Anton den Kopf, und Ali lag da mit halb geschlossenen Augen und beobachtete die sehnige Hand, durch deren Haut sich Gefäße drückten wie Knochen, und griff auch in Antons Haare und rieb sie zwischen den Fingern, bis die große graue Hand der Oma ihre Hand wegschlug und zischte, »schlafen jetzt!«. Aber irgendwann verschwand diese Hand samt dem Zischen, und Ali versenkte acht ihrer zehn Finger in Antons Locken und schlief ein mit dem Gefühl feiner Wolle, die ihre Handfläche kitzelte.

Weil sie kaum Spielzeug hatten, spielten sie mit sich, bewegten die Arme des anderen an den Schultern und Ellenbogen, drehten den Kopf wie eine Kugel, griffen in die Rippenbögen, verglichen die Bewegungen des anderen mit den eigenen, froren ein und spiegelten sich. Es war nicht so, dass ihnen kein Spielzeug gekauft wurde, aber es wanderte stets auf direktem Weg auf den Kleiderschrank der Großeltern, auf dessen glatter Nussbaumoberfläche man unmöglich hochklettern konnte. Sie sollten nicht mit Spielzeug spielen, sie sollten Hausaufgaben machen, dann zusätzliche Aufgaben machen, die Valja ihnen aufgab, Bücher lesen, besser werden, mit Spielzeug spielen nur dumme Kinder, die Zeit zu verlieren haben, sagte Valja, aber sie wussten nicht, was ihre Mutter meinte, sie waren erst fünf, als sie in die Vorschule kamen.

Valja war getrieben von der Angst, nicht genug Zeit zu haben, all das Wissen in ihre Kinder hineinzustopfen, das sie brauchten, um es raus zu schaffen, dafür musste man sich schnell bewegen, schnell, schnell raus hier, lest, lernt, sonst seid ihr verloren. Sie war davon überzeugt, dass das Einzige, was man Kindern wirklich dringend anerziehen sollte, ein verbissener, über Gesundheit und Selbstachtung gehender Ehrgeiz war, damit sie nicht dort landeten, wo sie gelandet war, in Tschertanowo.

Zu Anton sagte sie: »Du musst der Beste in der Schule sein, viel besser als die Russen. Wenn du dreimal so gut bist, bist du vielleicht halb so gut wie sie und schaffst es, ein guter russischer Arzt zu werden. Wenn du das nicht machst, bleibst du für immer ein armer, geschlagener Jude.« Später ersetzte sie die Russen durch die Deutschen.

Anton verstand nichts, also machte er nickende Bewegungen mit dem Kopf, weil auch ein Kind versteht, dass das angebracht ist bei der Panik in den Augen der Mutter. Er nickte und dachte an ihre Brüste, verglich sie mit den Brüsten der Nachbarin von oben, die noch größer waren.

Alissa kriegte zu hören: »Du musst nicht die Schönste sein, sondern die Klügste. Schönheit schadet, und sie vergeht. Aber wenn du die Klügste bist, dann kannst du alle davon überzeugen, dass du die Schönste bist, jederzeit, und kriegst einen Mann, der dir alles kauft, was du willst, auch das richtige Aussehen.«

Ali fand das unlogisch, sie konnte ihrer Mutter nicht folgen, sie nickte nicht ein Mal. Valja hatte wenig Vertrauen, dass ihre Kinder beweglich genug waren, um die Sowjetunion mit ihren ungerechten Naturgesetzen zu besiegen, dafür waren sie zu still, zu selbstbezogen, klammerten sich aneinander, krabbelten umeinander herum, als gäbe es keine Welt da draußen. Kostja war auch keine große Hilfe, also beschloss sie, es nicht dem Zufall zu überlassen, ob ihre Kinder eine Zukunft haben würden oder nicht – ihr Sohn bei der Armee mit der höchsten Selbstmordrate der Welt und ihre Tochter als Hure irgendwelcher Banker – sie sollten es schaffen, also schaffte sie sie raus, mit Duldungsantrag, zwölf Koffern in einem Zugabteil und noch mehr Kisten. Das Spielzeug blieb auf dem Nussbaumschrank, aber sie durften so viele Bücher mitnehmen, wie sie wollten.

Das erste Zimmer, das die Familie Tschepanow in einem Asylheim in Deutschland bezog, lag im obersten Stock, im sechsten, eines zum Heim umfunktionierten Hotels. Zuerst waren sie zu fünft in einem Zimmer mit Stockbetten, bis der Großvater in den zweiten Stock verlegt wurde zu einem älteren Mann, der im Schlaf seine Arbeitslagergeschichten mit sich selber besprach. Daniil wachte davon auf, setzte sich zu dem Mann ans Bett und legte ihm seine Hand auf den zitternden Mund. Valentina und Konstantin belegten Sprachkurse und machten ihre Hausaufgaben zusammen mit zwanzig anderen Emigrantenpaaren in der Gemeinschaftsküche im Keller, eingehüllt von fettigem Bouillongeruch. Ali ekelte sich vor dem Essraum, sie streunte durch die Flure, ging in die Zimmer der anderen Familien, öffnete Keramikdosen mit Schmuck, schaute in Taschen mit Frotteebettwäsche, roch an Parfümflaschen der Marke Rotes Moskau, die sie öfters in Bädern fand, und klaute Zigaretten, wenn sie irgendwo eine Schachtel offen herumliegen sah. Anton kam bei diesen Streifzügen nicht mit, Anton entdeckte seine Leidenschaft für das Balancieren auf schmalen Metallrohren.

Er kletterte auf das Geländer im Treppenhaus und wippte leicht, seine Füße in den weißen Turnschuhen schräg gestellt, seine Knie gebeugt. Er breitete die Arme aus, als stünde er auf einem Skateboard, und blickte geradeaus, die Augen entschlossen auf die gegenüberliegende Wand gerichtet, als forderte er sie heraus. Als seine Mutter ihn das erste Mal auf dem Geländer stehen sah, erstarrte sie, unterdrückte den Impuls, vor Angst aufzuschreien und ihr Kind damit zu erschrecken. Sie schlich sich leise an ihn heran, schlang die Arme um seinen Bauch und zerrte ihn herunter. Ab da folgte sie Anton auf Zehenspitzen, wohin er auch ging, die Arme ausgefahren, Finger wie Krallen, und wenn sie im Sprachkurs saß und die Verben zu konjugieren versuchte, sah sie ihren Sohn metertief das Treppenhaus hinunterstürzen.

Sie ging jede Woche zum Verwalter des Wohnheims und bat ihn, in den ersten Stock oder in den Kellerraum neben der Küche ziehen zu dürfen, er stank zwar nach Bouillon, aber es gab dort kein Geländer. Sie erklärte dem Verwalter die Situation mit den beiden kleinen Kindern, die sie nicht in den Griff bekam, der eine wolle ständig irgendwo runterspringen, die andere rauche im Zimmer unter der Bettdecke, sie habe nur zwei Hände und müsse auch noch üben für den Sprachkurs, sie flehte ihn an, aber der schnurrbärtige Typ mit Fettflecken am Hemdkragen sagte nur: »Sie müssen lernen, auf Ihre Kinder besser aufzupassen, Mamascha, daran wird sich auch im Keller nichts ändern.«

Diesen schnurrbärtigen Typ im fleckigen Hemd gab es in jedem Asylheim. Die Familie aus Großvater, Mutter, Vater, Kind, Kind wurde so oft von einem Heim ins andere geschickt, dass sie die Orientierung verlor. Vor dem nächsten anstehenden Umzug fragte Daniil, wie dieses Kaff nun schon wieder hieß, in das die Deutschen sie schickten, nur gut, dass seine Frau das nicht mitmachen musste, sondern bald mit dem Flugzeug und mit viel Geld direkt in ein gemachtes Nest kommen würde. Valja war des Kofferpackens müde, Kostja ging raus rauchen und kam dann gutgelaunt wieder, rieb sich die Hände und sagte »Los geht's«, wie damals Gagarin.

Ali orientierte sich an Anton. Wenn er anfing zu packen, fing sie auch an zu packen, wenn er anfing, rumzuschreien, brüllte sie auch los. In jedem Heim spielte Anton Fußball mit den anderen Kindern im Hof, Ali fand Fußball langweilig, kickte aber mit, schmetterte die halb aufgepumpten Plastikbälle, so hart sie nur konnte, gegen Wohnheimwände, klaute sich einen eigenen und verstaute ihn für das nächste Heim in ihrer Reisetasche.

»Ich verstehe Fußball nicht. Ich verstehe nicht, warum Millionen von Armen einer kleinen Gruppe von Millionären dabei zuschauen, wie sie hinter einem Ball herrennen«, schüttelte Valja den Kopf. Konstantin winkte ab und sagte: »Weil du gar nichts verstehst von diesem Leben.«

Valja schaute ihn an und sagte: »Ja, das kann sein.«

Anton kam angelaufen, schmiegte sich an den Bauch der Mutter, steckte seinen Kopf zwischen ihre Brüste. »Fußball ist toll, weil man dann an gar nichts denken muss«, sagte er und schaute auf das Doppelkinn seiner Mutter.

»Blödsinn«, sagte Ali, die im Schneidersitz auf dem Bett saß und Comics neben den Plastikball in die Tasche stopfte: »Ich denke dabei die ganze Zeit daran, wie ich dich fertigmache.«

In den Heimen war es immer laut, in den Zimmern, auf den Fluren, man riss Fenster auf und rief in den Hof, das Geklap-

per des Geschirrs im Küchenraum schallte hoch ins Treppenhaus, die Wecktöne der sowjetischen Armbanduhren drangen durch die Decken. Wenn man sich stritt, wussten es alle,
wenn man sich liebte, auch. Die Wände lösten sich auf. Man
gewöhnte sich an ein permanentes Rattern von Dingen.

In der Schule war es hingegen still. Nur der Ton der Pau-
senklingel durchschnitt das Vakuum um Ali und Anton. Sie
verstanden nichts von dem, was um sie herum geschah, die
anderen waren ein weit entferntes Rauschen, keiner sprach
mit ihnen, und sie wollten mit keinem sprechen. Die Lehrer
schrieben Buchstaben an die Tafel, die ganz anders waren als
die, die sie kannten, und sprachen sie nicht an. Sie spielten
allein, verknoteten sich ineinander wie zwei raufende Katzen,
rollten über den Schulhof, rissen sich an den Haaren, bissen
dem anderen in die Schulterblätter, versuchten, aufeinander
Abdrücke zu hinterlassen, und schrien aufeinander ein, um
nicht den Klang der Stimme des anderen zu vergessen. Sie
brauchten nichts und niemanden. Die anderen Kinder hatten
Angst vor den Zwillingen, hatten Angst vor der Bestimmtheit,
mit der sie aufeinander losgingen. Außerdem fanden die Kinder ihre Klamotten eklig, sie zeigten mit dem Finger auf ihre
Jeans, die Valja gegen Wertmarken bekommen hatte, und
lachten: »Habt ihr die aus dem Müll gezogen?«

Einige Wochen nach Schulbeginn hatten sich auf dem Hof
Grüppchen gebildet. Die Zwillinge gehörten zu keinem und
beachteten die anderen nicht, bis Steine geflogen kamen. Vier,
fünf Jungs kreisten sie ein und schrien etwas, Anton ging auf
sie zu und fragte auf Russisch, ob sie Ärger wollten, sie antworteten auf Deutsch:

»Russki, Russki, ficki ficki machen.«

Anton verstand es nicht, aber er merkte es sich. Er ging am
Abend zu Valja, die über den Schulheften saß wie eine Gym-
nasiastin, und fragte, warum die anderen ihn als Russen belei-

digten, wo sie ihm doch beigebracht hatte, stolz darauf zu sein, dass er Jude sei.

Valja legte den Stift weg, schaute ihren Sohn an, seine gerötete Nase, seine verfilzten Locken, strich darüber und sagte: »Darüber reden wir später.«

»Wann später?«

»Wenn du erwachsen bist.«

Anton setzte sich auf Valjas Schoß und schaute in die Hefte.

»Kannst du das lesen?«

»Ja.«

»Ich nicht.«

»Das kommt noch.«

»Wann?«

»Anton, was willst du?«

Er schaute in die Augen seiner Mutter, spürte, wie das Blut in seinem Kopf pochte, und drückte sich an ihre Brust.

»Geh. Geh runter, ich muss Hausaufgaben machen. Musst du nicht auch Hausaufgaben machen?«

Er kletterte von ihrem Schoß, biss die Zähne zusammen und schlenderte zur Tür.

»Du musst das hier niemandem erzählen«, schob Valja hinterher. »Dass du Jude bist. Das musst du nicht sagen. Mach das nicht.«

Anton stieß die Tür mit beiden Händen auf und rannte durch den Flur ins Treppenhaus, nahm mehrere Stufen auf einmal, sprang im dritten Stock auf das Geländer, stand da mit herunterhängenden Armen, starrte an die Wand und dachte nach.

Als ein paar Tage später wieder Steine flogen, ging Anton auf die vier, fünf Jungs zu und sagte: »Steine okay. Aber ich bin kein Russe.«

Die Jungs glotzten und verrenkten ihre Hälse.

»Ich bin Jude.«

Er sagte das nicht so deutlich, er hatte versucht, sich die Sätze einzuprägen, er hatte im Heim ein paar Worte zusammengeklaut, und ausgerechnet Tante Zoja, die mit dem fetten Kreuz um den Hals, hatte ihm dabei geholfen, sie in eine Reihenfolge zu bringen, aber jetzt versagte seine Zunge und machte unkontrollierte Schleifen im Mund, er brachte alles durcheinander, und die Langhälse lachten, schauten sich an, lachten, zeigten auf seine Klamotten, griffen ihm in die Haare, zerrten ihn über den Hof, schubsten ihn in die Jungentoilette und spielten mit seinem Körper Völkerball. Als Ali Anton endlich gefunden hatte und er ihr erzählte, warum er so zerkaut aussah, lief ihr Gesicht purpurn an, sie wollte sofort zur Lehrerin, aber Anton hielt sie am Arm fest. »Auf keinen Fall!«

Sie ging trotzdem und schrie und heulte und zeigte auf ihren Bruder. Alis Lehrerin verstand von dem russischen Gejammer wenig, zuckte mit den Schultern, sagte etwas und verschwand im Lehrerzimmer. Irgendetwas musste sie aber doch verstanden haben, denn als die vier, fünf Jungs die Zwillinge auf dem Nachhauseweg abpassten, sahen sie aus, als hätten sie eine Menge Ärger gekriegt.

Dieses Mal schmissen sie keine Steine, sondern packten sie, Anton an den Schultern, Ali an den Hüften, und zerrten sie ins Gebüsch und schlugen ihnen die Augen tiefer in die Höhlen und zogen ihnen die Zungen raus, traten ihnen gegen die Rippen, und als sie fertig waren, waren die Zwillinge zu einem Körper verschmolzen. Das geschah sehr leise. Sie schrien nicht, fluchten nicht, die Schläge der anderen prallten gegen Weiches, man hörte nur ihr Keuchen beim Zutreten. Als sie davonliefen, wurde es endgültig still. Ali und Anton lagen im Gebüsch und hörten sich gegenseitig beim Atmen zu. Sie lagen sich in den Armen und beobachteten den Himmel. Keine Wolken, keine Risse. Ali lief Sabber aus dem Mund auf Antons Stirn, er wischte ihn mit seinem Hemdärmel weg, schob sich zu ihr hoch, drückte seine Nasenspitze an ihre, ihre Wimpern verhakten sich, ihre Münder standen offen, sie atmeten ineinander. Erst als Anton Ali küsste, fing sie an zu weinen.

Valja wollte zum Rektor und den Überfall auf ihre Kinder melden, aber dafür reichte ihr Deutsch nicht aus. Eine Bekannte, Tanja, war gerade zu Besuch, sie war schon aus dem Heim raus, weil sie eine Scheinehe mit einem Deutschen eingegangen war, der nichts davon wusste, dass es eine Scheinehe war, aber er schien zufrieden, davon erzählte Tanja gerade, als die Zwillinge in der Gemeinschaftsküche im Heim auftauchten. Tanja schrie zuerst auf, sie sah die Kinder als Erste, dann schrie Valja, dann der gesamte Gemeinschaftsraum, als wäre eine Sirene losgegangen. Das Heim verwandelte sich in einen Stall voller aufgeschreckter Hühner. Es fielen Worte wie »Nazis«, noch mehr »Nazis« und »sie wollen an unsere Kinder ran«. Die Väter schlugen auf die Tische, die Mütter auch, keiner traute sich zu, so ein Gespräch mit dem Rektor zu führen, aber alle waren dazu bereit. Da Tanjas Deutsch dank der glücklichen Scheinehe in letzter Zeit immer besser geworden war, marschierte sie mit Valja und Kostja, gefolgt von ein paar aufgebrachten Nachbarn, die Wehklagen ausstießen, als wäre es eine Schiwa, aus dem Heim in das Lehrerzimmer der Grundschule und verursachte einen furchtbaren Skandal. Sie gaben sich alle Mühe.

Die vier, fünf Jungs wurden gefunden, ihre Eltern wurden einbestellt, man musste Kostja von dem Vater des einen Jungen wegzerren, weil er ihn in seinem Jähzorn fast erwürgt hätte, und als die Rauferei vorbei war, wurden alle nach Hause geschickt, und nichts geschah. Anton und Ali gingen mit den langhalsigen Jungs weiter in die Grundschule und dann in die Orientierungsstufe, und nichts änderte sich, außer dass die Gruppe um die vier, fünf Jungs größer wurde, aber auch die um Ali und Anton.

In diesem für die Familie Tschepanow letzten Heim blieben sie ein Jahr, umgeben von Menschen mit fetten Kreuzen auf der Brust.

»Was machen diese Christen hier?«, zischte Kostja.

»Na ja«, sagte sein Nachbar Valera, »meine Frau ist zwar Christin, aber sie hat mir so viel Blut ausgesaugt, dass sie eigentlich schon halb Jüdin ist.«

Sie alle waren mit dem Eintrag »Kontingentflüchtling« in ihren Papieren gekommen, was hieß, dass sie in Familienstammbäumen nach jüdischen Ästen gesucht hatten, und wer keine fand, der erfand sich welche, je nach Inhalt des Portemonnaies. Man tat alles, um das geliebte Sowjetland zu verlassen, man war sogar bereit, Jude zu werden.

In diesem letzten Heim wurde für die Versorgung der Flüchtlinge mit fünf Deutschen Mark pro Kopf und Woche aufgekommen. Für »persönliche Ausgaben«. Das Essen wurde geliefert, »Kleidung und Sonstiges« in Form von Marken zugeteilt. Für alle zusätzlichen Wünsche musste man aufs Amt und einen Antrag stellen, und dahin schickte Valja Kostja, wissend, dass er sich nicht würde verständigen können. Sie hoffte, dass er sich schämen und endlich damit anfangen würde, seine Hausaufgaben für den Deutschkurs selber zu machen.

Kostja stand vor dem Amtsgebäude, rauchte eine Zigarette, rauchte zwei und dann noch ein paar, ging rein, setzte sich, das Licht der Neonröhren summte wie Mücken, er rieb sich die Augen ungefähr eine Stunde lang, bis der Mann, der neben ihm saß, mit dem Mittelfinger auf sein Schultergelenk tippte und dann auf den Wartemarkenautomaten zeigte. Kostja drehte sich zu dem Mann um, und sie unterhielten sich, der Mann sprach Türkisch, Kostja Russisch, sie verstanden sich blendend, der Mann erzählte Kostja, seit wann er schon regelmäßig auf dieses Amt ginge – seit sieben Jahren – und dass die Sachbearbeiterin seinen Namen immer noch aussprach, als wäre er eine ansteckende Krankheit. Kostja schlug vor, vor die Tür zu gehen und eine zu rauchen, und rein ist er dann nicht mehr gegangen.

Im Heim war das Essen das Thema Nummer eins, noch vor den Wer-mit-wem-Geschichten. Viele konnten nicht essen, was in die Kantine gekarrt wurde, das war vor der Zeit, als man darauf kam, man müsste der Mischpoche, die mit dem Emigrationsgrund »Jude« ins Land gekommen war, vielleicht koscheres Essen anbieten. Nicht aus religiösen Überzeugungen wurde das Kantinenessen verweigert, sondern weil die Leute Angst vor dem fetten Stück Camembert hatten, das da vor ihnen auf dem Tisch zerschmolz – sie dachten, man habe ihnen verdorbenen Käse hingestellt, der in Kühlfächern von Leichenschauhäusern gelagert wurde. Die einzige Möglichkeit, mit den neuartigen Delikatessen umzugehen, die ihnen vorgesetzt wurden, war, alles noch mal zu braten und zu kochen und zu frittieren. Damit war man den halben Tag beschäftigt, und manche sagten, »hier schmeckt mir nichts«. Und andere antworteten: »Weil deine Frau nicht kochen kann.«

Valja stand in den ersten Monaten nach der Einreise jeden Tag am Herd der Gemeinschaftsküche und tauschte mit anderen Frauen Rezepte aus, hörte zu, wie die Frauen mit Kreuzen in den Dekolletés sich darüber einig waren, dass die Juden wie Schweine lebten, das konnte man doch sehen, und dass die Familie, die für die Lebensmittelverteilung im Heim zuständig war, sich selbst das Beste unter den Nagel riss.

Juden halt. Man war sich auch darüber einig, dass das Problem nicht die Deutschen waren, die zwar nichts vom Leben verstanden, »die Männer können nicht vögeln, die Frauen können nichts, nichts, nichts«, sondern die eigenen Leute, die einen auffraßen, wenn man gerade nicht hinschaute, »die Eigenen hassen einen mehr, als Deutsche es je könnten«.

Valja fühlte sich wie in einer Kommunalwohnung aus der Nachkriegszeit und wusste, dafür war sie nicht gekommen, also hieß es Wohnung suchen, Wohnung suchen ohne Deutsch, ohne Sprache, aber mit Freunden wie Tanja mit ihrem Liebesscheinehemann, den sie »Schatz« nannte, wobei sie ihr schrilles »a« in die Länge dehnte wie eine am Schwanz gezogene Katze und dann auf Russisch leise hinterherschob, dass er verrecken möge.

Tanja und Valja machten sich also auf die Suche nach einer Wohnung für die vierköpfige Familie plus eventuell Valjas Vater, falls man ihn auch noch irgendwie unterkriegte. Valjas Mutter war immer noch nicht nachgekommen, sie rief ab und zu an und erzählte von den Schwierigkeiten, die Wohnung zu verkaufen, und wie einsam sie sei, wenn sie am Abend dem eigenen Löffel beim Umrühren im Teeglas zuhörte, und dass ihre Eltern nicht packen wollten, aber es schon noch tun würden, sie müsste nur noch länger bleiben und auf sie einreden, denn ohne sie könnte sie nicht gehen. Und dann müsste Valja erst mal für ihre Mutter eine Wohnung finden, in ein Heim werde sie nicht gehen, warum soll sie also ihre Sachen packen, wenn Valja doch selbst noch in einer Kommunalwohnung hauste.

Tanja versuchte auf alle möglichen Arten, die Familie den Dörflern unterzuschieben, aber die winkten schon beim Nachnamen ab. Schließlich fing sie an zu sagen: »Die sind alles Ärzte. Mit Aussicht auf Anstellung, hier, die Kollegin arbeitet schon.« Und schob Valja in den Raum wie eine Schachfigur.

Bei der siebzehnten Wohnung begutachtete der Bestatter, dem nicht nur das Unternehmen im Erdgeschoss, sondern das gesamte braune Backsteineckhaus gehörte, Valja von oben bis unten und fragte, was zur Hölle sie in Deutschland wolle.

»Wir sind Juden«, sagte Valja.

»Das macht nichts«, sagte der Bestattungsunternehmer.

Und sie zogen ein.

Mit dem Umzug in die Dachgeschosswohnung schrumpfte der Raum, auf dem die Familie sich bewegte, als hätte man einen Sack zusammengezogen. Es gab keine Zuhörer hinter den Wänden mehr, jedenfalls keine, die verstanden, was gesagt wurde, es gab keine Essensmarken, keine Aufseher in speckigen Hemden, niemand beobachtete sie, nicht mal der Großvater war mit eingezogen, also stritten sie sich jetzt aus Leibeskräften über alles, was sie immer schon irgendwem vorwerfen wollten. Die Anspannung der letzten Jahre warf Konstantin und Valentina von einem Raum in den anderen. Sie suchten in allen Ecken nach etwas, nach Erlösung, nach dem Versprochenen, nach den Träumen, die sie voreinander geheim hielten, weil sie wussten, Träume gingen nur dann in Erfüllung, wenn man sie nicht aussprach.

Der Geräuschteppich veränderte sich, Lautstärke bestand nicht mehr aus einzelnen Tönen, sie war eine Druckwelle, die durch die Wohnung lief. Wenn die Zwillinge zusammen waren, hörten sie die Eltern nicht, sie spielten wie unter einer schalldichten Glocke. Wenn die Glocke nicht ausreichte, legten sie sich ins Bett, zogen sich aus und schauten einander an, schauten dahin, wo Ali Brüste wuchsen und Anton nicht, und auf ihre leicht gewölbten Bäuche. Sie steckten die Zehen ineinander, drückten ihre Becken gegeneinander, verschmierten Spucke auf ihren Gesichtern, und spätestens dann war es um sie herum still.

Als Ali zum ersten Mal sah, dass Anton auf dem Schulhof ein Mädchen küsste, wurde ihr schwindlig, sie schmeckte Hähnchen im Rachen, dann stach irgendwas zwischen ihren Augen. Das Mädchen, Larissa, war älter als Anton und Ali, sie konnte schon alleine Zigaretten kaufen und fuhr einen Roller, trug Röcke und hatte glatte Haare bis zu den Schulterblättern, die jetzt Ali zugewandt waren, während ihre spitze, kleine Nase in Antons Gesicht klebte. Anton merkte, dass seine Schwester ihn beobachtete, lies nicht von Larissa ab, schaute Ali in die Augen und fuhr mit der Hand unter Larissas Bluse. Ali lief auf die Mädchentoilette und stieß ihren Kopf gegen die Toilettenwand, die Beule erklärte sie niemandem.

Dann fing Anton an, abends wegzubleiben. Die Schreie der Eltern fuhren durch Alis Körper, bissen sich im Nacken fest. Sie lief hinüber und hämmerte gegen die Tür. Einmal waren es Schreie gewesen, bei denen ihre Mutter sie lachend wegschickte und sagte, alles sei in Ordnung, und der Raum roch eigenartig, aber das war nur einmal vorgekommen. Sonst waren es Schreie, bei denen Ali die Tür aufriss und dazwischenging, zwischen Mutter und Vater, und selber anfing, zuzuschlagen und die beiden Elternkörper auseinanderzuzerren.

Anton wollte von alldem nichts wissen, schon gar nicht die Hand gegen den eigenen Vater erheben, bis er nach einem Abend bei Larissa die Wohnungstür aufschloss, leicht betrunken und sehr glücklich in die Küche kam und seine Mutter mitten im Raum stehen sah, die sich nicht bewegte, den Mund weit aufgerissen. Er folgte ihrem Blick zur Wand, an der Ali keuchte, Konstantin hielt sie am Hals fest und drückte zu.

Ali war ihren Eltern wieder dazwischengesprungen, und Kostja hatte sie mit einer Hand an die Wand geklatscht wie eine Fliege. Alis Glieder hingen schlaff, ihre Augen weiß, Anton holte aus und schlug seinem Vater, so fest er konnte, ins Gesicht. Kostja ließ Ali los, sie kauerte sich auf dem Boden zusammen, Valja warf sich über sie, und alle froren ein, für Tage.

Sprache verschwand aus den Räumen, auch Schreie, auch Streit, alles verschwand. Mutter, Vater, Kind, Kind gingen aneinander vorbei und starrten auf den Boden, starrten an die Decke, auf die Wände. Wenn sie einander streiften, dann murmelten sie etwas vor sich hin, was keiner verstand, und keiner fragte nach. Kostja maß seine Spaziergänge in Zigarettenschachteln, paffte eine nach der anderen, der Rauch biss ihm in die Augen, er dachte daran, dass das Wetter in diesem Deutschland scheußlich war, und zwar immer, er dachte an seine Eltern und dass er sie bald nachholen müsste, nicht weil er glaubte, dass es ihnen hier bessergehen würde, sondern weil er dann endlich nicht mehr so alleine wäre auf der Welt. Er dachte an Alis blau angelaufenes Gesicht, das Antons Gesicht war und irgendwie auch Valjas, und dass niemand in dieser Familie auch nur eine rote Locke hatte.

Er lief zur Tankstelle, um sich eine neue Schachtel Zigaretten zu kaufen, beobachtete eine Familie im VW Golf an der Zapfsäule, die Kinder packten gerade ihre Butterbrote aus, die Eltern kramten in den Taschen, dann ging er rein und suchte den Zeitschriftenstand. Er zog ein Veranstaltungsmagazin heraus und blätterte so lange, bis die Frau an der Kasse ihn anschrie: »Wenn Sie die Seiten anfeuchten und knicken, müssen Sie die Zeitschrift auch kaufen!«

Er schaute die Verkäuferin an und lächelte, er hatte nicht verstanden, was sie gesagt hatte, aber jetzt hatte er einen Plan. Er ging nach Hause und lud die Familie, seine Frau, seine Tochter und seinen Sohn, den Großvater nicht, ins Theater ein, genauer: »Tanz gucken. Man muss die Sprache nicht können, und es ist schön.« Valja schaute auf ihre Kinder und fiel Kostja um den Hals, Anton schaute seine Eltern an, Ali sah zu Boden.

Eine ganze Woche lang überlegte Valja, was sie anziehen solle. Sie wühlte lange in ihrem Schrank und stolzierte nach Stunden aus dem Schlafzimmer in einem Kleid aus grobem, juteartigem Stoff, darüber hatte sie eine Lederweste geschnallt.

»Was soll das sein?«, fragte Kostja, der in schwarzer Anzughose und blauem Hemd auf dem Sofa saß, das linke Bein über das rechte geschlagen, die Hände auf dem Bauch gefaltet, der sich immer mehr in Richtung seines Kinns blähte.

»Das ist ein Bauernkleid, das trägt man hier so«, strahlte Valja.

Ali und Anton durften selber aussuchen, was sie anziehen wollten, also trugen sie beide Jeans, T-Shirt und Jeansjacke. Valja schaute auf ihre beiden Kinder, schüttelte den Kopf und schickte sie wieder in ihr Zimmer. Ali zog Antons weißes Hemd an, Anton streifte Alis silbernes Top mit tiefem Ausschnitt über den nackten Oberkörper.

»Guck mal, ich glaube, mir wachsen Brusthaare«, sagte er mit dem Kinn ans Schlüsselbein gedrückt.

»So viel wie du habe ich auch«, gab Ali missmutig zurück.

Sie präsentierten sich den Eltern, woraufhin Valja beide an den Ohren packte und sie wieder in ihr Zimmer zog.

Im Theaterfoyer bekamen die Kinder Bretzeln, und Valja und Kostja tranken Sekt, zu dem sie Champagner sagten. Als sie ihre Gläser gegeneinanderstießen, sagte Valja: »Und als Nächstes möchte ich nach Paris.«

»Was, willst du jetzt die Mona Lisa sehen?«, scherzte Kostja und riss ein Stück von Antons Bretzel ab.

»Ich habe nachgeschaut, es gibt günstige Fahrten mit Bussen. Dauert weniger als einen Tag.«

»Und zum Frühstück ein Croissant und einen Kaffee oje?«, kicherte Kostja weiter.

Valja schlug ihm mit der flachen Hand auf die Schulter und fing selber an zu lachen.

Über die Bühne kroch ein männlicher Körper, der einen Stuhl auf seinen Rücken geschnallt hatte, er wand sich, streckte mal das eine, mal das andere Bein nach hinten in die Luft und versuchte immer wieder, sich auf den Stuhl auf seinem Rücken zu setzen. Kostja schloss die Augen und lauschte der Musik, war es Debussy? Es konnte alles sein, er würde es nicht erkennen, also beschloss er, dass es Debussy war, und lächelte. Valja saß mit trockenem Mund und feuchten Augen da, drückte die Hand von Alissa, die sie wegzog und unter den Sitz rutschte, Anton kletterte auf ihren Platz und legte den Kopf auf Valjas Bauch.

Als eine Tänzerin laut über die Bühne stampfend Steine, die so groß waren wie ihr halber Körper, von der einen Seite zur anderen schleppte und dabei seufzte, als würde sie singen, stand Kostja auf und ging vor die Tür eine rauchen.

Er schaute auf den Vorplatz des Theaters, es war scheißkalt, und auch Debussy konnte nicht helfen. Er tastete seinen Oberkörper nach einem Feuerzeug ab, wühlte in seinen Hosentaschen. Er fluchte und dachte daran, ab jetzt unbedingt für ein Klavier zu sparen, egal, ob es dafür Platz gab in der Wohnung oder nicht. Wenn das Klavier erst mal da wäre, würde sich alles wieder einrenken, er wäre nie wieder wütend auf Valja oder auf irgendwas. Dann würde er den Kindern vorspielen, besser noch, er würde ihnen Klavierspielen beibringen, und sie würden Musiker werden, würden vierhändig spielen und auftreten im ganzen Land. Irgendwann würden sie eine Tournee machen, nach Russland reisen und im Konzertsaal der Gnessin-Musikakademie auftreten, in die er nie einen Fuß setzen durfte, und seine Eltern würden kommen und endlich begreifen, was sie falsch gemacht hatten mit seinem Leben.

Eine Kinderhand hielt ihm ein Feuerzeug unter die Nase.

»Hast du mir das Feuerzeug geklaut?«, fragte er Ali, die neben ihm stand.

»Es ist dir unter den Sitz gefallen«, sagte sie und schaute ebenfalls geradeaus auf den Theatervorplatz. Er war milchig. Milchig und verschwommen. Sie fror.

»Rauchst du?« Kostja schaute zu dem Kind mit den langen braunen Locken, in enger, silberner Bluse auf einem nicht mehr flachen Körper. Wann war das passiert, fragte er sich, zog sein Jackett aus und legte es ihr um die Schultern. Sie verschwand darunter. Dann reichte er ihr seine Zigarette, und sie zog ein paar Mal.

»Danke«, sagte Ali.

»Ali –«, setzte Kostja an, sie unterbrach ihn mit einem heftigen Kopfschütteln. Ihre Locken flogen, dass er ihr Gesicht nicht sehen konnte. Dann war er still.

Zwei Jahre später war Ali ausgezogen und hatte einen Haarschnitt, zu dem Valja nur sagen konnte: »Wechsel die Perücke, wenn du mir unter die Augen trittst!«, was besser war, als sie gleich als Lesbe zu bezeichnen. Irgendwas machte in Valjas Innerem ein Geräusch, als würde man Matzen brechen, als Ali auszog, und genauso fühlte sich ihre Kehle an – trocken und staubig, und sie beschloss, nicht die Hände auf die frierende Kopfhaut der Tochter zu legen mit ihrem Drei-Zentimeter-Haarschnitt.

Ali hatte sich der Gruppe Schwarzer Kater angeschlossen, irgendwo zwischen sozialistisch, kommunistisch, anarchistisch, man wollte sich nicht festlegen lassen, verkürzt hieß die Kommune nur Kater. Der Name führte zu diversen Debatten über Sexismus in der Gruppe und gab somit Stoff für Gespräche, lieferte Gründe, aufeinander wütend zu sein und danach wütenden Sex zu haben oder sich zu betrinken und Schachteln von billigen Zigaretten am Stück weg zu rauchen: »Warum ist alles so verfickt kaputt, Mann.«

In dem besetzten Haus, in das Ali gezogen war, hatte sie

ihren ersten Internetanschluss und fand heraus, dass man die Anleitung zum Bauen von Molotowcocktails tatsächlich per Mausklick finden konnte. Sie übte fleißig, zuerst an Hausfassaden, dann auf Dächern, einmal flog der Cocktail in einen leeren Kinderwagen, und obwohl sie vom Dach oben sehen konnte, dass der Wagen leer war, zerbiss sie sich die Unterlippe vor Schreck und warf von da an nur noch mit Steinen.

Das erste Mal, dass sie dafür verhaftet wurde, war auf einer Demonstration zum 9. Mai. Nicht dem 8., dem 9., das war ihr wichtig. Sie warf Steine auf Polizisten, und als man sie festnahm, nannte sie den Beamten, der ihr die Arme auf den Rücken drehte, ein »Faschistenschwein«, dieser zog die Handfesseln aus Kunststoff fester um ihre Handgelenke, sie trat um sich, und je tiefer das Plastik in ihre Haut schnitt, umso größer wurde ihre Wut, und ihre Kraftausdrücke – und das überraschte sie selber – wechselten ins Russische. Ausdrücke, von denen sie gar nicht wusste, dass sie sie kannte, denn ganz gleich, wie laut es zwischen ihren Eltern auch wurde, solche Worte mussten aus der tiefen Kindheitserinnerung kommen, aus der Küche in Tschertanowo vielleicht, bestimmt nicht aus den russischen Filmen der Achtziger, die sie ab und zu noch schaute, in denen wurde nur geweint oder geschwiegen.

»Хуй, блять, пизда анал, ёбаный в рот ты меня заебал, гвоздь в подпиздок, чтоб ты свернувшегося ежа ебал, блядин сын, мать твою поперек жопы ебать!«[*]

Valja holte ihre Tochter von der Polizeistation ab und setzte sich mit ihr an den Küchentisch mit der schwarzgoldenen Etagere. Sie hatte den gesamten Weg über kein Wort mit ihr gewechselt. Zum ersten Mal in ihrem Leben verstand Valja, war-

---

[*] Aneinanderreihung von Obszönitäten im Sinne von »Fick doch einen zusammengerollten Igel!«

um Menschen rauchten, sie hatte das Bedürfnis, Qualm aus ihrer Lunge zu lassen, aber sie war Nichtraucherin, und der ganze Qualm blieb drin.

»Findest du das lustig, ist das in Ordnung, ist das etwas, was man in diesem Land macht?«, sagte sie irgendwann, als Ali schon aufgestanden war und zur Tür ging, sie hatte keine Lust, schweigend in das aufgeschwemmte Wattebauschgesicht ihrer Mutter zu starren, sie hatte Lust, wieder in das Haus der Kommune zurückzukehren, zu Nana unter die Bettdecke zu kriechen und an ihren Achseln zu riechen.

»Diesem Land, diesem Land, du hast mich in dieses Land gebracht, was willst du?«

»Tut mir leid, dass ich dich hergebracht habe, tut mir leid, dass dein Leben so hart ist. Möchtest du gern zurück in den Sozialismus?«

»Ich möchte nicht zurück, ich möchte ihn hier haben!«

»Und was soll dann passieren?«

»Ich bin nicht wie du, ich bin kein Tier, das vor sich hin grast und alles hinnimmt, wie es kommt. Ich will nichts von diesem Leben, in dem es alles gibt, aber niemand etwas will. Ich will nichts von diesem Schnickschnack, den ihr für die Erfüllung eures Lebens haltet, weil ihr sonst nichts habt, woran ihr glauben könnt.«

Valja schaute in das wutverzerrte Gesicht der Person vor ihr.

Schnickschnack.

Ihre geweiteten Pupillen, ihre schmalen Lippen.

Schnickschnack. Das war es also.

Valja war nicht nach Weinen zumute, ihr war nach gar nichts zumute, ihre Gedanken rasten in einer Spirale hinunter in ihre Eingeweide. Ihre Schultern zogen Richtung Boden, sie hatte plötzlich das Gefühl, aus Beton zu sein, Beton, der aufweicht, zerfließt und wieder starr wird, vielleicht ist das

Sodbrennen, dachte sie und versuchte, dem Blick ihrer Tochter standzuhalten, die nun wieder am anderen Ende des Küchentisches saß, der ihr so unendlich lang vorkam. Mit jedem Mal, an dem Ali an diesem Tisch Platz nahm, wurde er länger.

Katho Katho breitete das Spritzbesteck auf dem Tisch aus und zog eine winzige Ampulle aus einem Wattebausch, hielt sie sich vor die Nasenspitze, klopfte mit Daumen und Mittelfinger das flüssige Testosteron nach unten, brach die Spitze ab, das Gel lief ihm über den Nagel, er fluchte. Er hatte nicht mehr viele. Sie zu kriegen war an sich nicht schwer, er bekam sie an Straßenecken von Menschen, die ihn »mein Freund« nannten, aber mehr Geld wollten als die Apotheker, also war kein Tropfen zu verschwenden. Er rieb sich die Flüssigkeit in die Fingerkuppen und schaute sich um. Vor ihm war eine große Fensterfront, dahinter reflektierte das Wasser des Bosporus und stach ihm in die Augen. Auf dem Balkon standen große Tontöpfe mit verdorrten Pflanzen, eines der Gerippe musste mal ein Oleander gewesen sein, er vermutete noch einen Zitronenbaum und eine Bougainvillea unter den Toten, sie alle waren in der Sonne vertrocknet und bogen sich nach unten, hin zur grauen, gerissenen Erde, in der sie steckten. Die Wohnung war groß, viel zu groß für Ali allein, »wurde mir vom Onkel überlassen«, hatte sie genuschelt und war in der Küche verschwunden, um den Samowar aufzusetzen. Es gab drei Zimmer, die Außenwände von allen dreien waren verglast, es war sehr hell, wenn die Sonne schien, konnte man nicht atmen, man schwebte über der Stadt, sah weit nach Sultanahmet hinein. Es gab ein großes, zerfleddertes Sofa, auf dem Bücher und Zeitschriften und Kissen lagen, alles in Rot, so wie die Bilder an den Wänden und die Lampenschirme, ein ausgeblichener Teppich lag auf den Fliesen, so plattgelaufen, dass die Blumen auf ihm nur noch Schlieren waren. Die Klimaanlage über Kathos Kopf hustete kalte Luft ins

Zimmer, er spürte Alis Blick auf sich, lockerte den Gürtel seiner Jeans, sie fiel ihm in die Kniekehlen, dann zog er seine Unterhose unter die Pobacken und stemmte seine Arme gegen die Tischplatte.

»Kommst du?«

Er stand leicht nach vorne gebeugt und versuchte, den Gesäßmuskel zu entspannen, der gestochen werden sollte, den rechten.

»Und du machst es nie selbst?«, fragte Ali, ohne die Augen von Kathos gekrümmter Silhouette am Tisch zu nehmen. Sie lehnte mit dem Kopf am Türrahmen und betrachtete Kathos lange Beine, die bald schwarz überwuchert sein würden. Lange Füße gingen in Waden, diese in Schenkel über, die sich nach vorne bogen, der Hintern bildete den einzigen Schlenker in dieser Umrisslinie, die rechte Pobacke stach heraus, der Rücken floss in den Nacken, in die Wölbung seines fast kahlen Schädels, seine Stirn zog nach unten. Ein gegen das Licht gehaltenes C. Er drehte den Kopf zu ihr, sie konnte seine Gesichtszüge nicht erkennen.

»Ich hasse es, mir selber Spritzen zu setzen.«

»Aber wie machst du es sonst?«

»Ich suche mir Leute.«

»Ich habe so was noch nie gemacht.«

»Willst du nicht?«

»Was, wenn ich was falsch mache?«

»Dann sterbe ich.«

Ali näherte sich dem Tisch und betrachtete die Nadel der aufgezogenen Spritze, das Desinfektionsspray, daneben die Watte. Sie nahm das Plastikröhrchen mit zwei Fingern und hielt es gegen das Licht, schob ihre Augenbrauen zusammen und dachte: Meine Mutter könnte das. Aber sie würde es nicht tun. Und dann: Sie würde mich umbringen, wenn sie wüsste, was ich hier mache. Sie würde mir dieses Ding in den Hals

121

jagen. Dann: Vielleicht auch nicht. Bei dem Gedanken: Meine Mutter hat recht gehabt, ich hätte doch Ärztin werden sollen, nahm sie die Spritze, sprühte das säuerlich riechende Desinfektionsmittel auf Kathos Pobacke, irgendwo zwischen Hüftknochen und dunkelbraunem Muttermal, und jagte die dicke Nadel ohne Vorankündigung in das Fleisch, das sie mit der anderen Hand festhielt.

Sie hat auf ein »Au« gewartet. Es kam keins. Sie drückte die vanillefarbene Flüssigkeit langsam in das Gewebe, sie ging schwer durch. Sie presste mit aller Kraft ihren Daumen auf den Kolben, je mehr Angst sie hatte, dass die Nadel abbrechen könnte, desto schneller versuchte sie zu spritzen, die Flüssigkeit schien wie Öl im Zylinder zu kleben und nicht vorwärtszuwollen. Sie kniete hinter Katho und schaute von unten in sein ausdrucksloses Gesicht.

»Richtig so?«

»Mach einfach. Aber sag Bescheid, bevor du die Nadel rausziehst.«

Kathos nackter Po drückte leicht gegen Alis Schulter. Ali ging in die Hocke, um zu sehen, ob die Flüssigkeit ganz aus der Spritze raus war, ihre Nasenspitze streifte Kathos rechten Hüftknochen, die Tätowierung eines Vogels im Sinkflug schaute sie an. Ein Grünfink mit weit nach hinten gestreckten Flügeln und ausgefahrenen Krallen, er war so groß wie eine Handfläche. Ali blinzelte.

In den letzten fünf Tagen, in denen Katho bei ihr geblieben war, hatte sie ihre Füße mit seinen verknotet, war in seinem Geruch eingeschlafen, träumte von Meerjungfrauen mit roten Haaren und Akkordeon, wachte auf und riss das Schlafzimmerfenster auf, atmete gierig die kalte Luft, zog den schweißnassen Pullover aus, in dem sie schlief, steckte den Kopf in die Möwenschar vor ihrem Fenster. Die Möwen kreischten, flogen

Schleifen und pickten an ihren Locken. Katho zog Ali wieder zurück und umklammerte sie wie ein Kissen, seine Bartstoppeln kratzten.

Ali lag mit aufgerissenen Augen da und schwitzte und dachte, sie würde Katho gern von Anton erzählen oder Anton von Katho und beiden von Onkel Cemal. Sie war sich nicht sicher, wem sie schon welche Geschichte erzählt hatte, sie war sich ihrer eigenen Geschichte nicht mehr sicher, was sie eigentlich tat in einer Stadt außerhalb der Zeit, suchte sie wirklich ihren Bruder oder wollte sie einfach nur verschwinden. Sie zitterte, dann zog ihr Katho den Pullover wieder über den Körper, wickelte sie in Decken und erzählte von den Wildvogeljägern und ihrem Zeichen: dem Grünfinken.

Sie lag eingemummelt, nur ihre Augen schauten raus, ohne zu blinzeln, und Katho erzählte von alten Männern, die sich Netze, die aussahen wie rostgefärbte Tüllröcke für übergewichtige Ballerinen, über die Schultern warfen und durch die Stadt liefen, sicheren Ganges und wie unsichtbar. Ihr Geschäft war verboten, dafür gab es Knast, aber sie hatten ihre Schritte gelernt, gingen mit selbstgedrehten Zigaretten in der einen und länglichen, stoffverhüllten Käfigen in der anderen Hand durch die Straßen, als ob nichts wäre, ließen sich nicht anmerken, dass unter den zahlreichen Stoffschichten, die um die Gitterstäbe gespannt waren, seltene Singvögel schliefen. Sie brachten sie an Orte, die nur einem kleinen Kreis bekannt waren, befestigten die Käfige an den Wandhaken in Teegärten und warteten auf den Gesang. Sie weckten die Vögel nicht, sie rüttelten nicht an den Käfigen, sie warteten geduldig ab, bis sie aufwachten, und lauschten dann, und alle im Teegarten lauschten mit, wie bei einer Verschwörung.

Nie wurde der Stoff von den Käfigen gezogen, niemand außer ihren Besitzern bekam die Vögel je zu Gesicht, nicht immer nur Grünfinken, auch Stieglitze waren dabei, zu viel Helligkeit war schädlich für sie, niemals würden sie ihr Lied im grellen Tageslicht singen. Die Vogelmänner suchten in der gesamten Stadt nach den Tieren, an Orten, wo keiner hinkam, auf Grünflächen unter Brücken, die nach Europa führten, auf Hügeln mit Ruinen aus dem Byzantinischen Reich, in Bezirken voller leerstehender Häuser, die langsam zuwucherten. Sie warfen ihre Netze über sie, sie hielten sie fest und drückten sie sich an die Brust, sie liebkosten und pflegten sie, sperrten sie in Käfige und suchten sorgfältig Stoffe für die Überzüge aus. Sie machten Fotos von den Vögeln und stellten sie sich auf die Kommode, und sie tätowierten sie sich auf Arme und Beine.

Katho hatte in einem Reisemagazin über sie gelesen. In Odessa lag er bei Pawlik auf der Matratze und verschlang Reportagen über die ganze Welt. Es war ihm egal, welches Land, welcher Kontinent, er projizierte sich sofort in die Beschreibungen der Landschaften. Bei einem Foto, das er nicht verstand, blieb er hängen. Es zeigte eine Landschaft, die bei Nacht brannte, die Äste leuchteten orange, der grüne Rasen floh ins Schwarz, es sah aus wie abstrakte Malerei, aber die Bildunterschrift sagte, das sind die Wildvogeljäger von Istanbul. Auf der nächsten Seite sah man einen Mann auf einem Gebetsteppich im Schneidersitz ein rostfarbenes Netz auseinanderziehen und sich darin verfangen, auch hier war es Nacht. Es gab ein Foto von einem Haken an einer Bretterwand aus morschem Holz mitten in einem grauen Nichts, es gab einen Rücken, der weglief, eine Straße voller roterdiger Bremsspuren, einen mit weiß-blau kariertem Stoff bespannten Quader, der am Baum hing, den Zickzackverlauf eines Scheitels auf dem schwarzen, fettigen Hinterkopf eines Mannes mit gelbem Kragen.

Später war Katho vergeblich durch die Stadt geirrt, war zu Fuß von Kömürköy bis Sanayi gelaufen, hatte versucht, in den Gesichtern der alten Männer zu lesen, hatte auf ihre trockenen Hände gestarrt, quadratische Taschen trugen viele, keine schien ein Käfig zu sein. Katho verfolgte Verdächtige, untersuchte Wände von Teehäusern auf Haken, fragte die Cafébesitzer aus, aber die meisten wussten nicht, wovon er sprach. Er war direkt vom Pier aus losgelaufen, wo die Fähre aus Odessa anlegte, ohne Karte, weil er gelesen hatte, dass keine Karte von Istanbul stimmte.

Die Zeit dehnte sich in der Hitze und verklebte ihm die Augen, er sah am Geld, dass Zeit verging, sein Erspartes wurde immer weniger, seine Unterarme dünner. Er wurde mitgenommen von Männern, die nicht zahlten, aber ihm zu essen gaben. Einer schenkte ihm eine Silberkette für die Taille, machte sie ihm um und hielt sich an ihr fest, wenn er hinter Katho kniete, dabei flüsterte er in sein Ohr, er wolle ihn für immer behalten, und grunzte dabei. Katho lief weg, verkaufte die Kette und ließ sich für das Geld einen Grünfinken auf den Oberschenkel stechen. Sollten doch die Wildvogeljäger ihn finden, nicht andersrum. Das Stechen hatte nicht wehgetan, über den schwitzenden Schädel des Mannes, der auf sein Bein malte, sah Katho auf die Straße. Sie glühte, verhüllte Frauen liefen vorbei. Als sie fertig waren, bot der Tätowierer ihm ein Glas Tee an und fragte, was er im Leben machen wolle. Katho sagte: »Tanzen.« Sie tranken stumm, Katho schaute in der Gegend herum, dann atmete der Tätowierer laut aus und sagte, in Lâleli gäbe es Lokale, das wäre vielleicht was für ihn, da könnte man tanzen.

Tanzen war Kathos Traum, er hatte immer aus Odessa rausgewollt, und sein Plan war es gewesen, Tanz zu studieren in Moskau, aber zuerst Wirtschaft in Kiew, und dann war er hängengeblieben in den Überlegungen dazwischen. Das war die Zeit, als Freunde von ersten bezahlten Jobs sprachen und damit unterschiedliche Dinge meinten, aber man verstand sich, alles, was half, über die Runden zu kommen, war ein angesehener Beruf. Und die mit den Gebärmüttern wurden schwanger, und der Rest ließ sich Bärte wachsen, und da beides bei Katho nicht ging und er nicht wusste, wie er das den Freunden erklären sollte, die schon Scherze machten, und der Mutter, die auf Lebensentscheidungen wartete, und allen anderen, dachte er, vielleicht woanders hingehen, wo einen keiner kennt. Aber nicht irgendwohin, es musste dort warm sein, und eine andere Sprache lernen wäre nicht schlecht, was man eben so dachte, wenn man einfach nur wegwollte.

Die Geschwister schrien wieder im Nebenzimmer, die Mutter drosch auf den betrunkenen Vater ein, Katho rannte durch die Tür, zuerst durch die Wohnungstür, dann durch die mit grünem Schaumstoff gepolsterte Zwischentür, dann durch die Haustür, er rannte raus auf den Hof zu den anderen, die nicht zu Hause sein konnten, aber die waren schon drauf und redeten langsam. Er rannte weiter, vorbei an seinem alten Spielplatz, sprang durch die Büsche, keuchte vorbei an spuckenden Großmüttern, blieb erst vor Pawliks Tür stehen, klingelte außer Atem, rannte die Treppen hoch, schmiss sich auf den Boden und umklammerte Pawliks Knie. Pawlik spielte auf seiner Gitarre, sein Kuss schmeckte nach Aspik, er knöpfte sich die Hose auf, und später lag Katho auf der Matratze, und das Licht schien viel zu grell herein, er kniff die Augen zusammen, zwischen seinen Augenbrauen ziepte es, sie standen ab, Härchen für Härchen, er drehte sich auf den Bauch, und da lag dieses Magazin auf dem Boden, mit Reportagen über die ganze Welt.

»Pawlik, sollen wir abhauen?«

»Was sagst du, Mieze?«

»Wollen wir irgendwohin?«

»Wohin?«

»Weiß nicht. Istanbul?«

»Warum?«

Da wusste Katho, dass Pawlik nie mitkommen und nie etwas verstehen würde. Er projizierte sich in die Bilder der Reportage, sah sich als Grünfink in den brennenden Büschen, sah sich gerettet, gefangen, umhüllt und umsorgt, und dann, nur dann, würde er seinen Gesang entfalten.

Als Pawlik endlich eingeschlafen war, zog er dessen Portemonnaie aus der Hose auf dem Boden, nahm den Inhalt heraus, steckte das Reisemagazin ein und ging direkt zum Hafen.

Seine Vogeljägersuche endete in Lâleli, wo es Agenturen gab für Menschen wie ihn, Agenturen für Frauen eigentlich, dort hatte Katho keinem gesagt, dass er ein Mann war, es hatte auch niemanden interessiert, sie hatten ihn begutachtet, Beine, Brüste, stimmte alles, sich akrobatisch bewegen konnte er auch, die Männer sprachen seine Muttersprache, und die Frauen mussten gar nicht sprechen, sie sangen ja ihr Lied. Vor allem eine sang wie ein echter Vogel, schrill und ungebändigt, Aglaja, mit kurzen roten Locken, die zusammen mit ihrem Kehlkopf vibrierten, als würde Strom durch sie fließen. Sie war mehr als doppelt so alt wie Katho, hatte aber keine Falten im Gesicht, ihre Haut spannte, und wenn sie lächelte, klappte ihr Mund auf wie an Fäden gezogen. Sie wurden ein Liebespaar, dann wurden sie Freunde, Aglaja streichelte Katho immer über die Haare, wenn er ihre Knie umklammerte, und als er ihr erzählte, dass er nicht mehr Katharina genannt werden wollte, rasierte Aglaja ihm den Kopf. Aglaja hatte herumgefragt, wo man Testosteron bekommen würde, und mit Katho geübt, es zu spritzen, sie war furchtbar darin, aber alles noch besser, als es selber zu machen.

Katho war in den ersten Wochen, nachdem er mit den Injektionen begonnen hatte, entweder schlecht und schwindlig, oder er war sehr klar, so klar wie noch nie. Er hatte das Gefühl, seine Knochen würden wachsen, er hörte seine eigene

Stimme, wie sie brach. Er öffnete den Mund, um zu hören, wie die eigenen Stimmbänder nach Halt suchten und scheiterten. Und er weinte viel, das machte das Testosteron, da war er sich sicher. Manchmal lachte ihn Aglaja deswegen aus, meistens aber durfte er auf ihren Schoß klettern und musste nichts erklären. Sie schliefen nicht mehr miteinander, aber es gab fast keine Nacht, in der sie getrennt waren. Bis der Gezi-Park in Rauchwolken aufging.

Katho taumelte über die İstiklal Caddesi, als der Anruf kam. Es war eine dieser Nächte, in denen die Lichter der größten Einkaufsstraße des europäischen Kontinents ihn nervten wie Läuse. Er bog in die Mis Sokak ab zum Bigudi Club, in dem Frauenkörper auf der Suche nach Frauenkörpern beim Tanzen sicher sein konnten, keinen Männerschwanz gegen das Becken gedrückt zu bekommen, vorbei an der Kırmızı Bar, in der Menschen saßen, die ihr Geschlecht wechselten je nach Tageszeit. Im Bigudi saßen Frauen in schwarzen Jeans und weiten Pullovern wie auf einer Hühnerstange an drei der vier Wände gepresst und schauten alle ausnahmslos auf ihre Handys, als würden sie miteinander online ein Spiel spielen, vielleicht miteinander sprechen, vielleicht miteinander vögeln, auf der Tanzfläche passierte jedenfalls nichts, sie war leer. Als Katho in den grell erleuchteten Raum trat, schaute nur eine von ihrem Handy hoch, sie hatte lange, blondgefärbte Haare und trug einen grünen Glitzerlidschatten, der aufleuchtete wie zerbrochenes Glas, wenn sie blinzelte. Katho ging zur Bar, holte sich einen Whisky, kippte ihn in wenigen schnellen Zügen, die Blonde mit Glitzer um die Augen hatte sich wieder in ihr Mobiltelefon verabschiedet. Er stellte sich auf die Tanzfläche, schloss die Augen und hob die Arme, seine Hüften vibrierten leicht. Er stellte sich vor, eine Hand würde sich an seine Taille legen und ihn festhalten, er berührte sich selber im Nacken, fuhr sich durch die kurzen Haare, öffnete die Augen, niemand schien da zu sein, die Hühner an der Wand waren flach wie eine Tapete, er ließ die Arme sinken und ging wieder raus.

Es war warm, fast Sommer, und die Tische vor Kırmızı waren alle voll. Ein alter Mann mit einem Karren voller Gemüse hielt davor und schälte blitzschnell eine Gurke für die Nachtarbeiterinnen, die auf ihren mindestens zwanzig Zentimeter hohen Absätzen kippelten, haute sein Messer zwei Mal über Kreuz bis zu seinen Fingerkuppen in das weiche grüne Fleisch, worauf sich die Gurke in seiner Hand öffnete wie eine Blüte, dann streute er großzügig Salz drauf. Die Arbeiterinnen bezahlten und stolzierten zum Tarlabaşı Bulvarı. Rakı gluckste aus Flaschen, Mädchen versengten schwarze Stoppeln an ihren Oberschenkeln und kicherten, massierten sich gegenseitig die Waden, lasen füreinander aus dem Kaffeesatz. Katho drängelte sich in eine Bar, vorbei an Körpern, die einen eigenartigen Geruch verströmten, irgendwas mit Zimt und Erde. Auf der Männertoilette am Pissoir stand eine Frau in einem langen hellblauen Glitzerkleid, dessen Schleppe über die Bodenkacheln floss, hatte ihren Schwanz in der Hand und schaute Katho fragend an. Er ging in die Kabine und schloss die Tür hinter sich zu, setzte sich auf den Klodeckel und stützte seinen Kopf in die Hände.

Sein Handy klingelte, Aglaja war dran. Bei ihr im Hintergrund wurde gesungen oder geschrien, das konnte er nicht genau verstehen, was er verstehen konnte war: »Komm sofort in den Gezi.«

Aglaja hatte wie immer, wenn sie nicht arbeitete, einen schwarzen Hut auf und trug ein zerknittertes weißes Hemd mit breitem Kragen, ihre viel zu weite Anzughose mit Bügelfalte hielten nur die breiten Hosenträger auf ihrem schmalen

Körper, ihre Schuhe waren zu groß – alles in allem ein Clown aus einer Schwarzweißfotografie. Um sie herum tanzten Menschen in Farbe. Jemand spielte Darbuka, die anderen hielten sich an den Händen, gingen im Kreis und warfen vorsichtig wie in Zeitlupe ihre Beine von sich. Die Regenbogenfahne war in den Boden gerammt, gleich neben einem Traktor, weiter hinten sah Katho einen ganzen Schwarm von Abrissfahrzeugen, die still und schwarz vor sich hin dämmerten wie schlafende Schaben.

Aglaja stürmte auf Katho zu und zog ihn in den Tanzkreis, er schüttelte die verschwitzten Handflächen ab und legte sich auf den Boden. Obwohl es Abend war, war es hell, bis sich die Sterne zeigten, würde es noch dauern. Aglaja stellte sich über ihn, die roten Locken verdeckten ihr Gesicht.

»Schläfst du heute Nacht mit mir hier?« Ihr Mund war eine riesige schwarze Raupe.

»Musst du nicht irgendwann zur Arbeit, ich dachte, du arbeitest heute.«

Sie setzte sich zu ihm, ihr Gesicht schwebte über seinem. »Nein, tue ich nicht. Vielleicht gehe ich nie wieder zur Arbeit.«

»Und dein Akkordeon?«

»Ich spiele einfach auf dir.«

Sie zog Katho hoch, umklammerte seinen Körper von hinten, drückte ihren Bauch gegen seinen Rücken, legte den Kopf auf seine Schulter und spielte etwas sehr Schnelles auf seinen Rippen.

Er wachte auf von einem beißenden Geruch, schlug die Augen auf, Aglajas kantige Nase berührte seine Wange, er schaute in ihre aufgerissenen Augen durch einen milchigen Schleier. Ihre Wimpern waren lang und sehr gerade. Sie lagen draußen neben den Zelten auf dem Rasen, Aglajas Bein über seiner Hüfte. Zuerst hielt er das Tränengas für Morgentau, dann hustete er los, merkte, dass sein Gesicht brannte, Aglaja hustete, alle husteten los, das Husten wurde zu einem Weinen, alle waren plötzlich auf den Beinen. Von irgendwoher wuchsen den Menschen Mundschutzmasken ins Gesicht, rote Augen glänzten darüber. Das Gas sickerte durch den dünnen Zellstoff über den Mündern, die ersten Hustenden gingen in die Knie.

Katho drehte sich wie wild und versuchte, Aglaja zu finden, schrie ihren Namen, Panik füllte seine Kehle wie eine Schicht Mehl. Dann sah er rote Locken in der Gaswolke aufblitzen, lief auf sie zu, Aglaja stand da und murmelte: »Meinen Hut, ich habe meinen Hut gefunden.« Sie richtete sich auf, lächelte Katho an und fiel um.

Die Gaskartusche hatte sie an der rechten Schläfe getroffen, das Geräusch hatte Katho nicht gehört, er sah die Kartusche auch nicht einschlagen, er sah, wie Aglaja ihm vor die Füße fiel und sich nicht mehr bewegte. Dann sah er neben ihrem ausgestreckten Körper die orangefarbene Dose Gas. Aus ihren Ohren sickerte Blut, ihr linker Arm war auf ihre Brust gefallen, als hielte sie Blumen fest. Ihr Kopf war nach hinten gebeugt, der gesamte Körper schien aus Gummi, es wurde still, eine Wolke breitete sich in Kathos Kopf aus, brach durch seine Schädeldecke, das Gas, dachte er, es kribbelte, ihm wurde schwindlig, dann wurde er umgerissen von einer Menge, die auseinanderströmte wie ein Fischschwarm, der flieht. Manche Gesichter trugen Schwimmbrillen, ihre Münder flogen auf und zu.

Er tastete sich vor, fuhr mit den Händen über den Boden, sein Kopf zog Richtung Erde, er kam wieder auf die Beine, das Gas war jetzt nur noch ein dünner Schleier. Er sah einen Mann rote Locken wegtragen, er hatte sich Aglaja über die Schulter gelegt, ihr Kopf schlackerte, als wäre er vom Hals getrennt.

»Hey!«, rief Katho und lief ihm hinterher, »hey!«, er versuchte, ihn zu erreichen, stolperte über Beine, sah immer wieder Polizisten durch den Park jagen wie schwarze Fliegen, erreichte den Mann mit Aglaja auf dem Arm, da war er schon fast raus aus dem Park und ging Richtung Divan Hotel. Katho riss an seinem Arm, so dass der andere Aglaja beinahe fallen ließ und auf Russisch anfing zu schimpfen. Reflexartig antwortete Katho auf Ukrainisch, dann auf Russisch, sie schrien aufeinander ein, dann nahm Katho Aglajas Kopf und der Mann Aglajas Beine, und sie trugen sie gemeinsam in die Hotellobby.

Überall lagen und saßen schreiende, weinende Menschen und gossen sich Wasser, Milch und Zitronensaft über den Kopf. Eine ältere Frau entleerte eine Plastikflasche über Aglajas Gesicht. Katho starrte auf die weiße Flüssigkeit, die in Aglajas Mund lief. Ihre Lippen bewegten sich nicht. Er war sicher, dass sie tot war.

Von irgendwoher kamen Sanitäter und luden Aglajas Körper auf eine Trage. Ob bis dahin Minuten oder Stunden vergangen waren, konnte Katho nicht sagen. Er ging hinter der Bahre her, durfte aber nicht in den Krankenwagen steigen, er fragte, wohin sie sie bringen, und lief hinterher. Er hatte kein Geld für ein Taxi dabei, aber ein junger Mann, der an seinem gelben Wagen lehnte, erkannte ihn aus dem Club und bot ihm an, ihn zu fahren. Sie zerstritten sich im Auto darüber, was gerade in der Stadt geschah, der junge Mann sagte, das sei Sabotage, Katho sagte: »Blödsinn.« Der junge Mann sagte: »Die Unruhestifter wollen die Republik zerstören.« Katho sagte: »Lass mich bitte hier raus.«

Er fand sich auf der Station im Krankenhaus wieder, saß bei Aglaja am Bett, bewegte sich nicht, ging nur hinaus aufs Klo und um zu rauchen. Er sah abwechselnd auf ihre Hände auf dem Bettlaken und auf seinen Handybildschirm. Eine wacklige Kamera zeigte brennende Straßenbarrikaden, durch die ein Wasserwerferstrahl fuhr, das Bild setzte immer wieder aus, im Fernsehen liefen Pinguine über den Bildschirm. Am nächsten Tag sagten die Ärzte, er müsse das Zimmer räumen, weil weitere Patienten eingeliefert würden, und er solle da nicht so sitzen wie der Tod, das helfe keinem. Er weigerte sich. Eine Krankenschwester versprach ihm, ihn anzurufen, wenn Aglaja aufwachte, »wacht sie denn auf?«, fragte er, die Finger um das Handydisplay gekrallt.

»Bakalım yani«, sagte die Schwester.

Aus dem Krankenhaus ging er direkt wieder in den Park, setzte sich hin und wartete auf eine Gaskartusche. Es kam keine, oder es kamen ganz viele, aber keine traf ihn, obwohl er helmlos und kraftlos in der Mitte des Parks saß und einem Derwisch zusah, der sich drehte wie eine Windrose, und der Schlauch seiner Gasmaske peitschte durch die Luft.

Katho harrte aus, bis die Kette der Mütter seinen Willen brach. Die Behörden hatten sich im Fernsehen an die Eltern der Demonstranten gewandt und sie aufgefordert, die Kinder aus dem Park zu holen, ab jetzt könne man für nichts mehr garantieren, die öffentliche Ordnung müsse wiederhergestellt werden, ab jetzt würde man Ernst machen, und wer da noch bleibe, könne sich die Folgen auf den eigenen Verdienstzettel schreiben. Und die Mütter kamen, und wie sie kamen, aber nicht, um ihre Kinder abzuholen, sondern um eine Menschenkette um den Park zu bilden, Schulter an Schulter, untergehakt, die Augen voller Angst vor der Armee, die jeden Augenblick einschreiten würde.

Katho saß da, umzingelt von Müttern, die alle nicht seine waren, und heulte los. Ganz ohne Gas. Dann stand er auf und ging nach Hause. Er wählte die Nummer seiner Mutter, sein Vater ging ran, erst wollte Katho sofort auflegen, und dann sprach er doch mit ihm, zuerst schrien beide, dann weinte der Vater, dann schrie er wieder, dann sagte er, Katho müsse jetzt sofort heimkommen, gleich jetzt in dieser Sekunde müsse er seine Tasche packen, seine Mutter sterbe vor Kummer, die Geschwister auch, was sei er nur für eine Tochter.

»Bin ich nicht, ich bin euer Sohn.«

Der Vater schimpfte weiter, als hätte er Katho nicht gehört.

Katho wiederholte den Satz, bis es still wurde am anderen Ende der Leitung.

»Papa, ich bin dein Sohn, verstehst du das?«

Und als nichts zurückkam, sagte er: »Das macht nichts, dass du das nicht verstehst.«

Und weil er wusste, dass es ab jetzt still bleiben würde, sagte er: »Ich weiß, du liebst mich. Ich weiß, du würdest es mir nie sagen. Du hast mir mal gesagt, wir sind Tiere, Liebe ist ein Instinkt, das reicht mir aus, Papa. Ich verstehe schon. Und ich bin glücklich hier, du hast mich nicht gefragt, also sage ich es dir: Ich glaube, ich komme ganz gut zurecht.«

Im Hörer rauschte es.

»Papa, eine Sache noch: Alle wissen, dass du den Schmuck von Oma langsam in den Hof trägst und mit Tütchen voll Pulver wiederkommst. Die unterste Schublade im Küchenschrank ist kein gutes Versteck. Vielleicht kannst du Sina fernhalten von dem Zeug, sie hat oft dran geschnüffelt. Geht es ihr gut? Geht es den anderen gut?«

Er hörte ein schnelles Tuten.

»Papa, ich bleibe erst mal hier. Ich melde mich. Sag hallo zu den anderen. Ach, und Papa … ich habe jetzt ein Tattoo.«

Ali schaute weg vom Grünfinken auf Kathos Oberschenkel zu der Spritze in ihrer Hand. Das Testosteron war jetzt vollständig in Katho verschwunden.

»Ich ziehe jetzt raus.«

»Okay.«

Katho drückte ein Stück Watte auf das gerötete Einstichloch und rieb die Stelle.

Ali saß immer noch in der Hocke vor ihm und schaute skeptisch zu ihm hoch.

»Wer macht es sonst für dich?«

»Bei uns in Lâleli kann das jeder machen. An jeder Ecke gibt es Leute mit Erfahrung.«

»Und du gehst einfach an die Ecke und fragst?«

Katho drehte sich zu Ali um, seine Scham war jetzt auf ihrer Augenhöhe. Ali konnte deutlich in seine scharfumrissenen Pupillen sehen, um sie herum glänzte es grün, dann gelb, dann öffnete er seine Lippen, als wollte er noch antworten, legte stattdessen seine Hände in Alis Locken und massierte ihren Hinterkopf. Sie drückte ihre Stirn in den schwarzen Flaum über seinem Hügel und atmete tief ein. Beim Ausatmen tauchte sie die Zunge in ihn hinein.

Später lagen sie nackt auf dem Teppich in den Schlieren des Blumenmusters, und Ali schaute auf Kathos Profil. Er hatte zwei rote Punkte auf dem Unterkiefer eng nebeneinander und zwei weiter unten am Hals, die würden bald anschwellen und jucken. Verdammte Wanzen. Ali fragte sich, ob Katho seiner Mutter oder seinem Vater ähnlich sah, ob man immer irgendwem ähnlich sehen musste, sie hatte ihn ja auch zuerst für ein bekanntes Gesicht gehalten, als er sie an der Bar des Tanzclubs in Lâleli ansprach. Wahrscheinlich waren sich ihre und Kathos Urgroßeltern auf der Potemkin'schen Treppe schon mal begegnet, hatten sich auf der überfüllten Spazierstrecke angerempelt und mit einem dreifachen »Verzeihung« die Hand gegeben. Sehr wahrscheinlich sogar, Odessa war keine große Stadt. Und was dann? Dann waren sie weitergelaufen.

Und jetzt lagen sie, die Kinder der Kinder der Kinder, in Istanbul auf einem ausgebleichten Teppich, Hüfte an Hüfte, und fächerten mit Stapeln von Schwarzweißfotografien vor ihrem inneren Auge. Erdachten sich Gesichter, die sie nicht kannten, sahen bekannte in fremden, wünschten sich, mehr über sich selbst sagen zu können, als welchen Ort sie verlassen hatten. Wünschten sich Vorfahren, die so waren wie sie. Onkel mit rasierten Beinen, die nachts ihre Bäuche in Corsagen und Kleider zwängten, Tanten mit Wasserwelle und schwarzem Lippenstift, die in Anzügen durch die Straßen spazierten. Keine dieser Geschichten hatte je ihren Weg in die Erzählungen von Familie gefunden, aber es musste sie doch gegeben haben, also was war falsch daran, sie sich zu erdenken?

Ali drehte sich auf die Seite und fuhr mit ihren Augen über den Schatten von Kathos Oberlippe. Er hatte ihn nicht wegrasiert wie üblich, und bald würde der Schatten als kantiger Bart sein halbes Gesicht umrahmen. Er stand ihm.

»Lass uns raus«, flüsterte Katho.

Die Straßen waren voller abgemagerter Katzen und zerdrückter Plastikflaschen, es roch nach Kohl und Linsensuppe mit rotem Pfeffer, und zwischendurch bildete sich Ali ein, dass Kathos Geruch sich auch in der Straße ausbreitete. Sie holten sich zwei Simit und Kaymak bei Hassan Bey, und als sie am Wasser ankamen, starrten sie lange aneinander vorbei.

»Tut mir leid. Passiert mir oft«, sagte Katho irgendwann mit dem Mund voller rahmiger Butter.

Hassan Bey hatte Ali nicht angeschaut, sein Blick war an Katho hängengeblieben, er durchbohrte ihn von Kopf bis Fuß, dann spuckte er auf den Boden, starrte auf den Taschenrechner und sagte den Preis.

»Das war nicht wegen dir.« Ali schlug sich die Sesamkrümel vom Knie. »Der alte Mann ist sauer auf mich, weil er denkt, ich habe ihm ein Rendezvous versprochen, aber versprochen habe ich es ihm nicht und schon gar nicht ein Rendezvous, ich habe meine Nummer auf ein Stück Papier gekritzelt, als er mich darum gebeten hat.«

»Na ja, das heißt ungefähr dasselbe.«

Warum Ali das gemacht hatte, wusste sie selbst nicht, sie kam damals betrunken die Straßen herunter, es war früh am Morgen, sie war froh, ihre Gasse gefunden zu haben, hatte noch Wodka im Mund, zappelte wie ein Luftballon auf dem Wasser, man hätte sie mit einer Nadel zum Platzen bringen können, und sie lachte, hatte das dringende Bedürfnis nach Zucker, bog zu Hassan in den Laden, und während sie sich weißes Pappbrot und Orangenmarmelade auf den Arm lud, fragte er sie nach ihrer Nummer, und aus irgendeinem Grund schrieb sie Zahlen auf einen Zettel, brachte sie zusammen ohne einen Fehler, fand danach aber die eigene Haustür nicht, setzte sich an eine Kreuzung, riss den Zipfel des Brotlaibs ab und tunkte ihn in das Marmeladenglas. Von da an rief Hassan Bey jeden Morgen und Abend bei ihr an, manchmal auch in seiner Mittagspause, und sie wusste nicht, wie sie ihm erklären sollte, dass er sich falsche Hoffnungen machte.

Ali dachte an Hassans Schmirgelpapierhaut und an sein Lächeln, als er sie zum ersten Mal sah und ihr frische Pflaumen anbot, und dann an den Kinderwagen, den seine Frau geschoben hatte, als sie den beiden auf dem Sonntagsmarkt begegnet war. Sie taten so, als würden sie sich nicht kennen, Ali hätte gerne in den Wagen geschaut, aber traute sich nicht. Stattdessen richtete sie ihre Augen auf die Jungs neben ihr. Sie standen vor zwei Kartons voller flauschiger Küken, die piepsten und hin und her wackelten, als liefen sie auf Batterien, sie pickten sich und fielen übereinander. Sie wurden tütenweise verkauft. Die Jungs drückten ihre Wangen gegeneinander, Sabber lief ihnen aus dem Mund. Ali fragte sich, ob sie Hunger hatten oder hypnotisiert davon waren, dass sie da in diesen Pappkartons, zwölf Lira die Tüte, sich selber anschauten. Wahrscheinlich nicht, wahrscheinlich kamen die geweiteten, rot unterlaufenen Augen vom Kleberschnüffeln.

Sie dachte an die Marktschreier, die Arien auf ihr Gemüse sangen wie Muezzins, »domates, domates«, an kleine Mädchen in langen bunten Röcken, die mit Granatäpfeln jonglierten, die sie geklaut hatten, an die Wollsocken, die sie auf dem Markt gekauft hatte, aber nicht tragen konnte, weil sie so sehr nach Waschpulver rochen, dass sie beschlossen hatte, sie als Giftmittel gegen die Wanzen einzusetzen.

Sie stellte sich vor, wie es wäre, mit Anton über diesen Markt zu spazieren, ihm Weintrauben zu kaufen, ihn in die engen Hauseingänge zu ziehen, die zwischen den Obstkarren wie Tunnels ins Nichts von Tarlabaşı führten. Wie es wäre, ihm die grünen Trauben in den Mund zu stecken, ihre Hand auf seine Lippen zu pressen und ihren Mund auf ihre Hand.

Alis Erinnerungen legten sich aufeinander wie Folien und verrutschten. Sie ergänzten und widersprachen sich, ergaben neue Bilder, aber sie konnte sie nicht lesen, auch Kopfschütteln brachte nichts.

Sie folgte den geraden Linien in Kathos Gesicht, sie beruhigten sie, betrachtete die unterschiedlich großen Augen, die hohen Wangenknochen, den geschwungenen Schatten über der Oberlippe. Vielleicht bliebe sie auch einfach hier, dachte sie. Vielleicht bliebe sie bei ihm, und sie versuchten, bis ans Ende aller Tage Kinder zu machen, sooft es nur ging. Der Ring an Kathos Finger glänzte in der Sonne. Unter seiner Hand auf den Stufen war ein rotes Graffito, das zu zerlaufen schien. Es musste Jahre alt sein. Bleiche rote Striche mit zerfransten Kanten zeigten eine Frau, aus deren Kopf ein Schwarm Vögel geschossen kam. Jetzt hätte Ali schwören können, dass sie diese Frau kannte, aber sie wusste nicht woher. Noch ein Bild, das sie nicht zuordnen konnte.

»Katho, diese Akkordeonspielerin in dem Club –«

»Was glaubst du, warum dein Bruder gegangen ist?«

Kathos Stimme brach in der Mitte des Satzes, er räusperte sich.

Ali erinnerte sich plötzlich an die Kälte des Parkettbodens unter ihren Schulterblättern. Antons und ihr Körper unter dem Laken berührten sich nicht, sie starrten beide an die Decke. Das Zimmer war verraucht gewesen, über ihnen eine weiße Dunstschicht wie über einem Sumpf. Sie hatten nur ihre Nasenspitzen draußen, und ihre Locken standen ab. Anton war damals gekommen, um ihr etwas zu sagen, geredet hatten sie nicht. Hatten den Joint hin- und hergereicht.

»Ich habe keine Ahnung, aber ich suche ihn, um ihn das zu fragen.«

»Und ihn dann zurückzubringen?«

Ali kaute auf ihrer Unterlippe, sie schmeckte säuerlich.

»Ich bin nicht seine Frau. Auch nicht seine Mutter.«

»Und was glaubst du, warum er gegangen ist?«

Ali fehlten so viele Erinnerungen, ihr Gehirn sah aus wie das Gebiss jener Alten, die an der Metrostation Tschertanowskaja gebettelt hatte. Da stand sie immer, bucklig und in bunte Tücher gehüllt, mit unter dem Kinn zusammengeknotetem Kopftuch, den Arm ausgestreckt und die Hand geformt zu einem Schälchen, stammelte etwas vor sich hin. Jedes Mal wenn Ali mit ihrer Oma und ihrem Bruder an der Bettelnden vorbeiging, klammerte sie sich an die Beine der Bettlerin und war nicht von ihr wegzureißen. Anton stand daneben und beobachtete das Schauspiel einer Oma, die an den Füßen der Enkelin zog, die an den Beinen einer Bettlerin hing, und alle drei schrien. Eine auseinanderfliegende Matrjoschka. So sah es in ihrem Gedächtnis aus.

Die Erinnerungsfolien verschoben sich wieder, kurz glaubte sie, sie wüsste jetzt, was Anton ihr hatte sagen wollen, traute sich aber nicht, es auszusprechen. Stattdessen sagte sie:

»Weil er glaubt, dass wir ihn nicht brauchen.«

»Und er, braucht er euch nicht?«

Ali schnalzte mit der Zunge und machte eine dieser Handbewegungen, die von »was weiß ich« bis »schließ mich in die Arme« alles bedeuten konnten.

Sie wünschte sich, über das Goldene Horn zu schwimmen und auf der anderen Seite zwischen den schmalen Häusern verlorenzugehen, sich an eine Hauswand lehnen, ihre Farbe annehmen und Rippe für Rippe, Knochen für Knochen eingesaugt werden von der Fassade.

Vor dem Anlegehäuschen waren vier kleine Fähren vertäut, vor der einen lockte ein Mann mit einer Stimme, die größer war als er, die Passanten, einzusteigen. Ali und Katho saßen auf der breiten Treppe am Kai in der Sonne und betrachteten die Familien, die auf das klapprige Schiffchen stiegen, Töchter halfen den Müttern in ihren langen Gewändern, damit sie nicht stolperten und ins Wasser fielen. Eine Reling gab es nicht, sie hielten sich an den dünnen Armen ihrer Kinder fest, Männer in karierten, abgewetzten Anzügen steckten ihre Pfeife in die Brusttasche, setzten sich im Innenraum in die Ecken und schauten düster aufs Wasser.

»Einmal über das Schwarze Meer hüpfen, und schon bist du in Odessa. Das ist gleich hier um die Ecke«, sagte Katho und zeigte Richtung Bosporus-Brücke.

Ali schaute über das Goldene Horn, zu dem scheppernden Bötchen voll mit Menschen, die auf den Basar wollten, Kaffee trinken bei Mehmet Efendi, wo die Kinder, keines älter als fünfzehn, das braune Pulver in feines Backpapier einwickelten, ihre Finger knickten die Tüten so schnell, als würde jemand die Zeit vorspulen.

»Wie ist es dort?«, fragte Ali. »In Odessa.«

»Ziemlich genau wie hier. Nur haben die Menschen diese Fressen.«

»Was für Fressen?«

»Diese Hängefressen, du weißt schon, die aussehen wie Teig, der ausläuft.«

Katho rückte näher an Ali heran und legte seinen rasierten Schädel in ihren Schoß. Ali schaute weiter auf den Bosporus, kramte nach Zigaretten in ihren Hosentaschen unter Kathos Hinterkopf.

»Mit funkelnden bösen Augen, die dich nicht angucken, sondern stechen.«

»Kenn ich.« Sie zündete sich mit der Linken eine Player's an, stützte sich mit der Rechten auf der Treppenstufe ab, die Kieselsteine bohrten sich in ihren Handballen.

»Sie schauen immer auf den Boden oder runter, niemals einem ins Gesicht.«

»Ja.«

»Und der Tee, der Tee ist hier viel besser. Wenn du nichts anderes kennst, denkst du, die Pisse, die du trinkst, ist Tee, aber seit ich hier bin, weiß ich, die drüben können keinen Tee machen, der schmeckt wie Seife.«

Katho streckte die Beine aus und legte einen Arm unter seinen Kopf, den anderen schlang er um Ali.

»Überall schreien Krähen.«

Ali schaute runter zu Katho, dann wieder auf das Boot, das jetzt aussah, als wäre es mit Bergen von schwarzem Stoff beladen, dazwischen viele Augenpaare, zuoberst auf dem Berg ein kleiner Junge, der dastand wie ein Blitzableiter.

»Und es riecht sauer. Nach Kotze mit Kirschwareniki.«

»Hör auf.«

»Was?«

»Hör auf.«

Katho schaute hoch.

Ali blies Rauchkringel.

»Ich will mal nach Odessa.«

»Warum?«

Ich konnte diese Frage nicht beantworten. Warum. Ich hatte auch nicht das Gefühl, dass ich das wissen musste, damals nicht. Ich sah mir selber zu, halb liegend an diesem Kai, mit einem schmalen Körper auf meinem Schoß, sah, wie Rauch aus meinem Mund kam und mir in die Augen stieg, wusste, dass mein Handballen von den spitzen Kieseln brannte, aber zog die Hand nicht weg. Ich hörte mich Dinge sagen, sah mich küssen, aufstehen, gehen, sah mich bei Schritten, die nicht ich unternahm, sondern die mich mitnahmen, und ich würde lügen, würde ich sagen, es war mir egal wohin. Ich hatte ein Ziel, aber es musste auf mich zustolpern.

Ich weiß nicht mehr, wie dieser Sichtwechsel kam und wann. Warum ich beschlossen habe, diese Folien und Bilder in meinem Kopf zu ordnen, warum ich angefangen habe, mich als mich zu denken, zu sprechen, sogar zu schreiben, aber ich kann mich an den Zeitpunkt erinnern. Das war, als mein Urgroßvater, zwei Jahre bevor er starb, eine dünne Mappe aus seinem Sekretär zog und vor mir auf den Tisch legte. Oder nein, falsch, es war, als ich anfing, darin zu lesen, da war Schura schon tot und ich zurück aus Istanbul.

Etja und Schura Natan und Valentina waren sehr gebildete Menschen gewesen oder sehr ungebildete, darüber herrschten unterschiedliche Meinungen in der Familie. Wenn man den mit voller Inbrunst vorgetragenen Erzählungen glauben durfte, gehörten sie entweder zur geistigen Elite Odessas oder waren bettelarm oder etwas dazwischen – oder sie waren alles und alles gleichzeitig. Valentina war natürlich bildschön und trug unter Bekannten den Spitznamen Ekaterina II., ein so edles Aussehen und so goldene Hände habe sie gehabt, Kleider habe sie genäht besser als im Laden, gekocht wie, ach was, besser als im Restaurant, und sie war die stellvertretende Leiterin aller Kindergärten der Stadt. Aber zuerst, noch in Balta, wurde sie mit Natan verheiratet und ging mit ihm ins blühende, reiche Odessa, das Paris Osteuropas, wo Natan wohnen wollte, weil es eine Hafenstadt war, und da gehe es einem gut.

Zwischen ihren häuslichen Pflichten und jenen als stellvertretende Leiterin der Kindergärten gewann Valentina einen Schönheitswettbewerb – Kunststück, sie hatte schwarze Locken und blaue Augen – und gab ein Kochbuch heraus über gesundes, ukrainisches Essen, was eine lose Sammlung ihrer Lieblingsrezepte war, selbst zusammengeklebt und dann herumgereicht unter Freundinnen und vielfach abgeschrieben von allen Frauen der Stadt, die ganze Stadt kochte à la Valentina. Es sprach sich herum, ein Verlag wollte es drucken, und sollte es wirklich dazu gekommen sein, so ging das kostbare Teil im Krieg verloren.

Valentina gebar Etina, Etja, Etinka, das schönste Kind auf Erden, da war sich die gesamte Stadt einig. Etinas dünne Haarkrause leuchtete um die Stirn herum wie ein Heiligenschein, und schon von klein auf war ihr Schicksal besiegelt – dieses Mädchen sollte werden, was später in Trickfilmen ein Superheld genannt werden würde. Solche Worte hatten Natan und Valentina damals nicht, sie steckten einfach all ihre Liebe, all die Kraft und vor allem alles Geld, das ihnen zum Leben blieb im blühenden Paris Osteuropas, in das Balg, das niemals schlief und angeblich von Geburt an sprechen konnte.

Alle Kinder, die in der Zeit zwischen den ersten beiden russischen Revolutionen des 20. Jahrhunderts geboren worden waren, trugen die Bürde, etwas Besonderes sein zu müssen, größer zu sein als das Stück Fleisch in der Windel, sie hatten die Welt umzukrempeln, sollten sie besser machen, so war das jedenfalls in meiner Familie vorgesehen. So auch Alexander, Schura, Schurik, von manchen Sascha genannt, der irgendwann in diesen belasteten Jahren des vergangenen Jahrhunderts auf die Welt kam und Jahre später Etina heiraten sollte. Und noch etwas später, nach dem Großen Vaterländischen Krieg, korrigierten Etina und Schura ihr Geburtsjahr in den Papieren, so dass es anständig aussah – Schura machte sich etwas älter, Etina etwas jünger. Ich vermute, es war andersrum gewesen, zuerst war die vielversprechende Etina auf die Welt gekommen, aber die Zeitrechnung war nach dem Krieg genauso über den Haufen geworfen worden wie alles andere auch, also was soll's – sie schrieben irgendwelche Jahreszahlen in die Papiere, sie hätten alles ändern können, ihre Nachnamen änderten sie aber nicht.

Schura, Sascha, Alexander der Große, der Kleine, er war natürlich auch sehr schön. So widersprüchlich die Wahrheiten der Familiengeschichten auch sein mochten und an welche Orte sie auch führten – Odessa, Czernowitz, Grosny, Wolgograd, Moskau, Deutschland, Deutschland, Deutschland und dann Istanbul am Hafen, wo Katho mir von Odessa erzählte, einen gemeinsamen Nenner gab es in all der Überlieferung doch: Die Mitglieder dieser Familie waren alle sehr schön und sehr klug, so war man gewohnt, von ihnen zu erzählen. Aber im Fall von Schura stimmte das wirklich. Das bezeugen die vielen Gemälde und Portraits, die sein stolzes, sozialistisch-realistisches Gesicht zeigen und die bis heute in Museen für sowjetische Geschichte hängen und in Valjas Schlafzimmer an der Wand. Der Valja in Niedersachsen, Deutschland, nicht der Valentina, Ekaterina II., in einer Bruchbude in Odessa Anfang des 20. Jahrhunderts. Das Portrait hängt an der Wand jener Valja, die nach der Kosmonautin benannt wurde, aber vielleicht auch ein bisschen nach der in Odessa, denn mehr noch als an die bemannte Raumfahrt und an den technischen Fortschritt der Menschheit generell glaubte man an jüdische Bräuche und dass man die Kinder nach Verstorbenen benennen muss, damit sie die Ahnen beschützen. Von wegen.

Die Gemälde in Valjas, meiner Mutter, Schlafzimmer in Niedersachsen zeigen also das Gesicht eines Mannes mit breiter Stirn und großer, zielstrebiger Nase, buschigen Augenbrauen und sehr weichen, vollen Lippen, die trotz sowjetischem Realismus zu lächeln scheinen, ohne dass sich die Mundwinkel dabei heben würden. Schuras Augen waren lila, aber das konnte man weder auf den Schwarzweißfotografien noch im sowjetischen Realismus sehen, da malte man sie entweder blau oder grau oder grün, manchmal braun, aber sie waren lila, und trotz dieser Augen war es alles andere als leicht gewesen, Etinkas Herz zu erobern, an der Medizinischen Fakultät, wo sie sich beide im Alter von siebzehn Jahren auf der Liste derer wiederfanden, die Außergewöhnliches leisteten – доска почёта.

Diese Liste hing im Korridor zwischen Vorlesungssaal und dem Büro der Sekretärin des stellvertretenden Direktors, und auf ihr war verzeichnet, wer welche Noten erhalten und welche Sonderleistungen zum Wohle der Universität, der Wissenschaft und des Sozialismus erbracht hatte. Etinka war die Nummer eins, Schura die Nummer zwei. Vorbildlich war ihrer beider Engagement, freiwillig Vorträge zu halten, in allen möglichen Fächern hatten sie nur die besten Noten, und besonders Etinas Leistungen im Fach Geschichte der Partei waren herausragend.

Seit jenem Tag, an dem die Rangliste ausgehängt wurde, hatte es sich Schura zur Aufgabe gemacht, herauszufinden, wer daran schuld war, dass er nur die Nummer zwei war auf der Ehrentafel, ihm war klar, er musste die Liste anführen, aber als er Etinka im Korridor an ihm vorbeispazieren sah, ihr stolzes Gesicht und wie sie ihn, die Medizinbücher an ihren Bauch gepresst, keines Blickes würdigte, als er Etinkas Hüften sah und ihren Nacken, beschloss er, dieser Frau einen ganz anderen Kampf anzusagen.

Die ersten Male ignorierte sie ihn mit einer solchen Leichtigkeit, dass er sich irritiert fragen musste, ob er vielleicht wirklich nicht existierte, wie er so in ihrem Weg stand, mit einer Zigarette in der rechten Hand und der linken in seinen Haaren. Er war Abfuhren nicht gewohnt, die Mädchen standen Schlange für den Lilaäugigen mit der weichen Stimme. Entweder witterte Etinka Ärger, oder sie hatte tatsächlich etwas anderes im Kopf – oder jemanden –, jedenfalls erwähnte sie den Studenten Alexander Farbarjewitsch gegenüber niemandem, er war nicht ihre geheime Leidenschaft, er hatte höchstens ihr Interesse geweckt als die ewige Nummer zwei, die es nicht schaffen würde, sie vom Thron zu stoßen, was fast bis zum Abschluss ihres Studiums auch so blieb. In der Anatomievorlesung schaute sie ab und zu über die vollbesetzten Hörsaalreihen, und da, ein Mal, im zweiten Semester, trafen sich ihre Blicke, unvorbereitet, sie trafen sich zufällig, Schura hatte nicht genug Zeit gehabt, irgendein Gefühl in seinen Blick zu legen, eine Botschaft durch den Raum zu senden, es war bloß ein Augenwandern, das Ablenkung suchte, und schon hatte Etinka wieder weggeschaut, wieder in ihr Heft, in das sie sicherlich bessere und klügere Gedanken notierte, als die seinigen es waren.

Schura packte der Liebeskummer. Auch dieses Wort hatte man damals nicht zur Hand, es kam erst viel später in Mode. Damals redete man von Seelenunruhe, душа болит, man sprach von Qualen, муки, aber dazu muss man wissen, dass Russen, oder all jene, die sich dieser Sprache bedienen, immer alles etwas drastischer sehen, weil sie es drastischer ausdrücken. Sie sagen nicht: Ich mag diese Äpfel, sie sagen: Ich liebe diese Äpfel. Sie sagen nicht: Ich bin verheiratet, sie sagen: Ich bin befraut oder ichstehehintermeinemmann. Sie sagen nicht Schwiegermutter, sie sagen Eigenblut. Russischsprechende mögen Regen nicht einfach nur nicht, sie hassen ihn. Folgerichtig redet man von Herzfolter, wenn es im Brustkorb zieht. Und genau darauf steuerte Schura zu. Er konnte nicht schlafen, er wollte nicht essen, er rauchte dreimal so viel wie gewöhnlich, und seine Mutter schüttelte nur den Kopf beim Anblick seiner Augenringe.

»Was hast du denn, bist du krank?«

»Nein, die Prüfungen, es sind zu viele.«

»Das schaffst du schon, du bist doch der Beste. Bist du doch, oder?«

Schura redete sich lange ein, dass er das war, der Beste, und dass seine Schlaflosigkeit daher kam, dass jemand anderes – eine Frau! – ihm den Rang der Nummer eins streitig machte, und das, ohne mit den Professoren zu flirten und ohne abzuschreiben. Ohne auch nur einen unsozialistischen Makel schien diese großäugige Etina mit ihren hochgesteckten Haaren und ihren Hüften, die doppelt so breit waren wie ihre Schultern, einfach ohne ihn existieren zu können. Seine Gedanken waren wirr, sie drehten sich um verletzten Stolz und

Neid und verfingen sich in Etinas Hüften. Also beschloss er, ihr ein Geschenk zu machen.

Pünktlich zum Erscheinen der neuen Rangliste der Besten aller Besten der Medizinischen Fakultät – auf der es keine Überraschungen gab, die hinteren Plätze variierten, die ersten vier waren konstant – lehnte Schura mit einem Karton mit roter Schleife an der Wand zwischen Vorlesungssaal und Sekretariat und wartete, bis die Nummer eins kam, um sich ihren Namen von der Liste abzuholen.

Etinka trug einen Rockanzug und braune Schuhe, die trotz des mittelhohen Absatzes keine Geräusche von sich gaben. Ihre Haare waren hochgesteckt, ihr Gesicht weich und ausdruckslos, als ginge sie durch einen leeren Raum, in dem es außer ihr nichts gab, nicht den strengen Formalingeruch, nicht Schura, noch nicht einmal die verdammte Liste der besten Studenten. Sie drückte ein paar Bücher an ihren Bauch und ging wie auf einer Zielgeraden durch den Flur. Auf der Höhe der Ehrentafel hielt sie an und drehte zuerst ihren Kopf zum Aushang, dann ihren gesamten Körper. Schura stand gleich daneben und musterte sie unverhohlen, denn er schien für sie ja Luft zu sein.

Als sie weitergehen wollte, sagte er: »Mazal tov.«

»Wie bitte?« Etinkas Kopf schoss in seine Richtung mit einer Vehemenz, die er, trotz ihrer Hochsteckfrisur, trotz ihres Gangs, nicht erwartet hätte.

»Du bist wieder Nummer eins. Mazal tov.«

Er hielt ihr das flache Päckchen in seiner Hand hin.

»Ich verstehe nicht.«

Etinka verstand wirklich nicht. Also nicht mazal tov, das schon, in ihrer Familie wurde viel Jiddisch gesprochen, und sie hätte auch mühelos auf Jiddisch eine Konversation mit Schura führen können, vielleicht nicht fließend, aber doch gewandt genug, sie war es nur nicht gewohnt, die Sprache außerhalb ihrer vier Wände zu hören, und an der Universität schon gar nicht. Und sie verstand nicht, warum dieser Flegel, der so offensichtlich hinter ihr her war und sich ihr ständig ungeschickt in den Weg stellte, wenn sie durch den Korridor ging, mit offenem Mund, als wollte er etwas sagen und es dann doch nicht tat, und der mit anderen Mädchen aus höheren Semestern ging und sie zum Lachen brachte und weiß Gott was noch alles – so eine war sie nicht, das hatte sie schon sehr früh beschlossen –, warum also diese ewige Nummer zwei ihr jetzt ein Paket mit einer roten Schleife entgegenhielt.

»Das ist für dich. Als Zeichen meiner Anerkennung.«

Schura schluckte und achtete darauf, dass sein Kinn nicht Richtung Boden sank. Er hob den Kopf, seine lila Augen leuchteten in Etinas grüne.

»Danke. Ich kann es nicht annehmen«, sagte Etinka oder so etwas Ähnliches, auf jeden Fall war es eine Abfuhr. Ihre Arme hielt sie weiter an die Bücher vor ihrem Bauch gedrückt.

»Nein, du musst.«

Schura hielt seine Hand ausgestreckt und riss seine Augen auf, als versuchte er, sie zu hypnotisieren. Für kurz wünschte er sich, sie würde nicht wegschauen können, nie wieder, aber sie tat es, schaute weg, ganz mühelos, sie schaute in sein Gesicht, dann auf das Geschenk, dann auf den Boden, dann auf die Uhr an der Wand, dann wieder zur Tafel mit ihrem Namen ganz oben auf der Liste, atmete aus und sagte erneut etwas wie »nein, danke, das ist sehr freundlich von dir, ich gehe jetzt«. So was.

»Ikh bet dikh. Nimm.«

Das Jiddische zog ihren Blick wieder auf ihn, ihre Augen schossen Blitze und verengten sich, sie ärgerte sich, sie ärgerte sich über sich, weil sie merkte, dass ihr dergleichen nie in den Sinn gekommen wäre, nicht dass der Genosse Farbarjewitsch Jude war, der Name sprach für sich, nein, sie war überrascht, dass er sich das traute, Jiddisch zu sprechen. Laut. In der Uni. Mit ihr. Und so blieben ihre Augen einen Moment zu lang an seinem Gesicht haften, gerade lang genug, um zu registrieren, wie lila die Kränze um seine Pupillen waren und wie intensiv dieses Lila war, jedenfalls biss sie an, sie streckte den Arm aus und nahm das Geschenk. Sie legte das Päckchen auf den Stapel Bücher vor ihrem Bauch und schaute erwartungsvoll in Schuras Gesicht.

»A sheynem dank. Du bist zeyer khaverish.«

Schura wurde schwindelig. Und schlecht. Schlecht und schwindelig von dem Geruch dieser Frau, leicht süßlich und kühl wie Minze. Da stand sie also vor ihm und konnte ihn nicht mehr ignorieren, und so sah ihr Gesicht also aus, wenn es nicht an ihm vorbeihuschte. Endlich nicht mehr nur ihr Profil, das er gut kannte, hier also die Augen, hier das Lächeln in ihnen.

»Vos iz es?«, fragte sie und legte ihren Kopf leicht schräg.

»Es ist – «

Später würde er diese Geschichte erzählen wie eine Chochme, als hätte er das alles genau geplant, er, der Draufgänger, der wusste, womit man die Frauen beeindrucken und irritieren konnte, er hatte sich einen Spaß erlauben wollen, wusste genau, was er tat, aber jetzt, in diesem Moment, hatte er keine Ahnung, warum er es sagte, und zwar auf Russisch, denn so ein delikates Wort fehlte ihm im Jiddischen:

»Трусики.«

Unterwäsche. Unterhose. Höschen. Das hat er gesagt, besser: Es ploppte aus ihm heraus. Bum, peng, raus war es und blieb hängen zwischen den beiden besten Studenten der Medizinischen Fakultät von Odessa, deren Namen irgendwann diese Universität schmücken würden und ihre Portraits die Wände des Ganges, in dem sie voreinander standen. Aber nicht jetzt, später, jetzt hielten sie beide die Luft an.

An die Medizinische Fakultät kam man damals nicht direkt nach zehn Klassen mittlerer Bildung. Zuerst ging der sozialistische Mensch in einen Betrieb oder eine Fabrik, um etwas Handfestes zu lernen. Bevor Schura an der Universität aufgenommen wurde, hatte er den Beruf des Tischlers erlernt, eine Fertigkeit, über die zu verfügen er nie bereut hatte. Später, schon in den fünfziger Jahren, als der Krieg weit weg und der Sieg für immer zu bleiben schien und er in seiner Datscha an der Wolga residierte, vertrieb er sich die Zeit mit dem Schnitzen von Waldgeistern und Hausgnomen, während seine Frau Etina und die Tochter Emma und deren Tochter, die irgendwann mit Zwillingen ankam und sie abwechselnd auf die Schaukel setzte, die Tomatenbeete, die Gurken und die Weintrauben pflegten. Er schnitzte kunstvoll Figuren aus Holz und schenkte sie all seinen Freunden und schnitzte einen Brotkasten mit aufwendigen Blumenblättern an den Kanten, und das Wort хлеб schnitt er in seinen Deckel.

Zwischen der Ausbildung als Tischler und dem Beginn seines Studiums an der Medizinischen Fakultät wurde er Schauspieler. Das heißt, das hatte er vor. Er wollte Theaterstücke schreiben, er wollte Regie führen und das Bühnenbild dazu eigenhändig schnitzen. Er ging heimlich zur Aufnahmeprüfung an der Schauspielschule von Odessa. Wochenlang vorher hatte er im Garten seiner Eltern Rollen eingeübt, und wenn die Mutter ihn fragte, was er da vor sich hin brabbelte, sagte er nicht Shakespeare, er sagte: die Geschichte der Partei. Erst als er sich in dem Warteraum der Schule unter lauter jungen Männern in Anzug und Krawatte und Frauen im Kleid und mit geschminkten Lippen wiederfand, verließ ihn der Mut, er schaute an sich herunter, und in seinen Memoiren notierte er später dazu die folgende Selbstbeschreibung: неказистый парень с одесской молдаванки, ein unansehnlicher Jungspund aus der Moldawanka war er, einem Bezirk von Odessa, der für Armut und Kriminalität bekannt war und später irgendwann für Isaak Emmanuilowitsch Babel.

Zu der Aufnahmeprüfung an der Schauspielschule war Schura in einer Schaffellweste über dem Hemd und mit Schiebermütze erschienen. Er starrte auf die Krawatten seiner Mitstreiter und begriff, dass sein Rabbinervater ihm niemals beibringen würde, wie man so einen Krawattenknoten band. Er starrte auf die Lippen der Frau ihm gegenüber, sie hatte die Beine übereinandergeschlagen, und ihr Rock gab zwei Zentimeter ihres Oberschenkels frei. Der Schweiß an Schuras Handflächen weichte das Manuskript auf, in das er sich verkrallt hatte. Die Lippen der Frau bewegten sich tonlos, sie schien eine ihrer Vorsprechrollen zu wiederholen, das Rot ihrer Lippen war pionierrot. Schura überlegte, wie er es aus dem Raum schaffen könnte, ohne dass jemand seine Erektion bemerkte. Er konnte nicht vorwärts und nicht zurück, saß zusammengezogen wie ein Blutegel auf dem Stuhl, bis sein Name aufgerufen wurde, und er, erregt wie er war, rezitierte mit tränennassem Gesicht eine wilde Mischung aus Shakespeare und der Geschichte der Partei vor der gesamten Aufnahmekommission und wurde sozusagen von der Straße weg auf die Bühne gezerrt, wo man ihm eine große Zukunft voraussagte. So die Legende.

Glückselig und durchgeschwitzt lief er nach Hause, um seinem Vater von der bevorstehenden Karriere als Theaterstar zu berichten, und dieser schloss die Akte schnell mit dem Satz: »Bei uns wird es keine balagula geben, niemals.« Fertig.

Schura kannte das Wort nicht. Sein Jiddisch war rudimentär, reichte nur für Halbsätze aus und für Flirtereien, trotzdem verstand er, was der Vater ihm sagen wollte, schlug dann das Wort nach, es war nicht so schlimm, wie er gedacht hatte: балагула, von ba'al-'agala, war der Besitzer eines Karrens, einer, der zwischen den Dörfern hin und her reiste und Besorgungen erledigte, einer, der Lieder auf seine Pferde sang und dann für die Dorfbevölkerung auf dem Marktplatz. Ein betrunkener Herumtreiber, der kein Zuhause hatte, keine Familie, und alles, was er konnte, war singen und trinken. Ein Clown, ein Straßenkünstler. Das wollte Schura auch gar nicht werden, er wollte doch Shakespeare, aber um seinen Vater davon zu überzeugen, reichte sein Jiddisch nicht aus. Also schrieb er sich für Medizin ein.

Auch Etina hatte ein Handwerk erlernt, welches, darüber gibt es viele Mutmaßungen, etwas Ordentliches auf jeden Fall, etwas, das man immer und in allen Lebenslagen brauchen konnte – so war das damals, der Staat sorgte dafür, dass ein Mensch ein Mensch blieb, erklärten mir Etina und Schura. Und als ich nachfragte, ob es zu irgendeinem Zeitpunkt eine Rolle gespielt hatte, dass die beiden Juden gewesen waren, also bei der Verteilung der Ausbildungsplätze oder später an der Universität, ob es jemanden irritiert hatte, dass ausgerechnet zwei Jidden die Liste der besten Studenten anführten oder jene in anderen Bereichen, wo der Staat Menschen Menschen sein ließ, so sagten sie: Nicht vor dem Krieg.

Sie sagten, Stalin sei kein Antisemit gewesen, die Russen, Ukrainer und Moldauer schon, aber nicht Stalin, er sei selber ein kaukasischer Mensch gewesen, die antisemitische Propaganda durfte nach dem Krieg aus den Herzen der Menschen raus auf die Straße, erst nach 53, nachdem die Sowjetunion aufgeschrien hatte, die Juden haben Josef Wissarionowitsch Stalin ermordet. Jüdische Ärzte wie Etina Natanowna Wodowozowa und Alexander Isaakowitsch Farbarjewitsch.

Aber etliche Semester bevor sie das wurden, standen sie sich in der Medizinischen Fakultät der Universität von Odessa gegenüber mit einem Päckchen mit roter Schleife zwischen sich, von dem der eine behauptete, da sei Unterwäsche drin.

Wir reden hier vom Jahr 36, wir reden hier von der Sowjetunion, in der sich Liebesbeziehungen, aufgrund der Wohnsituation und des Glaubens an Höheres als die Fleischeslust, auf Spaziergänge beschränkten. Spaziergänge und vielleicht mal die Hand ergreifen. Mehr kannte Schura nicht.

Er, der nie seine Stimme hob, ein etwas klein geratener Mann mit weichen Bewegungen und breiten Schultern, mit himbeerfarbenen Augen und einer Stirn, in der man sich spiegeln konnte, war nie ein Weiberheld, auch wenn man den Eindruck haben konnte, weil viele, nicht nur junge Frauen seine Nähe suchten. Er las viel und schrieb, vor allem schrieb er, weil er glaubte, nur das könne die wahre sozialistische Pflicht eines jeden Menschen auf diesem Planeten sein, nämlich glücklich zu werden, und das Schreiben war, was ihn am glücklichsten machte, bevor er Etjas Nacken gesehen hatte, und irgendwann, viel später, wurde das Schreiben wieder ein Anker, als er sich an Etja sattgesehen zu haben glaubte.

Etja, die sich bis zu dem Zeitpunkt noch nicht mal zu Spaziergängen mit Männern hatte hinreißen lassen, wurde in Sekundenschnelle rot wie ein Stern.

Die Luft blieb ihr weg. Aus irgendeinem Grund hörte sie ihre Mutter schreien und hatte den Morgen vor Augen, an dem sie mit ihr an Rabinowitschs Laden vorbeigegangen war und auf die roten Schuhe mit den mittelhohen Absätzen gezeigt hatte. Sie hatte sie schon so lange im Auge und fragte schüchtern, ob sie wohl jemals ein solches Paar würde haben können, wenn sie selber das Geld dafür zusammensparte. Die Mutter schlug nach ihr, verfehlte ihr Gesicht, war aber nah dran, schrie, dass es bei ihr in der Familie so etwas nicht geben werde, und so lief Etina Natanowna die Straße hinunter, verfolgt von ihrer Mutter, die jetzt alle möglichen Ausdrücke parat hatte und ihre Tochter für alles verwünschte, was in ihrem Leben nicht gelungen war, sogar für die sich in letzter Zeit häufenden Migräneattacken.

Das alles hatte Etinka plötzlich vor Augen und in den Ohren, als sie auf das Päckchen starrte, das ganz oben auf dem Stapel der Medizinbücher lag, und Tränen stiegen ihr in die Augen, blieben aber dort, ohne sich zu zeigen. Dieser Flegel, dieser ungehobelte Affe, dieser fershtinkiner würde sie niemals, niemals weinen sehen, das war klar, sowieso niemand, aber er schon gar nicht, also nahm sie fast zu ruhig das Päckchen wieder vom Stapel, ließ es vor seine Füße auf den Boden fallen, drehte sich auf dem mittelhohen Absatz ihrer braunen Schuhe um und stolzierte wie an der Schnur gezogen durch den Korridor wieder zurück, wo sie hergekommen war, nicht zu schnell und nicht zu langsam. So als wäre nichts gewesen.

Von da an ging es mit Schura bergab. Er vergrub sich in seine Bücher, er schrieb, schrieb, schrieb, verbot sich Liebesgedichte, redete sich ein, keine Nummer zwei zu sein, immerhin war er ein комсомольский вожак, der Leiter des studentischen Komsomol, des Kommunistischen Jugendverbands, der Jugendorganisation der KPdSU. Er war derjenige, den man als Vertreter der gesamten südukrainischen Region nach Kiew entsandte. Er war derjenige, über den noch Mythen erzählt werden würden, also warum sollte er Zeit auf Frauen verschwenden, das konnten sich nur die leisten, die sonst keine Ziele hatten im Leben.

Er gründete eine Theatergruppe, schrieb Theaterstücke über Dserschinski, beschimpfte seine Mitstreiter als Feinde der Revolution, wenn sie zu spät zur Probe kamen oder nicht genug Pathos in die von ihm geschriebenen Sätze legten, und beschloss, der bekannteste Wasauchimmer Russlands zu werden. Darunter würde er es nicht tun.

Nach dem Vorfall mit der Schachtel mit der roten Schleife konnte Etina an nichts anderes denken als an Schura und sein, wie sie fand, zynisches Lächeln, sie erzählte allen ihren Freundinnen, was für ein ungezogener, unsozialistischer Idiot dieser Farbarjewitsch sei und unbedingt zu meiden, seine ganze Körperhaltung zeuge von List und Schwäche, es sei doch klar, er war ein schlechter Verlierer und mit Sicherheit misogyn, und das erzählte sie so oft, dass ihre Freundinnen sie irgendwann fragten, ob sie nicht doch etwas für diesen Farbarjewitsch empfinde, woraufhin sie ihre Sachen packte und aus dem Bibliothekscafé hinaus ins Freie ging, auf die Dworjanskaja, dann weiter in die Primorskaja, dann weiter zum Hafen, zur Potemkin'schen Treppe und die hundertzweiundneunzig Stufen hinunterlief. Sie blieb nur einmal stehen und beobachtete am Rand sitzende Pioniere, einen Jungen und ein Mädchen in Uniform, die Murmeln austauschten und sich dabei zu oft an den Kniescheiben berührten.

Monate später bemerkte Schura während einer Chirurgie-Stunde, in der den Medizinstudenten am Torso einer Leiche demonstriert wurde, wie man eine Bauchdecke zusammennäht, dass Etina gar nicht auf die Choreographie der Hände und Fäden und auf die Köpfe mitsamt den zylinderförmigen OP-Hauben schaute, sondern zu ihm. Ihre grünen Augen leuchteten zu ihm herüber, und sie schaute auch nicht weg, als er seinen Kopf zu ihr drehte, um nicht zu schielen.

In der Nacht lag er wach und schwitzte das Kissen nass, seine Füße juckten, sein Brustkorb schwoll an, er setzte sich auf und traf eine Entscheidung. Dann stolperte er im Dunkeln an den Schreibtisch und ejakulierte alles, was er bis jetzt in sich behalten hatte, auf die zahllosen Bögen Papier. Er schrieb die ganze Nacht durch.

Am Morgen stellte er sich nicht irgendwohin in den Gang und wartete, sondern ging Etina suchen, suchte sie, bis er sie fand, ging geradewegs auf sie zu und fragte, warum sie etwas gegen die Dichtung des großen Dichters Majakowski habe, was der ihr denn getan habe. Auf ihr überrumpeltes Schweigen hin erklärte er ihr schnell, genau das sei in dem Päckchen mit der roten Schleife gewesen. Die Gedichte Majakowskis. Und fast im selben Atemzug fragte Alexander Isaakowitsch Etina Natanowna, ob sie ihn heiraten wolle, und fast genauso schnell antwortete sie ja und schämte sich, aber senkte ihren Blick nicht, weil sie es so gelernt hatte, ihren Blick nicht zu senken, ganz gleich, was kommen möge, ein sozialistischer Mensch schaute nicht hinunter.

Im Jahr 39 schlossen sie gemeinsam das Studium mit Auszeichnung ab, dann kam der Krieg. »Ist Russland zerschlagen, dann ist Englands letzte Hoffnung getilgt. Der Herr Europas und des Balkans ist dann Deutschland.« Was darauf folgte, ist klar.

Schura und Etja wollten mit mir nicht über die Kriegsjahre reden. Als ich fragte, erzählten sie mir immer aufs Neue, wie sie sich kennengelernt hatten, und immer in einer anderen, ganz anderen Variante. Das meiste, was ich über den Krieg weiß, weiß ich aus Schuras Aufzeichnungen, die er viel später verfasste, aus seinem Gedächtnis abschrieb. Das war zu einem Zeitpunkt, als er einen Löffel schon nicht mehr von einem Kugelschreiber unterscheiden konnte. Immerhin war er ein ganzes Jahrhundert auf den Beinen, mehr oder weniger. Da die Geburtsurkunden oft genug umgeschrieben worden waren, wusste das keiner so genau. Was ich weiß, ist, dass wir seinen Hundertsten noch gefeiert haben, bevor er seine bis zum Schluss sehr wachen Augen für immer schloss. Bis zum Schluss schrieb er erstaunlich klare Gedanken mit dem Löffel auf die Tischdecke.

Am 22. Juli 41 beobachtete Schura aus dem Fenster der Wohnung eines Freundes, den er gerade in Balta besuchte, jener Stadt, aus der Etinas Eltern stammten, wie Panzer durch die Hauptstraße fuhren, schaute hoch und sah deutsche Aufklärungsflugzeuge. Kurz darauf fielen die ersten Bomben.

Balta war eine sehr grüne Stadt, und binnen Minuten brannten die Bäume, und es regnete Mauerbrocken, das Haus, in dem Schura sich aufhielt, wurde nicht getroffen, er lief raus auf die Straße und versuchte, ins Krankenhaus durchzukommen, wo sein Arztfreund gerade Dienst machte. Er stieg über Körper, die sich wanden oder schon nicht mehr, tief über ihm ein Flugzeug, das auf alles schoss, was sich bewegte, auch auf Schura. Als er das Krankenhaus erreicht hatte, war es bereits zerbombt, aber der Krankenwagen stand noch unversehrt auf dem Parkplatz, er fand den Fahrer im Gebüsch versteckt und schüttelte ihn so lange, bis er einwilligte, mit ihm Verletzte einzusammeln und in das entlegenere Krankenhaus zu bringen.

Schura versuchte, Verletzte in den Wagen zu ziehen, aber es gelang ihm nicht, der Fahrer weigerte sich, aus dem Auto zu steigen. Schura sah einen Mann, der sich in eine durch einen Bombeneinschlag entstandene Kuhle in einer Mauer drückte, lief zu ihm und fragte, ob er ihm helfen würde. Zusammen fuhren sie durch die Stadt, luden ein, luden aus, und in der Polyklinik im Randbezirk der Stadt schüttelten sie sich die Hände, versprachen, sich wiederzusehen.

Die Meldung an diesem 22. Juli lautete: Die Deutschen sind im Anmarsch, stehen schon vor Balta, und wer nicht in Gefangenschaft geraten oder in der belagerten Stadt eingeschlossen werden wollte, musste Balta sofort verlassen und alles zurücklassen, was in seinem Besitz war.

Schura schaffte es bis nach Odessa auf der abgedeckten Ladefläche eines AMO-F-15, der Mann, der neben ihm lag, vergrub die ganze Fahrt über seinen Kopf in Schuras Jacke. Er lief zu seiner Wohnung durch eine Stadt, die er nicht wahrnahm, er konnte nicht sagen, ob er sie wiedererkannte, ob sie bombardiert, ob sie zerstört worden war, alles, was er sah, war der Weg zu seiner Wohnung, wo er seine schwangere Frau abholen und mit ihr weggehen würde, sie wegbringen, zu Verwandten tiefer im Osten. Bei seiner Ankunft war die Wohnung leer, die Möbel und Gegenstände an ihrem Platz, aber keine Etina weit und breit. Sie hatte nichts mitgenommen.

Ein Nachbar, den er am Kragen aus seiner Wohnung in den Flur zerrte und dessen alkoholgetränkter Atem in Schuras Gesicht brannte, sagte, er wisse auch nichts, habe Etja seit Tagen nicht gesehen, keine Ahnung, aber es sei doch klar, dass jetzt alle um ihr Leben rennen, und Schura hätte ihn fast über das Treppengeländer geworfen, warf ihn stattdessen zurück in seine Wohnung und lief auf die Straße. Er wollte zu Freunden, einen nach dem anderen ablaufen, Etina könnte überall sein, und besser so, warum sollte sie alleine hochschwanger in einer Wohnung im Stadtzentrum sitzen und auf ihn warten? Er wollte rennen, aber seine Beine waren taub, und mit jedem Schritt schien er weniger zu wissen, wie er seinen Fuß setzen musste, um noch voranzukommen. Er ging immer langsamer, er hatte seit über achtundvierzig Stunden nicht gegessen und kaum getrunken, er konnte bei sich selber diagnostizieren, warum ihm schwindlig war, ihm war klar, er brauchte dringend Wasser, er musste nur einen Laden erreichen oder eine öffentliche Toilette, aber das ging nicht, weil er nichts um sich herum wahrnahm. Er schleppte sich durch eine Straße, die immer mehr aufweichte, ausfranste, er steuerte den weitesten Punkt an, den er fokussieren konnte. Er spürte Wind um seinen Kopf, aber er kühlte nicht, sondern zerzauste nur seine Haare, brannte an seinen Ohren, er war sich nicht sicher, ob das Bombardement hier in Odessa schon begonnen hatte oder ob es die Sonne war, die seinen Kopf niederdrückte.

Als die Straße anfing, sich nach unten zu biegen wie ein

überspannter Bogen, setzte sich Schura auf den Bürgersteig und starrte vor sich hin. Er maß mit Zeige- und Mittelfinger der Rechten seinen Puls an der Halsschlagader und versuchte, ruhig zu atmen, dabei fuhr ihm der beißende Gestank von Pisse in die Nase und den Rachen. Dann kratzte es an seinem Unterschenkel, irgendetwas riss daran und bewegte sich in seinem Hosenbein. Unter seinen Füßen raschelte es. Ratten, war sein erster klarer Gedanke.

Er schaute an sich hinunter. Der Boden wimmelte nur so vor grauhaarigen Viechern, aber es waren keine Ratten, es waren Katzen, so groß wie ein Finger, die sich um ihn scharten, an ihm hochkrochen, unter seine Hose und sein Hemd. Er sprang auf und fing an, sich zu schütteln, da merkte er, dass eine Frau auf dem Bürgersteig stand und ihn beobachtete. Eine Frau behängt mit so vielen Tüchern, dass er darunter weder ihr Gesicht noch ihren Körper sehen konnte. Sie war kleiner als Schura, aber unter dem Berg von Stoffen wirkte sie wie eine Raupe im Kokon, die sich langsam auf ihn zu bewegte. Sie streckte ihren filzigen Arm nach ihm aus und schlug ihm auf den Rücken, fing an, ihn abzuklopfen wie ein staubiges Kissen. »Wird schon, wird schon, mein Junge«, murmelte sie oder etwas Ähnliches, Schura hörte nur Gemurmel durch eines der Tücher, das sie über dem Mund trug. Als sie ihm die letzte Katze vom Körper geschlagen hatte, griff sie nach seiner Hand und sagte: »Komm mit.« Schura schaute auf ihre raue Hand wie aus Eichenrinde, eine Wurzel, die um sein Handgelenk wuchs, dann in ihre klaren, blauen Augen unter den bunten Tüchern, kurz glaubte er, ohnmächtig zu werden, dann biss ihn eine Katze in den Unterschenkel, er schrie auf, riss sich los und rannte davon.

Etina war bei Chawa und Roman. Sie saß seelenruhig am Küchentisch und trank schwarzen Tee mit Quittenmarmelade, als Schura hereinstürmte. Seine Haare standen in alle Richtungen, seine Kleider sahen aus, als hätte die gesamte deutsche Wehrmacht an ihnen gerissen, an seinem Hosenbein war Blut. Er brachte kein Wort heraus, nur Laute, zeigte mit dem Finger auf die Tür, auf das Fenster, auf Etina und noch mal von vorne, pickte mit seinem Finger durch den Raum. Draußen war es still und heiß, die Sonne stahl sich durch die Fenster auf den Küchentisch, den Parkettboden und auf Etinas Wangen. Sie stellte das Teeglas ab, bat ihren Mann, sich hinzusetzen und erst einmal was zu essen, dabei streichelte sie mit der linken Hand ihren Bauch. Sie hatte beschlossen, dass ihr nichts die Vorfreude auf dieses Kind nehmen würde, gar nichts, nicht der Krieg, nicht der Mann, der offensichtlich den Verstand verloren hatte, nicht die herannahenden Deutschen.

Nach dem Überfall der Wehrmacht auf die Sowjetunion wurden verstärkt Ärzte gebraucht. Als Schura zum Leiter des Evakuierungshospitals berufen wurde, war er fünfundzwanzig und musste sich dringend ein autoritäres Aussehen zulegen, damit ihn seine Patienten nicht abknallten, bevor er sie wieder zusammengenäht hatte. Er ließ sich einen Bart wachsen und einen fetten Schnauzer, um älter zu wirken, und rauchte, so viel er konnte, damit seine Stimme rauer wurde, männlicher, gemeiner, härter. Hat er nie geschafft.

Auch die Drogen machten ihn nicht älter oder härter oder gemeiner. Bald kam zu dem schleimhautfressenden kaukasischen Tabak Koffein in Tablettenform, er trank auch, aber nur wenig, mehr um sich die Mundhöhle zu desinfizieren. Es gab nicht viele Möglichkeiten, sich zu betäuben, Schmerzmittel gab es an der Front nicht, nicht für die Patienten und auch nicht für die Ärzte, aber später, als er zu allen möglichen Pharmazeutika Zugang hatte, griff er auch zu allem und blieb trotzdem ein weicher, etwas verlangsamter Typ, dessen Stimme man immer lauschen wollte.

Er sprach leise, aber sehr hell, artikulierte wie ein echter Schauspieler jedes Wort bis zum Schluss, betonte die letzten Vokale, beachtete die Melodie der Sätze und trainierte sich einen wissenden Gesichtsausdruck an. Die Patienten vertrauten seinen zusammengewachsenen Augenbrauen, der markanten Nase, den ernsten, konzentrierten Augen. Sie konnten nicht glauben, dass ein Mensch, der so schaute und redete, als würde er ein sozialistisches Gedicht rezitieren, sie nicht vor der Nekrose rettete. Er konnte die Hoffnung oft nur halb erfüllen, manchmal weniger als halb, aber Hoffnung ist ja nichts, was da ist, um erfüllt zu werden, sie erfüllt einen umsonst und kostet einen, so viel sie eben kostet.

Als Leiter des Evakuierungshospitals koordinierte er einen Stab von fünfzehn Ärzten und eine ganze Armee von Krankenschwestern und Freiwilligen, die herumwuselten wie Ameisen, fleißig, aber auch im Wissen, jederzeit zerquetscht werden zu können. Schura nicht. Seit er vor der Raupenfrau mit den Katzen weggerannt war, seit er Etina bei den Freunden am Küchentisch gefunden hatte, seit Balta brannte und alles andere um ihn herum auch, war in ihm etwas zugefallen, eine Falltür, so fühlte sich das an, mit einer Heftigkeit, die ihm noch lange in den Ohren stand, er hörte das metallene Aufprallgeräusch einer Klappe irgendwo auf der Höhe seines Adamsapfels, schmeckte den Nachklang unter der Zunge, und seither fehlte ihm einer der Urinstinkte des menschlichen Wesens. Hier, inmitten des Krieges, begriff er, dass er eine Sache nicht mehr empfinden konnte, die alle anderen um ihn herum zu paralysieren schien: Angst.

Er empfand keine Angst, als er die Verwundeten sah, die unter seinen Händen starben, er empfand keine Angst, als seine Tochter geboren wurde und dann für klinisch tot erklärt wurde, und keine Angst vor den Spätfolgen, als man Emma wieder reanimierte. Er empfand keine Angst, als seine Frau mit dem Kind und ihrem Vater vor den vorrückenden Deutschen floh und er erfuhr, dass der Schwiegervater sich nie wieder von der Kugel erholen würde, die er abbekommen hatte, weil er sich schützend über das Neugeborene geworfen hatte.

Schura hörte all die Berichte vom Krieg, von den Gräueltaten der Armeen, und während er die Folgen in seinen Händen hielt und verarztete, strahlte er eine Ruhe aus, die fast gefährlich wirkte. Sie irritierte und machte süchtig, weil Schuras Reaktionen in keinem Verhältnis zu dem standen, was um ihn herum auseinanderzufallen schien. Seine Pupillen weiteten sich nie, genauer gesagt, sie waren immer geweitet und ruhten auf dem Sprechenden und verschlangen ihn mit Haut und Knochen, und wer weiß schon, ob es die Drogen in seinem Kreislauf waren oder eine psychopathologische Störung, ein Trauma, ein Schock oder doch eine Art Paralyse.

»Wichtig ist vielleicht zu sagen«, schrieb Schura in seinen Memoiren, »dass angstfrei immer noch nicht bedeutet, man ist mutig.«

Er war nur knapp hinter der Front. Täglich kamen Züge mit Verletzten an, an manchen Tagen waren es an die zwanzig Waggons voller schreiender Halbleichen, die noch in den Wagen operiert werden mussten, je nach Rationsstand mit oder ohne Narkose, und danach wurden die, bei denen eine gewisse Überlebenschance bestand, weitergeschickt in denselben Zügen, weiter in den Osten, in das Hinterland, und wer es bis dahin schaffte, wurde Kriegsheld.

Angeblich vollbrachten Etina und Schura Wunder, angeblich heilten sie Kinder, die mit Granaten gespielt hatten, flickten sie zusammen, streichelten ihnen den Kopf und entließen sie in eine glorreiche Zukunft. Angeblich waren sie bei den entscheidenden Schlachten gegen die Deutschen dabei, wo sie, stets mit Penicillin ausgestattet, aber ohne Schmerzmittel, Tag und Nacht operierten, die wichtigsten Scharfschützen in letzter Minute vor dem sicheren Tod bewahrten und so die Schlacht um Stalingrad mit entschieden und das Schicksal der Sowjetunion und damit der gesamten Welt. Angeblich behandelte und heilte Schura sogar einen deutschen Offizier, warum auch immer.

Es gibt Fotos von Schura mit Afanassjew, nicht dem Sammler und Herausgeber russischer Märchen, sondern dem aus dem Pawlow-Haus, dem Wohnhaus, das sich zwei Monate lang gegen die deutsche 6. Armee hatte halten können und von dem die zerschossene Fassade heute immer noch wie ein verfaultes Stück Käse mahnend in der Gegend herumsteht. Es könnte also sein, dass meine Urgroßeltern am Zusammenhalten der Welt an vorderster Front beteiligt waren und die Hand des berühmten Schützen von Stalingrad, Afanassjew, geführt haben, beide gleichzeitig. Kann sein. Eine andere Version der Geschichte ist, dass Afanassjew erst nach dem Krieg als Patient zu Schura kam, da war er schon seit zwölf Jahren blind, die Operation verlief erfolgreich, und der sehende Afanassjew sprang direkt vom OP-Tisch in Schuras Arme mit den Worten: »Я вижу! Вижу!« Ich sehe! Sehe!

So oder so – sie waren befreundet, davon zeugen die Schwarzweißfotografien, eine von ihnen habe ich auf meinem stillgelegten Kamin stehen. Auf dieser Fotografie malen sie mit Stöckchen auf dem Boden, als würde Afanassjew Schura etwas sehr Wichtiges in dem spärlichen Sand an der Wolga zeigen. Beide tragen Melonen und lange Mäntel und beugen sich tief über eine Skizze der Zukunft. Die Fotografie ist aus den Sechzigern, und man könnte meinen, es wäre eine Szene aus einem Theaterstück, das Schura selber geschrieben hat.

Es gibt auch Leute, die sagen, es habe keine Wunder gegeben, und im Krieg schon gar nicht, und danach vielleicht, aber nicht in der Sowjetunion. Niemand wurde gerettet, und keine Schmerzmittel hätten geholfen gegen das, was sie dort gesehen und erlebt hatten, kein Penicillin und keine Zauberkräfte. Viele starben, die meisten. Wie Schura und Etja überlebten, sind Bruchstücke von Erinnerungen, die sie in ihren Schwarztee murmelten. Sie schlürften ihn mit lauten Geräuschen, und die Luft um unsere Köpfe roch nach Bergamotte.

Nach dem Krieg blieb Schuras Kompanie in der Stadt Sumy, nicht weit von Charkow, aber sehr weit von Odessa, stehen. Hier wurde er ins Gesundheitsministerium berufen als Berater und leitender Arzt, und sehr schnell folgte er dem Ruf der Partei nach Czernowitz.

Die Einladung sah so aus: Kommt nach Czernowitz und sucht euch jede Wohnung aus, die ihr wollt, egal wie groß, ihr könnt alles haben, auch eine der Fünfzimmeraltbauwohnungen der ehemaligen Generäle mit hohen Fenstern – etwas, wovon Etinka immer geträumt hatte. Es gibt prachtvolle Häuser am Rand der Stadt, neu erbaut vor dem Krieg, sie stehen alle leer, kommt und bedient euch.

Also kamen sie, und als sie da waren, waren natürlich alle herrschaftlichen Wohnungen und prachtvollen Häuser belegt, da lebten jetzt hohe Parteifunktionäre, wo auch immer sie so schnell hergekommen sein mochten, sie krochen aus allen Löchern und bevölkerten die schöne Stadt Czernowitz, so dass für Etja und Schura und ihre Tochter Emma nur eine Wohnung weit entfernt vom Fluss Pruth blieb mit kleinen Fenstern und Blick auf eine Hauswand. Und Etja sagte: »Nein.« Ganz entschieden schüttelte sie den Kopf und machte einen Riesenlärm. Zu klar hatte sie sich in ihren Träumen die neue Wohnung am Flussufer ausgemalt, zu fest war ihr Wille, nie wieder in menschenunwürdigen Verhältnissen zu leben, wie sie es während des Krieges getan hatte, ohne Medikamente für ihr Kind, oft genug unter freiem Himmel, auf flachem, ungeschütztem Feld, das alles gleichzeitig gewesen war: Schlafplatz, Kotzgrube, Scheißhaus, Wickeltisch.

Sie skandierte ihre Vorstellungen so lange, bis es eine Wohnung im Zentrum für sie gab. Mit Flügeltüren zwischen drei großgeschnittenen Zimmern und mit Fenstern auf einen Park, zum Pruth konnte man jetzt laufen. Der Erste Sekretär des Regionalkomitees wohnte in einer genau gleich geschnittenen Wohnung über ihnen.

Etinka hatte also dafür gesorgt, dass ihrem Mann und der Familie eine angemessene Wohnung zugeteilt worden war, in der sie ihn allerdings selten zu Gesicht bekam, denn er kämpfte im Krankenhaus gegen die beiden Klassiker der Nachkriegszeit: Kropf und Tuberkulose. Schura träumte von den schönen Räumen mit hoher Decke und dem Grün vor dem Fenster, wenn er auf der Pritsche im Bereitschaftszimmer einnickte, er benutzte das Wort »zu Hause«, wenn er Etinka davon erzählte, und sie dachte, allein das ist doch vielleicht was wert.

Zur selben Zeit wurde Schura Vorsitzender des Gesundheitsministeriums der Region, und er übernahm dieses Amt mit der Leidenschaft und Überzeugung eines Glaubensbekenntnisses, die auch nach 1953 nur wenig nachließen, als die gesamte Partei davon überzeugt war, dass er und seinesgleichen Josef Wissarionowitsch Stalin auf dem Gewissen hatten. Zu Dutzenden wurden seine Kollegen inhaftiert, aber Schura war bis zum Schluss nicht von seinem Glauben an den Sozialismus abzubringen. Er war nicht blind, er sah, was um ihn herum geschah, er wusste, hätte er nicht 52 einen Wink des Vorsitzenden des KGB-Parteibüros in Moskau bekommen, dass er seine Arbeit schätze, sein hypnotisches Lächeln, sein gesamtes Auftreten – Schura wusste trotz oder gerade wegen des Vatersnamens Isaakowitsch und des Nachnamens Farbarjewitsch zu gefallen –, so hätte auch er sich eine Zelle mit seinen jüdischen Kollegen geteilt, fünfzehn, manchmal zwanzig Mann in einem Zimmer.

Schura hatte das Wort »комната« benutzt. Zimmer also, er beschrieb sie mir in allen Details. Diese hätte er von seinen Kollegen, die diese »Zimmer« gesehen hatten, er gab also weiter, was man ihm weitergegeben hatte, und all diese Nacherzählungen glichen ein und demselben Film, den alle viel später im sowjetischen Fernsehen gesehen hatten. Ich misstraute Schura nicht, ich wusste, er würde nie absichtlich eine Vergangenheit beschönigen, die ihm so viele Furchen in sein weiches Gesicht geschlagen hatte, ich misstraute der bildreichen Sprache, in der er erzählte, weil ich meiner Muttersprache grundsätzlich misstraue. Weil sie so viel besser ist als die Welt, aus der sie kommt, blumiger und bedeutsamer, als die Realität je sein könnte.

Von diesem Wink des Parteivorsitzenden, der ihn vor den »Zimmern« bewahrt hatte, erzählte er ausführlich. Dieser Wink sah so aus, dass Alexander Isaakowitsch mit seiner Frau und dem kleinen Kind zweimal die Datschen der obersten Parteifunktionäre an der Wolga besuchen durfte, dort mit ihnen Marmelade in den schwarzen Tee mischte und gebackene Butterbrotkringel dazu knusperte.

Für die, denen dieses Bild zu sehr jenem gleicht, das sie heute auf ihrem im Sonderangebot gekauften Samowar wiederfinden: Genauso ist es gewesen. Das junge Paar in den blühenden Gärten von Czernowitz, genau in diesen Farben und genau in dieser Einfachheit. Sie tunkten ihre Butterbrotkringel in den zu süßen Schwarztee, schielten auf die amerikanisch anmutenden dunkelblauen Mittelklassewagen der Marke победа, Sieg, die in der mit Wein bewachsenen Garagenkonstruktion standen, und führten gepflegte Unterhaltungen über die russische Literatur und über den Deutsch-Sowjetischen Krieg. Das machten sie zwei Mal. Nach dem zweiten Mal gab man ihnen zu verstehen, dass man sich nicht mehr gezwungen sehe, solche wie sie hier noch weiter zu empfangen, und mit solche meinten sie нищие, Habenichtse. Denn, belesen oder nicht, die Armut, aus der die junge Familie versuchte herauszukriechen, war auch mit Wissen um russische Literatur nicht wegzudiskutieren. Das gab man ihnen äußerst höflich zu verstehen. So oder so, Etina und Schura hatten von diesem Leben gekostet und wollten mehr, strebten dahin mit allen Mitteln, über alle Wege, und diese Wege führten ausnahmslos über die Partei, an die sie reinen Herzens glaubten.

Dann kam das Jahr 53, дело врачей, die Ärzteverschwörung. Man glaubt es kaum, aber man brauchte Gründe, um Menschen zu entlassen, sogar Juden. In der Akte von Schura stand als Kündigungsgrund: Genügt nicht den Qualifikationen. Er ging, wurde gegangen. Ob der Gedanke daran, wie er jetzt seine Familie ernähren sollte, wirklich der war, der ihn von da an am meisten quälte, sei dahingestellt, immerhin wurde seine Frau nicht gefeuert und war als Leiterin der Tuberkuloseklinik für Kinder eine solche Größe, dass sie die gesamte Familie durchbringen konnte, und die Hälfte der Kinder auf ihrer Station ernährte sie auch. Über Schuras leicht hervorstehende Augen legte sich eine tiefe, niemals auslöschbare Erniedrigung wie ein fettiger Film. Er hatte bis dahin viel gesehen und einiges gehört, zu Kriegszeiten hatte es ein paar kleine Rangeleien gegeben wegen des жид* Farbarjewitsch, aber niemals hatte sich der Staat von ihm abgewandt und niemals seine Partei, der einzige und wahre Grund, an eine Zukunft zu glauben nach den Grauen des Krieges. Wofür

* russisches Schimpfwort für Juden

eine Zukunft, wenn ohne Partei? Wohin sollten sie denn gehen, was meinte Lenin mit »Den gerechten Weg geht ihr, Genossen!«, wenn Schura jetzt auf der Straße saß und die Partei ohne ihn weiterschritt. Ohne Stalin und ohne ihn.

Es fand sich ein Arzt, ein Kollege im benachbarten Krankenhaus, der Schura anbot, seinen Lohn mit ihm zu teilen, wenn er ihm im Gegenzug drei Viertel seiner Arbeit abnahm. Letzten Endes ging dieser Kollege gar nicht mehr zur Arbeit und ließ den Juden für sich arbeiten, und das ging ganz gut, weil Schura nur eines wollte – Patienten behandeln, mit Menschen sprechen, bloß nicht zu Hause sitzen und auf die Türklingel warten, darauf, dass jemand kommt und ihn abholt und vielleicht seine Frau und vielleicht sein Kind, er wusste, dass es jeden Augenblick passieren könnte, und dann wären sie einfach weg, und niemand würde etwas sagen, weil alle, die etwas hätten sagen können, schon weg waren. Es war nicht die Angst davor, denn Schura empfand ja keine, es war der Ekel vor dem Schweigen in den Straßen, auf den Fluren, in den Arztzimmern, der Ekel vor diesem Gefühl, eine Ameise zu sein, dem er sich nicht hingeben wollte.

Schura schrieb in den Notizen, die seine Memoiren werden sollten: »Ich ahnte schon immer, dass alles, was mir widerfahren ist, zu meinem Besten geschah.« Was soll man dazu sagen, ein echter Sozialist. Tatsächlich begründete er auf diesen wenigen Seiten den erfolgreichen Weg aus dem Gaunerbezirk von Odessa zu einem der größten Namen der UdSSR mit dem Sommer 53, jenem Sommer, in dem er »davongekommen ist, weil ihm vorher gekündigt wurde«.

Der Sommer 53 war ein echter Czernowitzer Sommer, der Asphalt schmolz, man traute sich kaum aus dem Haus, höchstens zu dem Fußballspiel der Regionalmannschaft, das war eine heilige Sache. Um die sengende Hitze zu überstehen, aßen alle, die gesamte Stadt, Eis am Stiel. Der Krankenwagen stand einsatzbereit vor den Toren des Stadions und kassierte ab und zu Fälle von Hitzschlag ein. Was aber in diesem Sommer 53 passierte, dafür gab es nicht genug Krankenwagen: Das Eis, für acht Kopeken das Stück, wurde von allen, ausnahmslos allen 746 Besuchern des Spiels gegessen, meist doppelte oder dreifache Portionen. Dieses Eis war vorschriftswidrig auf Basis von Enteneiern hergestellt worden, und diese waren auch noch lange über ihr Haltbarkeitsdatum hinaus. Die gesamte Stadt fing also an zu kotzen, so sah es jedenfalls aus und so roch es auch noch den gesamten langen Sommer, bis in den Herbst hinein.

Zwei Menschen starben an der Lebensmittelvergiftung, das waren die, die eine dreifache Portion verschlungen hatten, an die hundert hatten bleibende Schäden, das waren wahrscheinlich die, die eine doppelte Portion hatten, an die zehn blieben ihr Leben lang Krüppel – wie auch immer die Enteneier das angestellt hatten –, und niemand, mit einer Ausnahme, niemand in der Stadt Czernowitz wollte je wieder ein Eis anfassen bis zum nächsten Sommer.

Unter den Vergifteten befand sich auch Schuras und Etinas Tochter Emma, die zu dem Zeitpunkt dreizehn war und keinerlei Interesse an Fußball zeigte, aber gerne ausging und gern unter jungen Menschen war, um dem Mief ihres halben Zimmers in der Kommunalwohnung zu entkommen, in die ihre Familie ziehen musste, nachdem ihr Vater suspendiert worden war. Sie hatte von der Vergiftung keine bleibenden Schäden, sie kotzte einfach nur 24 Stunden durch und beklagte sich noch Tage danach über schreckliche Kopfschmerzen – eine Angewohnheit, die sie von da an bis an ihr Lebensende nicht ablegte.

Unter den Vergifteten ist auch Дядя Iosif gewesen, der Onkel von Emmas späterem Ehemann Daniil, der zu diesem

Zeitpunkt noch in Belz Kartoffelsäcke auf seinem minderjährigen Rücken schleppte, um Geld für die Familie, vor allem für seine kleine Schwester Dora zu verdienen. Iosif überlebte die Kotzerei ohne Probleme und ging, als Einziger in der gesamten Stadt, am nächsten Tag wieder Eis essen.

Für das Hygiene-Desaster während des Fußballspiels musste man schnell einen Schuldigen finden, dessen Kopf als Ausgleich für die Vergiftung der gesamten Stadt rollen würde. Nein, es war nicht die gesamte Stadt gewesen, und es gab in der Sowjetunion auch keine Guillotine, aber wie ich schon sagte: Russischsprechende neigen nicht nur zu Übertreibungen, sie denken in Übertreibungen. Keine Übertreibung ist es, zu sagen, man suchte einen Schuldigen, um ihn an die Wand zu stellen – eine letzte Zigarette und gut ist. Dieser Schuldige musste laut Obrigkeitsplan der Vorsitzende des Gesundheitsministeriums sein, jener Stelle, auf der Schura noch vor drei Monaten gesessen hatte. Aber ihm war ja gekündigt worden, sein Kopf konnte nicht rollen.

Das Amt hatte nun eine Frau inne, eine gewisse Inna Wasilijewna Timoschewa, und sie hatte den Ruf, eine железная zu sein, eine Iron Lady also, eine Frau übrigens, die ohne ein medizinisches oder sonstiges Diplom auf diese Stelle gekommen war, niemand wusste genau wie, aber auf gleiche Weise schaffte sie es auch, nicht erschossen zu werden. Sie durfte »im Zimmer« sitzen oder wurde in die Verbannung geschickt, aber wohl eher sitzen, was nicht unbedingt die beste aller Optionen war, nicht zu diesem Zeitpunkt der Geschichte und auch nicht später, aber immerhin. Und Schura ist also hier knapp dem Tod entronnen. Glück gehabt, dass Josef Wissarionowitsch die Gnade hatte, den Löffel abzugeben, und Schura dafür seine Anstellung verloren hatte und nicht seinen Kopf mit seinen weichen Augen, dessen Lila mit den Jahren immer dunkler wurde.

Schura arbeitete. Er arbeitete ruhig und illegal weiter auf der Stelle seines ukrainischen Kollegen und schaute nicht nach links und nach rechts, nur geradeaus in die Zukunft, die ihm Uljanow versprochen hatte.

Etinka hielt nicht viel von Uljanow, sie hielt nicht viel von den Toten, ob sie als einbalsamierte Mumien in offenen Grabstätten aufgebahrt waren oder nicht, sie hielt nur viel von den Lebenden, und zu denen wollte sie unbedingt gehören. Ihr Überlebenswille hatte ihr schönes Gesicht mit Wachs überzogen, und vor diesem salutierten ihre kleinen Patienten und die Kollegen im Krankenhaus und auch einige auf der Straße wie vor Lenins Mausoleum.

Nach dem Krieg hatte man Etina die Leitung des Sanatoriums für tuberkulosekranke Kinder übertragen. Wenn Tuberkulose schon vor dem Krieg unter den Todesursachen in der UdSSR den ersten Platz einnahm, kann man sich vorstellen, wie es während des Krieges und danach im Land zuging. Man kann sagen, die Menschen starben wie die Fliegen, aber sie starben nicht wie Fliegen, Menschen sterben langsam, Blut spuckend, die Kinder mit großen, flehenden Augen, in die Etina nicht schaute. Täglich wurden zwischen fünf und fünfzig kleine Menschen eingeliefert, zum Teil noch Säuglinge, denen sie eigenhändig die Tuberkulose aus den Knochen und der Lunge schnitt, wie sie es aus dem Krieg kannte, und die sie danach eigenhändig pflegte, so war ihr Ruf. Im gesamten Sanatorium mit zweihundertdreißig Betten soll es kein Kind gegeben haben, das nicht durch ihre Hände gegangen ist. Auch das Gebäude selbst baute sie praktisch eigenhändig um, sie sorgte ständig für neue Anbauten, »der Platz reicht nicht aus, seht ihr doch, wohin soll ich mit den Kindern, sie übereinanderstapeln?«.

Ihre vielgelobten goldenen Sozialistenhände trugen stets

türkisgrüne Plastikhandschuhe, einmal bekamen sie bei einer Operation einen Riss. Es war nachts, erinnerte sie sich, es war spät, sie hatte den Riss sogar bemerkt, sie hatte sogar einen Tropfen ihres Blutes auf dem einen Handschuh gesehen, auf dem linken. Aber sie war so müde gewesen, sie konnte kaum mehr stehen, also operierte sie schnell weiter, solange es noch ging, und danach fiel sie aus dem Operationssaal auf das Sofa im Flur und schlief ein, ihre Schuhe hatte sie noch an, ihre roten Schuhe mit den mittelhohen Absätzen, die grünen Operationshandschuhe hatte sie in den Müll geworfen.

Sie war die Erste, die die Symptome an sich bemerkte. Zuerst wurde ihre Stimme in den Nachmittagsstunden heiser. Ihre herrische, hohe Stimme, die wie eine Sirene klang, wenn sie etwas wollte, und wie ein Kanonenschuss, wenn nicht, ging ihr verloren, wurde schwächer und schwächer wie die eines müden Kindes. Dann schwollen die Lymphknoten in den Leisten und unter den Armen an, spätestens da wusste sie Bescheid, dann kam der Nachtschweiß und das Frösteln und das Fieber, also sämtliche Symptome, und sie konnte sie nicht auf Übermüdung schieben.

Sie ließ sich die infizierte Hand eingipsen und lieferte sich selbst ein, behandelte sich selbst, kommandierte die jungen Ärzte mit heiseren, aber bestimmten Anweisungen bezüglich ihrer eigenen Behandlung und leitete gleichzeitig weiterhin vom Krankenbett aus den Betrieb ihres Sanatoriums.

Schura saß in Etinas Krankenzimmer und schaute zu, wie sie mit drei Schwestern gleichzeitig sprach, die eine verabreichte ihr ein Präparat, das im Westen nie zugelassen worden war aufgrund des hohen toxischen Anteils, die anderen beiden bekamen Befehle, die sie weiter auf die Kinderstation trugen.

Etinka räumte sich selbst eine Überlebenswahrscheinlichkeit von eins zu zehn ein und verschrieb sich стрептомици-

низониазидпара-аминосалициловая кислота. Man könnte es mit einer Chemotherapie durch Tschernobyl vergleichen,
aber das hieße, vorzugreifen, Tschernobyl kam erst noch, wir
sind erst gerade mal Ende der vierziger Jahre.

Schura saß im Zimmer seiner Frau und sagte nichts. Als
endlich alle aus dem Raum waren, fragte sie ihn: »Was wirst
du machen, wenn ich tot bin?« Sie fragte das ganz direkt, sie
hatte keinen Hang zu Ausschweifungen. Sie war sehr klar, noch
elektrisiert von den Gesprächen mit den Schwestern, sie war
wie an eine Steckdose angeschlossen, ihr Gesicht zuckte, als
sie ihn das fragte.

»Weitermachen, was sonst«, beantwortete sie schließlich
selbst ihre Frage, weil Schura immer noch schwieg. »Hör auf,
so zu schauen, das hilft mir nicht.«

»Was würde dir helfen?« Schura saß an der gegenüberliegenden Wand, er durfte sich seiner Frau nicht nähern.

»Geh mit Emma zu Chawa, lass ihr die Haare schneiden.«

Also ging Schura. Zum ersten Mal in seinem Leben nahm
er seine Tochter bei der Hand, die nicht wenig überrascht war,
dass ihr Vater etwas mit ihr unternahm, sie gar zu einem Friseur brachte, ging zu Chawa, die mit ihrem Mann Roman auch
nach Czernowitz gekommen war und jetzt einen Schönheits-
salon in ihrem Wohnzimmer improvisierte. »Nein! Professor
Farbarjewitsch! Sollen wir Ihnen die Augenbrauen auseinan-
derzupfen?«, scherzte Chawa, als sie den beiden unsicheren
Gesichtern die Tür aufmachte. Schura war es peinlich. Etina
schnitt ihm immer die Haare, und seine Augenbrauen hatte
noch nie jemand angefasst. Er fand, es gehörte sich für einen
Sozialisten nicht, an so einem Ort zu sein, durch den Spalt
zwischen Badezimmertür und Duschvorhang hatte er sogar
ein Stück nackten Frauenbeins gesehen, er musste plötzlich
an die Genossin mit den pionierroten Lippen denken, mit der
er in der Schauspielschule, auf die er so gerne gewollt hatte,

auf das Vorsprechen gewartet hatte. Er setzte seine Tochter, deren Haare tatsächlich einem Vogelnest ähnelten, auf den Friseurstuhl auf dem Balkon und verschwand in die Küche.

Schura sah auf seine kurzgeschnittenen Fingernägel, er sah auf seine blankpolierten Schuhe, er sah auf die tickende Uhr an der Wand, deren verbogene Zeiger an dem Zifferblatt kratzten, und dachte daran, dass er gar nichts machen würde, wenn Etina starb, gar nichts, weil das nicht passieren würde, weil das nicht passieren konnte, es war absolut unmöglich, da gäbe es gar nichts zu überlegen, sie würde ihn nicht allein lassen, dafür hatte sie ein zu großes Pflichtbewusstsein.

Er sollte recht behalten, Etinka ließ sich weder von der Krankheit noch vom Gift kleinkriegen. Der Ausdruck, den sie dafür benutzte, war себя подняла – sie hat sich selber herausgezogen, wie Münchhausen aus dem Sumpf. »Wäre doch gelacht«, sagte sie oft zu mir und lachte tatsächlich, und ihr Mann blickte sie scheu von der Seite an, da waren seine Augen schon brombeerschwarz und die Risse um die Mundwinkel grau.

Etina stand ihrem Mann an Superheldentaten in nichts nach. Was sollte sie auch sonst tun, sie hatte den Krieg überlebt und eine Tochter durchgebracht, die von Anfang an dem Tod geweiht war.

Etina und Schuras Tochter Emma war zum Zeitpunkt von Etinkas Erkrankung sieben Jahre alt und sah ihre Mutter fast ein Jahr lang nicht, was sie nicht weiter störte, weil sie sich noch nie viel zu sagen gehabt hatten. Ihr Vater war da, zwar verloren in den Sternen der Wissenschaft, aber er strahlte eine Ruhe aus, die Emma vollkommen reichte. Überhaupt war Selbstgenügsamkeit ihr eigentliches Talent. Sie war ein zartes Geschöpf, neigte leicht zu Schwindel, las gern, vor allem Poesie, lernte ganze Seiten auswendig, spielte ein bisschen Klavier, spielte ein bisschen Theater, saß stundenlang vor dem Spiegel und fuhr sich mit den Fingern durch ihre frischgeschnittenen, aschblonden Locken, und niemand wäre je auf die Idee gekommen, zu behaupten, dass sie ein engagiertes Mädchen sei, dass sie sich für die Belange der Gesellschaft interessiere, dass sie gar ein politischer Kopf sei, aber als es 53 hieß, der große Führer Stalin sei gestorben, fiel sie zur Überraschung aller, ihres Kindermädchens Alina, der Köchin Darja, aber vor allem ihrer beiden ausnahmsweise anwesenden Eltern, in Ohnmacht, weil sie spürte, dass es etwas Großes bedeutete und wahrscheinlich nichts Gutes.

Die Eltern erzählten diese Episode im Nachhinein so, als wäre sie Teil der Biographie eines echten sowjetischen Kindes, eines Pioniers, der unter dem unermesslichen Verlust litt und natürlich bereit gewesen wäre, sein Leben für das des großen Führers zu geben. Nun aber war alles zu spät, und alle Kinder der Sowjetunion waren unwiderruflich Waisen.

Auch Etinas Jahr 53 verlief so wie das aller jüdischen Ärzte: Sie wurde entlassen. Das heißt, sie sollte entlassen werden, und die entsprechenden Papiere lagen bereits im Büro des Ministers für Gesundheitswesen, und er unterschieb sie, ohne auch nur auf den Namen zu schauen. »Поснимали«, abgehängt, war der Begriff, mit dem man damals operierte. Selbst die kleinen Fische in den Randbezirken der Stadt und auch die in den Dörfern in den entlegenen Ecken der großen mächtigen Union sollten »abgehängt« werden wie nicht mehr erwünschte Portraits von den Wänden, man gab sich jedenfalls Mühe.

Im Falle Etina Natanowna Farbarjewitsch verlief die Sache anders. Der Erste Sekretär des Bezirksausschusses der Partei höchstpersönlich, Raissa Filatowa, nahm sich des Falls an. Man muss an dieser Stelle sagen, dass es im Russischen keine weibliche Form für Ärzte, Lehrer und vieles andere mehr gibt, darum waren sie alle in der gesprochenen wie in der geschriebenen Sprache männlich, was ihrer Profession einen Hauch mehr Härte verlieh, die den Frauen in der Sowjetunion durchaus gut zu Gesicht stand. Wo sonst hat man solche hunger-, bombenangriffs- und kriegsheimkehrererprobte, emotional degenerierte Alleskönnerinnen getroffen, die keine weibliche Form für sich beanspruchten, keinen Feminismus und keine Tabletten gegen Depressionen. Für bestimmte Sachen hatte man einfach keine Zeit, man musste das gebeutelte Volk, den verkrüppelten Mann und vor allem die eigenen Kinder durchbringen. Genau so eine war Raissa Filatowa, die auf den Tisch schlug, als sie hörte, Genosse Farbarjewitsch sei mit sofortiger Wirkung entlassen. Sie schlug mit ihrer massigen Handfläche auf das massive Naturholz und schrie: »Nie im Leben geb ich die her! Wollt ihr den Tod von zig Kindern oder was, wollt ihr den Tod der gesamten Union, wollt ihr meinen Tod, vermaledeite Scheiße, was soll das werden?« Da gab es gar nichts zu diskutieren. Man möchte Raissa Filatowa die geröteten Hände und Wangen dafür küssen. Hätte es nur mehr gegeben wie sie.

Etina blieb also und leitete weiter das Sanatorium und hätte eine große Karriere machen können, angeblich war ihre Doktorarbeit besser als die von Schura, angeblich hätte auch sie Erfindungen machen können, wer weiß, wozu die strahlend stolze Frau mit den stets hochgesteckten Haaren im Stande gewesen wäre, aber sie entschied sich für die andere Option, sie wollte die Ehefrau einer großen Persönlichkeit werden und nicht die große Persönlichkeit selbst. Weil sie wusste, dass es bedeuten würde, über Leichen zu gehen und für sie als Frau über nackte Männerkörper, und das kam für sie nicht in Frage, nicht in der Vehemenz, in der es notwendig gewesen wäre, das Unvermeidliche reichte ihr schon völlig aus.

In der Illegalität eines Arbeitsplatzes, der nicht seiner war, begann Alexander Isaakowitsch Farbarjewitsch eine Karriere als Wissenschaftler, und es ging sehr schnell. Er beschloss, seine Dissertation zu schreiben, er fand einen Doktorvater, dem man nachsagte, er würde Juden schützen, und dieser erkannte etwas in Schura oder hatte einfach ein schlechtes Gewissen, weil niemand wusste, dass sein eigentlicher Nachname Perlman war und er ihn im Krieg für wenige Rubel eingetauscht hatte gegen einen russischen. Dieser Judenschützer nahm sich Schuras an, förderte ihn, wo er nur konnte. Farbarjewitschs Arbeit zur Verlängerung der Wirkung von Penicillin im Auge sorgte für viel Aufsehen. Schura machte die Beobachtung, dass die Tränenflüssigkeit das ins Auge getropfte Penicillin nach einer halben Stunde wieder herausgewaschen hatte, also entwickelte er eine Methode, semipermeable Kapseln mit dem Wirkstoff unter das Lid zu platzieren. So würde das wertvolle Penicillin bis zu zwei Tage wirken können. Die Methode verbreitete sich damals wie ein Flächenbrand in den Krankenhäusern der Sowjetunion und wurde wegweisend für die Behandlung von Augenkrankheiten in den nächsten Jahrzehnten. Bis heute wird sie weltweit angewandt bei ophthalmologischer Medikamentenverabreichung.

Professor Doktor Farbarjewitsch bekam damals für die Rechte an seiner Erfindung vierzig Rubel und eine Auszeichnung. Selbstverständlich gab es kein Patentrecht, so etwas auch nur zu denken, war für eine Einzelperson, die sich ganz in den Dienst einer Nation zu stellen hatte, die der Vollendung des Kommunismus entgegenstrebte, unmöglich. Aber neben dem bisschen Geld und der Ehrenmedaille gab es Ruhm, seinen ersten großen Ruhm. Die Leute erkannten ihn auf der Straße und schüttelten ihm beide Hände. Das war das Großartige an der Dorfmentalität der Sowjetmenschen und ihrer Neigung zur Hörigkeit: Ein erfolgreicher Arzt wurde verehrt wie im

Westen ein Filmstar. Und vierzig Rubel waren zu dem damaligen Zeitpunkt auch nicht so wenig Geld. Ein Arzt bekam sechzig für den gesamten Monat plus zusätzliche Dankeschöns in Form von Pralinen und Hochprozentigem, und davon lebte man, wenn auch nicht gut, so doch ordentlich.

Seine nächste Erfindung hatte mit der Untersuchung der Netzhaut mittels Teilung von Licht zu tun. Schura liebte die unterschiedlichen Spektralbereiche, er liebte Interferenzfilter, er liebte schmalbandige Filter, die Filterscheiben Rotfrei, Rot, Purpur, Blau, Gelb und Orange beruhigten ihn. Wenn er durch die Straßen ging, sah er irr aus mit seinen geweiteten Augen, er schaute nach links und rechts, schien oft nicht zuzuhören, wenn man neben ihm über etwas sprach. Hinzu kam auch, dass er mit seinen Augen keinen Gegenstand lange fixieren konnte. Zu diesem Zeitpunkt war er schon ein waschechter Junkie, noch nicht auf Kokain, aber schon lange über Koffeintabletten hinaus. Er entwickelte in seinem Kopf fortwährend neue Ideen, erfand, fabulierte, wollte nie stehenbleiben, die aufflammende Erfolgssucht mischte sich mit dem Glauben, tatsächlich die Welt mit seinen Erfindungen zu verändern, besser zu machen, seine Nation zu retten, es war für ihn, wie in den Kosmos zu fliegen. Immer seltener drangen die anderen zu ihm durch, er entfernte sich vom Alltäglichen, war oft gereizt, lehnte es ab, über Zwischenmenschliches zu reden. Diese seine nächste Erfindung schlug ein wie ein Meteorit, und er bekam einen Anruf aus der Parteizentrale, er möge sich beim Maler Sowieso einfinden, der würde sein Portrait für das Stadtmuseum malen, so wie es sich für jeden verdienten Genossen gehört.

Das war Schuras erstes Portrait, es folgten viele. Auch Plastiken aus Bronze mit seinem Kopf überlebensgroß und Fotos davon, wie diese Plastiken entstanden, die sich wiederum an anderen Wänden wiederfanden. Keines davon fing sein Gesicht wirklich ein, noch nicht mal an das Foto mit Afanassjew auf meinem stillgelegten Kamin kamen sie heran. Keines von denen zeigt den wirren Jungen, der – alt geworden – mir gegenübersaß beim Tee mit Quittenmarmelade in seiner kleinen Neubauwohnung in Niedersachsen, in seiner beigen Hose und der Schaffellweste, und der so lächelte, wie nur Schura das konnte.

Ich fragte ihn, warum er nicht nach den ersten Schmierereien »Жид Фарбаржевич, убирайся в Израиль!«* uns alle Huckepack genommen hatte und abgehauen war aus Russland. Er, ein Mensch mit einem Namen, den man sogar in Amerika kannte, hätte uns problemlos aus dem Land bringen können, es kamen sogar Einladungen aus New York.

Schura zuckte mit den Achseln und sagte:»Weil ich glaubte, dass sie die Schuldigen finden werden, die unsere Hauswand beschmiert haben. Immerhin wurde die Polizei eingeschaltet.«

Etja atmete laut aus: »Blödsinn. Das Treffendste hat dazu der Hausmeister Petja gesagt, als er vor mir die Straße kehrte, er sagte: Die Polizei sucht? Wen suchen sie? Haben die mich gefragt? Ich kann ihnen mit dem Finger zeigen, wer es gewesen ist, aber niemand fragt mich. Du wolltest nicht gehen, weil du wusstest, wer du drüben sein wirst, ein Niemand, und wir alle ein Nichts. Von wegen, du hast an die Zukunft des Landes geglaubt, hier ist sie: die Zukunft. Und was hast du jetzt von ihr? Wie lange muss ich mir diese Geschichten noch anhören!«

Schura und ich sagten nichts und schauten beide auf die Plastiktischdecke, Etinka nahm einen großen Schluck von dem Tee und verbrannte sich nicht.

»Ich habe die Schmierereien jedes Mal überstreichen las-

* Judensau Farbarjewitsch, verschwinde nach Israel!

sen, so oft, dass die Maler, ich weiß noch die Namen, Gena und Lölja, zu mir kamen und sagten, Etina Natanowna, wir machen das ja gern für Sie, wir küssen Ihnen die Hände, aber wollen Sie nicht lieber einfach wegziehen? Weil es nicht aufhören wird, das wissen Sie ja selbst, und Ihre Hausfassade sieht bald aus, als hätte sie ein Geschwür von den vielen Schichten Farbe übereinander.«

Wir sagten eine Weile nichts, dann nahm Etinka mein Gesicht in die Hände und fuhr mit den Daumen über die Bartstoppeln an meinem Kinn und auf der Oberlippe. Sie schaute lange in meine Augen, ich sah, wie sie versuchte, irgendwas zu verstehen. Dann fuhr sie mir durchs Haar, streichelte meinen Nacken, stand auf, und in der langen Zeit, die sie brauchte, um aus dem Zimmer zu gehen, sah ich ihre fast hundert Jahre. Zuvor nicht, zuvor, sitzend, wirkte sie wie die Genossin Farbarjewitsch, die unter dem einen Arm das ganze Kinderhospital trägt und unter dem anderen den Ehemann, die Tochter und die Sowjetunion. Die Zeit schlug nur zu, wenn sie aufstand. Als sie raus war, ging Schura rüber zu seinem Sekretär. Er ging nicht schneller als seine Frau, auch er das Jahrhundert, das er war. Sein Hosenbund schlug Falten unter seinem Bauchnabel, wurde nur von einem breiten, schwarzen Ledergürtel gehalten. Er wurde immer dünner. Er wühlte in seinem Schreibtisch, und während er suchte, murmelte er vor sich hin, ich konnte nicht verstehen, was er sagte, das war seine neue Angewohnheit, mit sich selber zu sprechen oder, wie er sagte, »mit einem Freund«. Dann zog er ein zehnseitiges Manuskript aus der Schublade und legte es auf meinen vollgekrümelten Teller – seine Memoiren, die er angefangen hatte in den Computer seiner Enkeltochter zu tippen, abzuspeichern und zwischendurch auszudrucken. Zehn Seiten nur. Mehr als das habe ich leider nicht. Und ich wünschte, Etinka hätte auch geschrieben.

Aber Etinka glaubte nicht an Tagebücher, an die Niederschrift von Erinnerungen oder an die Bedeutung ihrer Sicht auf die Dinge. Und obwohl sie es nie aufgeschrieben hat, für sich oder für andere, ist von ihr geblieben, dass es immer ihr Traum war, ein Mal auf einer großen Bühne zu singen. Mir selbst hat sie das nie erzählt, ich weiß es von ihrer Tochter Emma. Nicht, dass Etinka je gesungen hat. Sie hatte nie Unterricht gehabt, es nie versucht, ihre Tochter, ihr Mann, ihre Freunde kannten sie noch nicht mal summend – bei der Musik von Iossif Kobson, ja, da kriegte sie feuchte Augen, aber so ging es vielen –, es heißt aber, sie hätte alles eingetauscht, alles, was sie in ihrem Leben erreicht hatte, um ein Mal auf einer Bühne zu stehen, das behauptete ihre Tochter. Ich gebe zu, als ich es hörte, musste ich mich fragen, ob Emma mit dieser Erzählung nicht eigentlich sich selbst gemeint hatte.

Danja und Emma Im hohen Alter, er war gut über siebzig, blätterte Daniil, Danja, Danitshka in einem Roman eines
südamerikanischen Autors, den er auf meinem Schreibtisch
liegen sah, ganz oben auf einem Bücherstapel. An der Anspannung seines Oberkörpers konnte ich sehen, dass er voller
Konzentration zu verstehen versuchte, womit sich sein Enkel,
den er zum ersten und letzten Mal in seiner Berliner Wohnung besuchte, beschäftigte. Ich stand im Flur, mit einer blauen
Krimtasse für ihn und einer weißen mit Sprung am Rand für
mich in den Händen, und betrachtete seinen breiten, gebeug-
ten Rücken. Er hatte ein graumeliertes Jackett an, wie immer,
in meiner Erinnerung gab es von ihm keine anderen Bilder
als die eines sehr akkurat gekleideten Mannes. Er öffnete den
Roman, ohne ihn vom Stapel zu nehmen, und blätterte in ihm
mit angefeuchtetem Zeigefinger und Daumen. Immer mal
wieder waren einige Passagen unterstrichen, alle fünf, zehn,
dreißig oder fünfzig Seiten, mal mit einem schwarzen und
mal mit einem blauen Kugelschreiber, was keinerlei System
hatte, auf der Seite 1150 fand er einen mit Rot unterstrichenen
Halbsatz, bei dem er stockte, vielleicht weil er dachte, hier hätte ich mir die Mühe gemacht, vom Schreibtisch oder Sofa aufzustehen und genau diesen Stift in die Hand zu nehmen, um
zu unterstreichen:

»… sowohl Werner als auch sie und alle um 1930 oder 1931
Geborenen seien dazu verdammt, niemals glücklich zu werden.«

Er betrachtete offenbar die wellige Unterstreichung. Ich
vermutete, dass er meine Notizen an den Rändern las, sie zu
entziffern versuchte, ich fragte mich, ob er meine Handschrift

überhaupt kannte. Wir schrieben uns selten, und wenn, dann schickten wir Nachrichten über das Handy, und mir war bewusst, dass sich vieles für ihn verändert haben musste, mein Händedruck war ein anderer, vielleicht waren auch meine Küsse anders mit dem Bart, der mir wuchs. Aber wie viel er überhaupt wusste von der Person, die ich davor gewesen bin, um mit heute vergleichen zu können, um eine Differenz zu empfinden, wie sehr hatte ich ihn an mir und meinem Leben teilhaben lassen – ich hatte keinen Begriff davon, das wurde mir in dem Augenblick klar, als er sich zu mir umdrehte mit dem Buch in der Hand.

Ich reichte ihm die Tasse mit dem Tee, wir setzten uns, und er fragte mich, ob ich wisse, dass ich eine Lüge unterstrichen hatte, dass der Satz einfach nicht stimme, weil das Unglück sich nicht auf die beschränkte, die in den Jahren 30 und 31 geboren waren, es ließ sich gar nicht beschränken, es stach einen wie die leeren Hülsen von getrockneten Sonnenblumenkernen, die sich durch den Stoff des Jutesacks auf dem Rücken durch das Hemd bohrten und dann hin und her scheuerten. Und auf jeden Fall schloss das Unglück auch die Zeit um 1937 mit ein, jenes Jahr, in dem er geboren worden war.

Er sagte, dass er mir irgendwann davon erzählen würde, wenn ich das wollte, und Fotos zeigen und vielleicht sogar die Filmaufnahmen von seiner Hochzeit. Aber dafür müsste ich zu ihm kommen, wann auch immer, und fragen.

Mein Großvater Daniil war traditionsbewusst nach seinem Großvater benannt worden, der Rabbiner gewesen war, mehr wusste Daniil nicht über ihn, und auch sonst nichts über die Leviten und Cohens, von denen er abstammte. Die Kenntnisse der Thora versiegten bei Daniils Vater Boris, der beschlossen hatte, dass man nur gottlos durch die Zeit kommen könne, und niemals hätte er ahnen können, dass ausgerechnet sein Sohn Daniil irgendwann zum Glauben finden würde. Er hatte aber auch nicht ahnen können, wie sehr sich die Zeiten ändern und dass sein gläubig gewordener Sohn seinen Lebensabend ausgerechnet in jenem Land verbringen würde, in dem Boris seinen Glauben an der Front zurückgelassen hatte.

Boris' Leben verlief so, wie es in vielen Rabbinerfamilien üblich war, ruhig, arm und streng. Als Boris in der siebten Klasse war, erklärte ihm sein Vater, dass es für eine Frau schwerer sei, in der Welt Fuß zu fassen, als für einen Mann, darum werde er sein gesamtes Geld in die Bildung von Boris' Schwester Astra stecken. Wenn Boris also studieren wolle, müsse er das auf eigene Faust machen. Das hieß damals, die besten Noten in der Schule zu bekommen und mit zusätzlichen Leistungen zu glänzen, so dass eine Weiterbildung nach der Schule in Aussicht stand, und zwar umsonst.

Astra ging zum Studieren nach Berlin, lernte Fremdsprachen an der Humboldt-Universität, wo bereits Anfang des 20. Jahrhunderts Frauen das Recht auf Immatrikulation hatten. Eine ganze Horde junger, jüdischer Frauen steckte dort unter den Linden ihre ehrgeizigen Köpfe zusammen, eine von ihnen war Astra, des kleinen Daniils Tante, des großen Tochter. Neben Fremdsprachen studierte Astra Ingenieurwesen und lernte dabei ihren Mann kennen. Sie heiratete im Jahr 32 einen ordentlichen deutschen Nachnamen, bekam einen Sohn, den sie doch tatsächlich nach Einstein Albert nannte, und übersiedelte gerade noch rechtzeitig Mitte der dreißiger Jahre mit ihrer Familie nach Almaty, wo gerade Brückenbauer aus Deutschland gesucht wurden. Anfang der Vierziger holte sie ihre Eltern nach Kasachstan und verhinderte das Bekannte. Da es aus Kasachstan aber nicht mehr rausging, als alle Brücken gebaut waren, begann Astra Daniilowna, Fremdsprachen zu unterrichten, und so lebte wohl dieser Zweig der Familie glücklich fern der Schrecken der

Schoah. Wer es glaubt, soll daran glauben, ich kenne keine andere Version dieser Geschichte.

Boris ging mit selbstverdientem Geld in Bukarest auf eine Technische Universität und lernte dort Clava kennen, die älteste der sechs Töchter eines strenggläubigen Müllers und seiner Frau, zwanzig Jahre jünger als er und blind, die ihre Tage damit zubrachte, durch die Stadt zu ziehen und Bettler einzusammeln – sie erkannte sie am Geruch und an den Geräuschen, die sie von sich gaben –, um ihnen Arbeit auf der Mühle ihres Mannes zu verschaffen. Alle Geschwister Clavas schafften es rechtzeitig nach Palästina und leben da wohl immer noch in Gestalt ihrer Nachkommen. Alle wurden vom Krieg verschont und von der Partei. Clava nicht.

Clava musste sich ihren Mann und seine Leidenschaft mit der Partei teilen. Boris' Augen und Brust brannten für die kommunistische Sache. Er war stolz der Kommunistischen Partei beigetreten, die vorher noch die sozial-demokratische geheißen hatte, jetzt aber waren alle, und Boris vorneweg, Bolschewiken.

Boris zeichnete sich eher durch Organisationstalent aus als durch den Kampf mit der Waffe. Ihm wurde von der Partei die Rolle des Sekretärs zugeteilt, der die Evakuierungen jener Gebiete vorbereitete und durchführte, auf die die Deutschen zumarschierten. In einem dieser Gebiete befand sich seine Frau mit Sohn Daniil. Die beiden wurden von Boris' Kollegen abgeholt, auf einen Karren gehievt und über den Dnepr geschmuggelt.

Daniils Erinnerungen an die Flucht als damals Vierjähriger waren einzelne Szenen: seine Füße, die, als der Karren nicht mehr weiterfahren konnte, ihm wie Fische im eiskalten Wasser davonschwammen. Sie schwammen nicht vorwärts, sondern nach unten. Dann das Geräusch der Bomben und dass es sich anfühlte wie Meteoriteneinschläge. Er erinnerte sich an die Menschenkörper am Wegrand, die wie zertrampeltes Obst in ihrem Erbrochenen lagen. Und an seine schwangere Mutter, mit den Händen schützend vor ihrem Bauch, die immer wieder schrie »Flach auf den Boden!« und eine Decke über ihn warf. Einmal ging die Decke in Flammen auf, aber Daniil ist wie durch ein Wunder nichts geschehen. Den Geruch von versengter Menschenhaut kannte er trotzdem seit dieser Zeit. Er prägte sich die Nuancen des Gesichtsausdrucks seiner Mutter ein, weil sie wie versteinert immer nur geradeaus zu schauen schien, aber er wusste, da musste etwas darunter sein, was sie ihm sagen wollte.

Sie erreichten Almaty und kamen bei Boris' Schwester Astra im Keller unter. Lebensmittel gab es in der ganzen Stadt kaum noch, man aß, was man halt organisieren konnte, und weil Daniils Vater sich im Krieg verdient machte, bekam Daniil im Kindergarten Buchweizenbrei, den nicht alle Kinder kriegten. Wenn er zum Löffel griff, starrten die anderen ihn mit hungrigen Augen an, so dass er meist nichts essen konnte, weil es ihn vor ihnen gruselte.

Dora, Daniils Schwester, wurde in diesem Keller in Almaty geboren, und Daniil starrte das Neugeborene Tag und Nacht an, weigerte sich in den ersten Tagen, vom Laken wegzurücken, auf dem das schreiende, hungrige Balg lag. Dann fing er an, durch die Straßen zu streichen und nach Essbarem zu suchen, er fand immer etwas, meistens stahl er es bei Familien, denen es nicht besser ging als seiner. Was er aufgetrieben hatte – Radieschen, Kartoffeln, Äpfel und Beeren –, legte er Dora vor die Füße, die so klein waren wie nichts, was er je zuvor gesehen hatte.

Zum Schlafen gab es im Keller kaum genug Platz, Daniil lag oft wach zwischen der weinenden Schwester und der Mutter, die zusammengekauert dalag, mit geschlossenen Augen, und sich nicht bewegte. Eines Nachts machte Clava die Augen auf, und Daniil war weg, Angst packte sie, sie irrte durch das Haus der Schwägerin und flüsterte seinen Namen, hatte Angst, die anderen zu wecken, ging raus in den Garten, sah ihren eigenen Atem als milchigen Sud aus ihrem Mund kommen, zog das Tuch enger über die Schultern und schaute in das graue Nichts der Stadt.

Wenn Daniil weggelaufen ist, habe ich jetzt nur noch ein Maul zu stopfen, kam es ihr in den Sinn und dann: Bitte bitte bitte, komm zurück, bitte bitte bitte. Sie sprach es laut aus, das sah sie am Weiß vor ihrer Nase. Und dann schrie sie los, schrie seinen Namen, und Daniil antwortete ihr, warum sie denn so rumschreie, Tante Astra schlafe doch und sie kann so gemein werden, wenn man sie stört.

Clava schaute hinunter, dahin, wo die Stimme herkam. Sie kam aus der Hundehütte des Deutschen Schäferhundes Bella, den Tante Astra zusammen mit ihrer deutschen Familie nach Almaty gebracht hatte. Daniil lag neben Bella in der Hütte, nur sein Kopf sah heraus.

»Was, um Himmels willen, machst du da?«

»Ich habe hier mehr Platz, Mama«, sagte Daniil verschlafen, »und ich mag Bella, und sie mag mich.«

Clava kniete sich hin, begutachtete die beiden Gesichter, die sie bittend anschauten, Bellas und Daniils, Wange an Wange, vier runde große Augen glänzten in der dunklen Höhle, und von da an durfte Daniil, immer wenn er wollte, neben Bella schlafen.

Im Keller war es kalt, kälter als draußen, und diese Kälte saugte sich voll mit dem Geruch feuchter Erde. Geheizt wurde, wenn überhaupt, mit den Schalen von Sonnenblumenkernen, die hinter dem Marktplatz ausgeladen wurden, ein Meer von trockenen Schalen, stechend wie Reisig – nehme sich, wer will. Und viele wollten. Daniil huschte zwischen den schwerfälligen

Männern mit einem großen Sack aus Jutestoff, der Daniils Rücken, auf dem er das Brennmaterial nach Hause schleppte, nicht vor den spitzen Schalen schützte. Er lieferte es bei Tante Astra ab, nahm einen Teil mit in den Keller, schüttete es vor den Ofen, setzte sich zu Dora ans Ende der Matratze und wärmte sich an ihren kleinen Füßen.

Der Kriegsinvalide aus dem Nachbarhaus, mit nur einem Bein und auch davon nur die Hälfte, bekam von irgendwoher Zucker und brannte ihn auf Holzstäbchen zu Lutschern, deren Form an einen Hahn erinnerte. Er mochte Daniil und ließ ihn mit verkaufen, seine glühenden Augen und roten Backen waren gut fürs Geschäft, einem übelriechenden Krüppel kaufte man weniger gern Süßigkeiten ab als einem fröhlichen Jungen mit wilden schwarzen Locken und frechen Augen. Daniil verdiente drei Kopeken das Stück, für ihn viel Geld, steckte sich die Münzen in die Socken und lief so schnell es ging nach Hause, immer in Angst, von den anderen Jungs ausgeraubt zu werden, die ihn um seine Stellung als Lutscherverkäufer beneideten.

Daniils Mutter verdiente mit dem Einkochen von Zwetschgen. Ihre Marmelade wurde berühmt, Leute kamen vom anderen Ende der Stadt, um davon zu probieren, und Daniil bekam in der Schule den Spitznamen Don Marmelados, weil er immer ein Marmeladenbrot dabeihatte und sich ausschließlich davon zu ernähren schien. Außerdem pflegte Daniils Mutter die Rosenbüsche in der gesamten Stadt. Neben der Marmelade kannte man sie auch dafür, dass sie bei Fremden klingelte und fragte, ob sie sich um ihren Garten kümmern durfte, vor allem um die Rosen, die mochte sie am liebsten, und wenn die Hausbesitzer fragten, wie viel sie dafür wolle, sagte sie: »Nichts.« Die meisten bezahlten sie trotzdem, sie konnten ja nicht wissen, dass sie wirklich nur kam, weil die Arbeit im Garten das Einzige auf der Welt war, was sie beruhigte.

Sie war ein sonderbarer Mensch, der viel schaute und wenig sagte, und wären die Zeiten besser gewesen, wäre sie womöglich raus in die Berge und hätte dort von Kräutern und Wurzeln gelebt, und ihre Haare wären lang und grün geworden und ihre Haut durchsichtig und leuchtend. Aber die Zeiten waren nicht besser, und in ihnen fand Clava keine richtige Verwendung für sich, also kümmerte sie sich um andere. Um ihre Kinder und die Kinder der Schwägerin und um die Kinder der Nachbarn und auch um die von denen in der Parallelstraße, und als sie sehr viel später schon im Sterben lag, sagte sie nicht ein Wort über ihre Schmerzen, die unermesslich gewesen sein mussten, denn das war das Jahr, in dem es nur Pyramidon gab, weil eine Bande örtlicher Ärzte den gesamten Vorrat an wirksameren Schmerzmitteln und Medikamenten gestohlen und sich damit irgendwohin, weit in den Osten abgesetzt hatte. Noch in diesem Zustand, Clava schon sehr alt, sehr krank und ihr Sohn Daniil längst Geologe, der aus den Bergen Tadschikistans anreiste, um sie zu besuchen, er hatte sich einen Monat beurlauben lassen, was nur möglich war, weil er wusste, dass es der letzte sein würde, den er mit seiner Mutter verbrachte, selbst da noch sagte sie nichts über sich, sie sagte: »Kannst du mir etwas versprechen, Junge, ich mache mir Sorgen um deinen Vater. Der vergisst ständig, sich einen Schal umzulegen, und es ist kalt draußen, er holt sich noch den Tod.«

Als Daniils Vater aus dem Krieg wiederkam, die Familie war da schon nach Czernowitz zurückgekehrt, hatte er seine gesamten Zähne an der Front gelassen, zu essen hatte es nur Hering gegeben. »Noch nicht mal Wasser gaben sie uns«, sagte Boris, und dann begann er mit der Erziehung seines Sohnes, der ein хулиган geworden war. Ein Wort, das klingt wie Hooligan, aber keinen Halsabschneider meint, sondern einen verwahrlosten Strolch, der rauchte wie ein Großer. Zigaretten fanden Strolche wie er auf Dachböden und in den Taschen der Männer auf dem Markt, und dort verkauften sie sie an dieselben, für fünf Kopeken das Stück oder mehr – Daniils Aufstieg vom Lutscherverkäufer zum Tabakhändler. Daniil rauchte selber an die fünfzehn Zigaretten am Tag, je nach Umsatz und Hunger, er rauchte vierundvierzig Jahre so weiter und hörte erst auf, als er bemerkte, dass ich ihm die Zigaretten klaute, ich war genauso alt wie er damals, als ich damit anfing, und er wusste, ich würde nicht aufhören, solange ich welche bei ihm fand.

Bis Boris aus dem Krieg zurückkam, gab es für Daniil keine Autorität unter den Erwachsenen, eine Autorität war er selber, er führte eine Bande von Jungen an, die ihn vorher noch regelmäßig ausgeraubt hatten. Bekannt war er vor allem für seine Wendigkeit beim Stehlen, die dreiste Art, die Lippen zu einem Lächeln zu verziehen und dabei zu pfeifen, und dafür, dass er es schaffte, Freunde und Nachbarn an der Nase herumzuführen, und dass ihm trotzdem keiner böse sein konnte. Es sprach sich herum, dass er alles, was er stahl, gegen sinnvolle Dinge für seine Schwester und seine Mutter eintauschte, jedenfalls schaffte er es, die anderen das glauben zu lassen.

»Schimpf nicht mit deinem Sohn, Borja, der ist zwar ein Dieb, aber das ist auch ein Geschick, das man braucht«, versuchte der Nachbar den fassungslosen Vater milde zu stimmen.

»Der wird im Gefängnis enden, habe ich dafür alle Zähne verloren?«

»Na ja, schau, der hat meinen zwei Kleinen ihre Sammlung von Fotografien abgeluchst, die war wirklich wertvoll, du weißt schon was für Fotografien, Mädels in Strümpfen, unten ohne und all das, wirklich gute Arbeit, und die hat er ihnen geklaut und hat sie gleich weiterverkauft. An wen? An mich! Und mit dem Geld ist er zu meiner Frau gegangen und hat auf den blauen Wollschal gezeigt, den sie um die Schultern hatte. Stand breitbeinig vor ihr mit den Händen in den Hüften und schämte sich nicht. Wollte den Schal haben. Sagte, ist für seine Schwester. Weil das Kabuff, in dem ihr lebt, feucht und kalt ist und die Schwester die ganze Zeit hustet.«

»Hat sie ihm den Schal gegeben?«

»Natürlich hat sie ihm den Schal gegeben, und das Geld blieb in der Familie.«

»Und woher hatten deine Jungs die Pornobildchen?«

»Haben sie von mir geklaut, woher sonst.«

Mit acht besaß Daniil ein ganzes Arsenal an Granaten und Schusswaffen, sie lagen einem vor den Füßen, man stolperte darüber, man konnte sie sammeln wie Pilze, sagte er. Damit schossen die Jungs auf leere Häuser, manchmal aufeinander, vor allem aber warfen sie die Munition ins Feuer und schauten zu, wie sie explodierte und in alle Richtungen schoss und manchmal einen der Jungs traf, manchmal einen Fremden, der vorbeikam, einmal erwischte es eine alte Frau mit Kopftuch, ein Großmütterchen, das tief gebeugt ging und flach auf den Boden fiel, als die Waffe losging.

Als Erstes vernichtete Boris das Waffenarsenal seines Sohnes. Daniil stand mit Tränen in den Augen neben seinem Vater, der seinen ganzen Stolz in die Grube warf, in die auch die Kadaverreste aus der Schlachterei gekippt wurden. Es stank bestialisch nach Blut und Scheiße und die glänzenden Klingen und schweren Pistolen versanken in braunroter, verwurmter Galle tief unten in der Kuhle.

Aber die eigentliche Strafe war eine andere. Die eigentliche Strafe war das Reden. Boris erzählte Daniil vom Krieg, er erzählte, was er gesehen und getan hatte, und beendete seine stundenlangen Geschichten meistens mit der Frage: »Habe ich dafür gekämpft, dass mein Sohn ein Taugenichts wird?«

Eine dieser Geschichten, die er immer wieder hören musste und die ihm vielleicht am meisten wehtat, weil der Erschossene im selben Alter gewesen war wie er, war die von Musja Pinkenzon. Er war Daniils Cousin zweiten Grades und zwölf, als er von einem SS-Offizier erschossen wurde, dafür, dass er auf den Befehl hin, seine Geige auszupacken und das Bataillon zu unterhalten, die Internationale spielte. Daniil konnte und wollte es nicht mehr hören, die Bilder hatten sich ihm eingebrannt und verfolgten ihn ohnehin, die zertrümmerte Geige, die schreiende Mutter, eine Menschenmenge, die wie eingefroren auf den Boden starrte. Er bat seinen Vater, es nicht noch einmal zu erzählen, aber Boris war unnachgiebig, weil er glaubte, nur so würde sein Sohn in vollem Ausmaß verstehen, was um ihn herum geschehen war. Durch Albträume.

Es waren Juden aus Belz und Umgebung, denen befohlen worden war, sich auf dem Marktplatz zu versammeln. Die Eltern hatten Musja zur Musiklehrerin geschickt in der Hoffnung, sie würde ihn verstecken. Musja stand im Flur der Lehrerin, schaute in ihre klein gewordenen Augen, begriff plötzlich und lief wieder hinaus auf die Straße, so schnell konnte die Lehrerin ihn gar nicht einfangen. Er lief, und seine Geige baumelte ihm um die Brust – man hatte ihn noch nie ohne sie gesehen, die örtlichen Zeitungen hatten schon, als er fünf war, von einem Geigenwunderkind geschrieben – und fand seine Eltern eingepfercht zwischen anderen, die alle plötzlich wie ein Mensch aussahen, ohne Konturen und ohne Gesicht. Er schrie »Mama«, die Mutter wollte sich zuerst nicht zu erkennen geben in der Hoffnung, man würde den Jungen für ein verwahrlostes moldawisches Kind halten, aber Musja lief direkt auf seine Eltern zu, und da schrie sie auf.

Der SS-Offizier leerte sein gesamtes Magazin, halb in den Körper des Jungen, halb in den Körper der Geige. Boris hatte es mit eigenen Augen gesehen und mit seinen Ohren gehört, wie der kleine Junge dem SS-Offizier in die Augen blickte und wortlos die Internationale spielte. Von da an wusste er, was ein wirklicher Held war.

Daniil wünschte sich, sein Vater hätte ihn lieber verdroschen, als ihm diese Geschichten immer und immer wieder zu erzählen. Er glaubte sie ihm nicht, er glaubte keine Geschichten über den Krieg, außer die, die er selber erzählte. Für ihn waren es Märchen, Erzählungen, die dafür da waren, damit sein Vater sich die Welt zusammenspinnen konnte, so dass sie für ihn einen Sinn ergab. Aber die Welt ergab keinen Sinn, das wusste Daniil schon sehr früh. Er wusste auch, dass sein Vater die Zähne nicht für ihn verloren hatte, sondern für den Krieg, also schuldete Daniil ihm nichts, höchstens schuldete der Krieg ihm etwas, also sollte er auch mit ihm seine Rechnungen begleichen. Er sagte das dem Vater offen ins Gesicht und dann: »Und jetzt schlag mich«, aber das hat Boris nie getan. Er, der mit zwei anderen Kameraden nur ein Gewehr besessen hatte und zusehen musste, wie diese beiden eine ganze Familie vergewaltigten, Mutter, Vater und den Sohn, er, der sich nicht getraut hatte einzuschreiten und auch nicht wegzulaufen, dessen Erinnerungen an den Krieg und an die Helden sich vermischt hatten zu einer braunroten, verwurmten Galle, in der er seine eigenen Albträume ertränkte, hat nie wieder die Hand gegen irgendwen erhoben. Er wusste überhaupt nicht mehr, wie das ging, also redete er, er redete ununterbrochen.

Um den Sohn vor dem Leben auf der Straße und dem sicheren Gefängnis zu bewahren, fand er für ihn Arbeit bei einem Kerzenzieher, wo Daniil den Geruch von Rindertalg kennenlernte, den er nie mehr vergaß. In der Sommerhitze der

Südukraine tauchte der Junge Baumwolldochte in die siebzig
Grad heiße, gelblich weiße Masse, in die er nicht aufhören
konnte zu starren, seine Gesichtshaut sog den Fettgeruch auf,
er überlegte immer wieder, mit dem Kopf in das Schmelzge-
fäß zu tauchen und für immer zu verschwinden, aber dann
dachte er an Dora und zog die mit einer dünnen Talgschicht
umhüllten Baumwollfäden wieder heraus, ließ sie trocknen
und tauchte sie wieder ein.

Daniil ging wieder regelmäßig zur Schule, bekam bessere,
oft sogar gute Noten, beendete die zehnte Klasse und bekam
kein Diplom, weil für die mit Nachnamen wie Pinkenzon bereits keine Diplome mehr ausgestellt wurden.

»Sie ziehen mir zwei Punkte ab, weil ich einen politischen
Rechtschreibfehler gemacht habe«, versuchte Daniil es seinem Vater zu erklären.

»Ein politischer Rechtschreibfehler wäre was?«

»Die sagen, ich habe ›kommunistisch‹ mit a geschrieben:
›kammunistisch‹. Und das ist eine Beleidigung, und ich soll
froh sein, dass sie mich nicht in die nächste Parteizentrale zi-
tieren.«

»Hast du?«

»Was?«

»Hast du ›kommunistisch‹ mit a geschrieben?«

»Was glaubst du?«

Man machte Daniil klar, dass weder an der Universität in
Lwiw noch in Moskau ein Pinkenzon etwas verloren hatte,
aber in Grosny schienen sie sich nicht darum zu scheren und
nahmen alle auf. Boris rief seinen Sohn zu sich, mit all der
Schwere und dem Pathos in der Stimme, die ihm für diese Situation angebracht schienen, und sagte: »Sohn, ich habe Geld,
damit du zu einer Aufnahmeprüfung fahren kannst in jede
Ecke der Union der Sozialistischen Sowjetrepubliken, wirk-

lich in jede. Aber ich habe das Geld nur für ein Ticket und nur in eine Richtung. Wenn du die Aufnahmeprüfung schaffst, bleibst du dort und studierst und arbeitest und lässt es uns wissen. Wenn du sie nicht schaffst, bleibst du dort und arbeitest und lässt es uns wissen. Wenn du zurückwillst, arbeitest du und wirst dir das Geld für eine Rückfahrkarte selber verdienen.«

Gott hatte der Rabbinersohn hinter sich gelassen, die Erziehungsmethoden waren geblieben.

Daniil nickte und schaute in die Augen seines Vaters, den er bemitleidete wegen seines zahnlosen Mundes, aus dem all das Gelaber kam, das für ihn keine Bedeutung hatte. Er wusste, er würde die Aufnahmeprüfungen schaffen, er machte sich überhaupt keine Gedanken, auch nicht um das Geldverdienen. Dass er trotz guter Noten abgemahnt worden war, »sag danke, dass du überhaupt einen Abschluss hast«, vergaß er hingegen nie. Darüber machte er sich Gedanken. Stur schaute er auf seinen Vater und nahm das Geld für die Fahrkarte in eine Richtung.

In Grosny bestand er die Prüfungen in Russisch – mündlich und schriftlich –, Mathematik – mündlich und schriftlich –, Physik – mündlich und schriftlich –, Chemie – mündlich und schriftlich – und in einer Fremdsprache, in Daniils Fall: Deutsch. Die Lehrerin, die ihm die Prüfung abgenommen hatte und im Folgenden seine Mentorin und sein Schutzengel wurde, trug den Namen Frida Isaakowna Garber.

Er belegte Deutsch damals ganz ohne Hintergedanken, er hatte nie vorgehabt, die Sowjetunion zu verlassen, er wusste gar nicht, dass man sie verlassen konnte. Es wäre ihm nicht in den Sinn gekommen, seinen Lebensabend in einer Provinz in Westdeutschland zu verbringen, in dem einzigen guten, graumelierten Jackett, das er besaß, am Fenster zu sitzen und Tee zu trinken, mit seinen Enkeln über ein Handy zu kommunizieren, mit der einen auf Russisch, mit dem anderen auf Deutsch, und mit seiner Tochter zu Ärzten zu gehen, weil sich da schon sein Deutsch aus seinem Gedächtnis verabschiedete. Das meiste verabschiedete sich da schon aus seinem Gedächtnis, aber der Name der Deutschlehrerin, Frida Isaakowna Garber, kam wie aus der Pistole geschossen.

Als Sportfach belegte Daniil Boxen – statt Ausdauerlauf oder das noch ausdauerndere Schwimmtraining. »Bin ich ein Tier oder was?«, maulte er, »ich gehe boxen, das ist nützliches Wissen, wenn mal was ist.« Ein bisschen подраться и разойтись, so nannte man das damals, sich raufen und wieder auseinandergehen.

Er stellte sich das Boxtraining wie кулачный бой vor, diese alte Tradition des Faustkampfes in den Dörfern, die an christlichen Feiertagen seine gesamte Jungenhorde, umzingelt von den Alten, zelebriert hatte, indem sie sich zu einem Knäuel verknotete und mit Fäusten aufeinander einschlug. Sein Lehrer an der Universität, ein ehemaliger russischer Champion, lieferte Daniil, der ein Fliegengewicht war, einem Mittelgewichtler aus, der richtete ihn so zu, dass Daniil nach dem ersten Aufeinandertreffen einen halben Zahn erbrach und schwören konnte, dass er Sterne gesehen hatte, auf jeden Fall sprühten Funken und schlug Feuer aus den Ohren des Mittelgewichtlers. Was der konnte, das wollte Daniil unbedingt auch können. Er beobachtete, wie der Mittelgewichtler seine dicken Arme ausbreitete, als würde er einen Bogen spannen, sich den rechten Handschuh vor die Nase hielt, mit dem linken immer wieder austeilte, seine Füße sprangen wie Bälle um Daniil herum. Er beobachtete ihn wie einen Tänzer des modernen Balletts, sah regelmäßig Funken und Sterne, seine Nase trug die Konsequenzen, aber er war nie bereit, sich geschlagen zu geben.

Er konnte es natürlich mit dem anderthalb Köpfe größeren Mann nicht wirklich aufnehmen, aber nach dem Training gingen sie gemeinsam in die Taverne an der Ecke. Das machten sie drei Jahre lang. Sie erzählten sich Dinge, die sie niemandem sonst erzählten, auch dass sie mit dem Alter anfingen, ihre Väter zu verstehen. Davor gruselten sie sich und tranken dann schneller, und wie sehr sie ihre Schwestern vermissten, gaben auch beide zu, dann weinten sie, und es war ihnen nicht unangenehm. Sie verloren sich aus den Augen, nachdem die Abschlusszeugnisse ausgestellt worden waren, und sahen sich irgendwann in Wolgograd wieder, auf dem Platz der Tschekisten, zufällig. Sie starrten sich an, konnten nicht aufhören, sich anzustarren, nahmen sich immer wieder in den Arm, um sich sogleich voneinander wegzuschieben, anzustarren und sich wieder in die Arme zu fallen. Und dann nahmen sie die Fäuste hoch, federten umeinander herum, wichen einander aus, lachten, steckten ein, teilten aus und lachten, lachten.

»Hast schon alles verlernt, du Intellektülle!«, brüllte der Mittelgewichtler.

»Lass uns lieber in die Taverne«, erwiderte Daniil und schlug einen Haken nah an seinem Kinn vorbei.

Daniil mochte sein Studium, er mochte seine Freunde, und er mochte Grosny. Ein Mal kamen sogar Muslim Magomajew und Iossif Kobson, um einander den Titel des verdienten Sowjetkünstlers streitig zu machen. Daniil und seine Freunde hatten natürlich kein Geld für die Eintrittskarten, aber sie wussten, auf welche Bäume man klettern musste, um das Konzert so zu hören, als würde man in der Loge in der ersten Reihe sitzen. Alles in allem ging es ihm dort gut, er war einsam, aber es ging ihm gut.

Zweimal im Jahr fuhr Daniil nach Hause, um seine Familie

zu besuchen, einmal im Sommer und einmal im Winter, und dann küsste er Doras Wangen, bis sie ganz rot davon waren und die Mutter sagte: »Lass das!«

Während eines solchen Ferienbesuchs stand die Hochzeit eines entfernten Verwandten an, der anscheinend dieselben Lippen hatte wie Daniil und dieselben großen Ohrläppchen, auch er ein Pinkenzon mit Nachnamen, irgendwer heiratete irgendwen, Hauptsache es blieb im weitesten Sinne in der Familie, also eine ordentliche jüdische Hochzeit mit siebzig geladenen Gästen, fünfzig mehr als in die kleine Bude der Familie Pinkenzon passten. Hier also fand die große Feier statt, wobei der Schicksalsschlag der Ehe keine der halbhübschen, halbverhungerten Töchter der Familie traf, nein, der Hausherr Onkel Pawel verheiratete seine Nichte, eine Waise, die so arm war, dass selbst Pawels Töchter die Nase rümpften.

Mit in der Wohnung hauste Tante Polina, der es ganz und gar nicht gefiel, dass man im Zuge der Feierlichkeiten auch ihr Zimmer betreten wollte. Sie war Ende fünfzig, sah aus wie Ende neunzig, hinkte schwer, lag die meiste Zeit auf ihren beiden Matratzen und ächzte stellvertretend für das nichtvorhandene Bettgestell. Man beschloss, sich mit der Alten nicht anzulegen und nur ein Zimmer zu benutzen, hängte also einen Teppich vor Tante Polinas Tür. Einen dieser guten, osmanischen mit einem großzügigen Blumenmuster in der Mitte und Schnörkel in Rot und Grün an den Rändern. So einer hing also an der Tür von Tante Polinas Zimmer, damit sie von den siebzig Mann und Frau und viel Hochprozentigem nichts hörte. Dennoch klopfte Tante Polina den gesamten Abend lang mit ihren Galoschen gegen die Wand.

Auf der Hochzeit saß Daniil генералом, soll heißen am Kopf des Tisches. Warum man ihm diese Ehre zuteilwerden ließ, wusste er nicht, er fragte auch nicht, aber er fühlte sich wie ein Großer, seine Nasenflügel blähten sich auf, was sein

Gesicht noch breiter machte. Sie tranken, sie tranken viel, sie sangen, Daniil sang mit, zum ersten Mal in seinem Leben sang er laut vor anderen, fremden Menschen. Alle rauchten und drückten die Selbstgedrehten in Butterresten aus und schmissen die Stummel in halbvolle Wodkagläser, und Daniil war glücklich auf eine Art, die ihm bisher nicht bekannt war. Er war noch nie auf einer solchen Feier gewesen, das wurde ihm erst da bewusst. Er tanzte nicht, als alle aufstanden, aber klatschte kräftig im Takt in die Hände, bedächtig und schwer, sein Kinn wippte mit, und er bekam eine Ahnung davon, was das Leben auch sein konnte, aber diese Ahnung war so fein, es kitzelte ihn leicht in der Nasenspitze, er konnte das Kitzeln nicht zuordnen und prägte es sich auch nicht ein.

Am Tag nach der Hochzeit rief Onkel Pawel an und sagte, jemand müsse den Teppich vor Tante Polinas Tür abhängen, ob er, Daniil, nicht vorbeikommen könne, er selber sei dazu nicht in der Lage, müde, kaputt, übrigens Veteran aus dem Krieg mit nur anderthalb Armen. Daniil kannte Polina Ismailowna aus der Zeit, als seine Großeltern noch lebten, und freute sich, sie zu sehen, beziehungsweise fand er, es sei seine Pflicht, die beiden Gefühle unterschied er nicht, er mochte die alte Schrulle mit dem verwachsenen Kopf. Ihre weißen Haare wucherten ihr übers Gesicht, als würden sie aus allen Poren kommen, und nur ihre wirren runden Augen schafften es durch das Gestrüpp. Er half ihr gern.

Tante Polina lag auf den Matratzen, eingehüllt in bunte, ausgewaschene Decken, fluchte wie ein Soldat, und zu ihren dick eingepackten Füßen saß ein Geschöpf, das Daniil zuerst gar nicht wahrnahm. Weil es so schmächtig schien, hielt er es anfänglich für ein Kind, ein Kind unter vielen Schichten Wolle. Das Geschöpf gehörte allem Anschein nach zur wahren Arbeiterklasse, man erkannte sie an einer besonderen Uniform, vor allem an der Mütze mit Ohren, die fast bis zum Boden reichten.

Warum Emma an dem Tag diese Uniform trug, darüber gibt es unterschiedliche Meinungen, die einen sagen, die Eltern wollten sie zur Bescheidenheit erziehen, damit ihr der Kopf nicht in den Wolken hängen blieb. Die anderen sagen, sie trug eigentlich einen langen Rock über einer Wollhose und einen dicken olivgrünen Parka und darüber einen feingestrickten Wollschal und Hasenfellhandschuhe und sah aus wie alle anderen Mädchen auch, die in Räumen ohne Öfen saßen. In jedem Fall schenkte ihr Daniil keine Beachtung, grüßte sie kurz und höflich mit »Sehr angenehm« und schaute dann schnell wieder zu Tante Polja.

Er widmete sich ganz der Tante, die ihm aus dem Dickicht der mächtigen Haarpracht heraus lang und breit ihre Gebrechen auflistete und sie ausschmückte, wie es nur Frauen ihres Formats konnten. Daniil hatte trotz seiner Pflichtgefühle sehr schnell die Schnauze voll von den Geschichten, die niemals zu enden schienen, ein endloser Bandwurm, der da aus der Tante herauskam, außerdem war ihm kalt. Also nutzte er eine Pause, in der Tante Polina schlucken musste, weil ihre Kehle ganz trocken geworden war vor Aufregung, dass sie die Geschichten, die sie sich in ihren einsamen Tagen und Nächten zusammendachte, endlich jemandem erzählen konnte, der sie noch nicht gehört hatte. Er nutzte also die Pause, um ihr zu sagen, sie möge einfach mal aufstehen und es mit dem Leben aufnehmen. Es dem Leben zeigen, sozusagen, trotz allem aufstehen, trotz Diabetes und Gangränen und was nicht noch allem, aufstehen und leben.

»Spucken Sie doch auf all das, und gehen Sie mal spazieren, Tante Polina! Draußen ist gutes Wetter. Zwar kalt, aber die frische Luft wird Ihnen ordentlich das obere Stübchen durchlüften.«

Da explodierte das kleine Wesen am Fußende der Matratze unter den vielen Schichten Kleidung, wurde laut wie ein Bienenstock, der auf den Boden fällt: »Was soll das heißen, spucken Sie auf alles? Tante ist krank, sehr krank, und braucht Ruhe und Medikamente, und Sie wollen sie in die Kälte, in den sicheren Tod schicken! Wer sind Sie überhaupt, Sie Rüpel, was bilden Sie sich ein?«, schrie Emma mit ihrer Mädchenstimme, die noch so kräftig werden sollte wie die ihrer Mutter Etina.

Daniil und Polina starrten das junge Ding an. Die Mütze war ihr ins Gesicht gerutscht, man konnte nur sehen, dass ihre Lippen bebten, vielleicht vor Wut, vielleicht vor Kälte.

Emma schob mit der Hasenfellhand die Mütze aus der Stirn und funkelte Daniil an. Der sagte erst mal nichts, zog dann eine Selbstgedrehte aus der Tasche unter seiner Jacke und steckte sie sich in den Mund.

»Lass das, ich bin krank, hier wird nicht geraucht«, setzte Tante Polina noch eins obendrauf.

Daniil steckte die Zigarette weg und schwieg weiter, was die Tante sofort nutzte, um mit ihren Geschichten fortzufahren. Daniil hörte gar nicht mehr zu, so peinlich war ihm der Vorfall, außerdem war er beleidigt, er wusste gar nicht, wohin mit sich, aber aus dem Zimmer gehen konnte er auch nicht – die gute Erziehung seines Vaters.

Irgendwann ließ sich die Tante, die sich – von den eigenen Reden belebt – im Bett aufgerichtet und fast schon auf den Matratzen getanzt hatte, wieder in die Kissen fallen, als wäre aller Lebenssaft aus ihr herausgeflossen. Leise, schon im Halbschlaf, murmelte sie: »Es ist spät, bring die Kleine nach Hause.«

Emma und Daniil stapften durch den Schnee und schauten sich nicht an. Emma fand es nicht notwendig, begleitet zu werden, aber sie sagte nichts und presste die Lippen zusammen, und Daniil fand es nicht notwendig, zu schweigen, aber er wusste nicht, was sagen, und so gingen sie bis vor Emmas Haustür, und dann gaben sie sich die Hand.

Andere Zungen behaupten, es war kein Zufall, dass sie sich ausgerechnet dort kennengelernt hatten. Dass Emma in der langohrigen Zipfelmütze neben Tante Polinas Bett saß und ihren besten Augenaufschlag an Daniil übte. Sie behaupten, es sei eine waschechte jüdische Verkupplung gewesen, wie sie damals üblich war, und man habe sich den jungen Pinkenzon zuvor genau angeschaut, Erkundungen angestellt und befand ihn für angemessen, allerdings war er überdurchschnittlich hübsch mit der breiten Nase, was Etina Natanowna gar nicht gefiel, sie sagte, ein Mann dürfe nur ein kleines bisschen schöner sein als ein Affe, sonst würde er dir weglaufen.

»Du hast gut reden«, gab Emma zurück, »du hast dir den schönsten aller Männer genommen!«

Was sollte Etinka dazu sagen? Ihre Tochter hatte recht. Schura war und blieb bis zu seinem Tod die bessere Version Frank Sinatras.

Etinka willigte zuletzt ein mit dem Satz: »Man sollte den heiraten, von dem es im Nachhinein nicht peinlich sein wird sich wieder scheiden zu lassen.«

Schura sah die Sache lockerer, oder es war ihm einfach egal. Als sich Daniil endlich traute, den zukünftigen Schwiegervater zum Tee zu besuchen, gemeinsam mit seinem Freund Genadij, der in den Ferien aus Grosny nach Czernowitz gekommen war, begrüßte Alexander Isaakowitsch ausdrücklich die Entscheidung der jungen Männer, Geologen zu werden, und erkundigte sich, was sie von Fersmans neuem Werk »Erinnerungen an Steine« hielten. Die jungen Männer schauten erst sich an, dann gleichzeitig auf den Boden. Nichts in dieser Czernowitzer Wohnung zeugte noch von der Moldowanka, dem Gaunerbezirk, dem Schura entwachsen war. Seit er im Nationalmuseum hing, trug er nur noch Anzüge und dunkle Krawatten, auch zu Hause, auch beim Tee. Daniil hatte sich auch einen Schlips umgebunden, wusste aber, dass er niemandem etwas vormachen konnte mit seinem selbstgebügelten Hemd und den dreckigen Schuhen, die er zwar saubergemacht hatte, bevor er sich auf den Weg machte, aber komm mal sauber durch die Sowjetunion. In seinem Kopf hörte er seine Mutter sagen: »Einen Mann erkennt man an den Schuhen!«, er schaute in Schuras geweitete Augen, beschloss, nicht zu lügen, und gab zu, dass er nie von Fersmans Werk gehört hatte und auch nicht von Fersman selbst. Schura beugte sich zu ihm, legte ihm die Hand auf das vor Aufregung durchgeschwitzte Hemd und sagte: »Ich beneide euch, junge Menschen. Ihr habt noch so viel vor euch.«

Und das war der Schiedsspruch, von da an durfte Daniil immer kommen und schwitzte mit jedem Mal etwas weniger.

Arrangiert oder nicht, nach dem Zwischenfall bei Tante Polina fing Daniil an, Emma regelmäßig von der Universität abzuholen, und sie debattierten über die Vorzüge der klassischen Medizin gegenüber der Kräuterkunde der Alten aus den Dörfern und über die Filme von Grigori Alexandrow, über die Erfindungen von Emmas Vater, über Emmas Entscheidung, ebenfalls Ärztin zu werden, und über die Zukunft des Kommunismus. Das Einzige, worauf sie sich wirklich einigen konnten, war ausgerechnet die Dichtung von Nikolai Alexejewitsch Nekrassow, und irgendwann sagte Daniil etwas über Emmas Augen, und ihr Gesicht öffnete sich wie ein Schmetterling und leuchtete.

Später, da war sie schon schwanger, gestand Daniil Emma, dass er, als er erfahren hatte, wer ihr Vater sei, überlegt hatte, wegzulaufen und nie wiederzukommen, aber da war er schon verloren an dieses Leuchten in ihrem Gesicht, das sie sich später auch noch in der Industrieluft Wolgograds bewahrte, während der Perestroika und selbst dann noch, als sie in ein Land umgesiedelt waren, in dem sie für immer zur Migrantin mit einem rosa Béret und in einer gelben Daunenjacke wurde, die sich im Supermarkt nicht verständigen konnte.

Während der Studienzeit schrieben sie einander Briefe. Daniil war nach Grosny zurückgekehrt mit dem Verlangen, unentwegt Gedichte zu schreiben, etwas, das er bis dahin für eine Frauensache gehalten hatte. Er schickte Emma Beobachtungen von seinen Spaziergängen durch die tschetschenische Steppe, Emma saugte die Briefe auf, lernte sie auswendig und erinnerte sich später vor allem dann an ihren Inhalt, wenn sie sich mit ihrem Mann stritt:

»Wer hat damals diese schönen Briefe geschrieben, du Unmensch? Hattest du deine Freunde damit beauftragt oder eine deiner Weiber?« Sie war ein strengerzogenes Mädchen, gröbere Worte wären ihr nicht eingefallen.

Aber Daniil hatte die Briefe eigenhändig geschrieben, und das machte er drei Jahre lang. Während dieser drei Jahre kam er jeden Winter und jeden Sommer zu Besuch, öfter konnte er es sich nicht leisten, seine Zukünftige zu sehen.

Sie heirateten im Sommer des vierten Jahres. Mit der gesamten Verwandtschaft, die angereist war, dafür hatte Etina gesorgt, zogen sie durch Czernowitz zum Standesamt. Der Pulk füllte die Straßen und begann, schon vor der Trauung zu tanzen und Горько! zu schreien, »Горько! Горько!«, also »Bitter! Bitter!«, damit das Brautpaar sich küsste. Zwei Fotografen liefen vor ihnen her, einer von ihnen war Schura. Emma und Daniil posierten vor dem Messingschild des Standesamtes, zeigten darauf mit ihren beringten Fingern, lachten, Daniil küsste unaufhörlich Emmas Schläfen, und sie richtete immer wieder ihre cremefarbene Filz-Melusine, die ihr ins Gesicht rutschte. Auf den Fotos, die sie mir zeigte, hält sie einen Blumenstrauß aus petroleumfarbenem Rittersporn rechts, links ist Daniil eingehakt. Auf den nächsten Fotos sind sie in den Flitterwochen am Strand von Odessa. Emma trägt gestreifte Badeanzüge mit tief ausgeschnittenem Rücken und manchmal ein weißes Baumwollhemd darüber, auf dem Kopf einen Hut wie Huckleberry Finn. Sie lacht in die Kamera, Daniil hält ihr Gesicht in beiden Händen. Die Fotos hat Schura geschossen. Die Schwiegereltern waren mit nach Odessa gekommen, um in Erinnerungen zu schwelgen, manchmal fotografierte er auch Etina, vor allem von hinten, vor allem ihren Nacken. Auf den Fotos, die Emma und Daniil geblieben sind, sehen sie alle vier aus wie Filmstars der sechziger Jahre. Vergesst Grigori Alexandrow! Sie rekeln sich in der Sonne, wie man es in den Filmen damals nicht zeigen durfte, und lachen breit, wie ich es nie bei ihnen gesehen habe.

Dort, am Strand von Odessa, beschlossen die vier, nach Wolgograd zu ziehen, weil Daniil nach Abschluss des Studiums dahin berufen worden war und Schura sich Chancen auf eine bessere Stelle ausrechnete mit einer angemesseneren Bezahlung. Jedes Kind, das in Wolgograd geboren wurde, bekam bis zur Perestroika eine Medaille, »Geboren in der Stadt der Helden« stand da drauf. In dem Jahr, in dem das junge Paar samt Schwiegereltern umzog, war die Stadt gerade frisch umbenannt worden: Stalingrad war jetzt Wolgograd. Der Krieg hatte von der einst prächtigen Stadt eine zerbröselte Erinnerung hinterlassen. Weil sie nach dem großen Führer benannt gewesen war, hatte man sich beeilt, sie schnell wiederaufzubauen, und Мамаев курган, die Kolossalstatue »Mutter Heimat ruft«, in einen Hügel in der Mitte der Stadt gerammt. Die Mutter Heimat war fast so groß wie die Freiheitsstatue auf Ellis Island, mit Brust raus, Mund auf, Schwert hoch. Drum herum Gräber der gefallenen Soldaten, das ewige Feuer, das ewige Erinnern, ein sowjetisches Disneyland aus Unmengen Beton.

Emma und Daniil bekamen ein Zimmer in einem Wohnheim, das zur Medizinischen Universität gehörte, am Stadtrand, mit einem Bett für eine Person und einem Fenster, das genauso groß war wie das Bett, und sonst war da nichts, als das junge Paar einzog. Von diesem Zimmer gibt es keine Fotos, nur die Erzählung, wie Daniil zwei Monate vor dem Geburtstermin die sich vor Schmerzen krümmende Emma auf dem Boden fand. Er rief einen Notarzt, der mit ihnen von Krankenhaus zu Krankenhaus fuhr, weil es keine freien Betten gab, und sie erst im dritten einlieferte, Emma war da schon ohnmächtig. Man vermutete etwas mit dem Ungeborenen in ihr, man hatte sie gewarnt, sie solle mit ihrer labilen Gesundheit keine Schwangerschaft riskieren, Daniil hielt während der stundenlangen Fahrt von einem Krankenhaus zum nächsten ihre Hand und behauptete im Nachhinein, Emma wurde nur gerettet, weil die Ärzte in der Gynäkologie der dritten Klinik wussten, wer Emmas Vater war, und ahnten, dass es nicht gut für sie ausgehen würde, wenn die Tochter des großen Professors Farbarjewitsch auf ihrem Operationstisch wegstürbe.

»Sonst hätten sie noch einen Tag gewartet, bis sie sie überhaupt untersucht hätten! Ich habe es gesehen, sie standen rauchend im Flur und haben sich unter den Arztkitteln angefasst«, sagte Daniil mit feuchten Augen. »Sie hätten gar nichts gemacht, wenn ich nicht rumgeschrien hätte! Und dann –«, er hielt inne und hustete.

Emma schob ihm ein Glas mit warmem Wasser hin und sagte: »Du trinkst ja gar nicht, du trinkst zu wenig, warum trinkst du nicht?«

Er schüttelte den Kopf, mit der Hand vor dem Mund, lachte, kicherte, es klang wie das Hecheln eines Hundes, und sagte: »Nun lass mich doch erzählen.«

Dann schaute Emma gedankenverloren aus dem Fenster, und ihr Gesicht war ganz offen wie Schmetterlingsflügel, die breiter waren als ihre Wangenknochen.

»Ist dir kalt?«, fragte Daniil sie.

»Ja, mir ist kalt, hast du die Heizung runtergedreht?«

»Nein, ich habe die Heizung nicht runtergedreht. Du?«

»Nein, ich habe die Heizung nicht runtergedreht, aber warum ist es so kalt hier?«

»Mir gefällt es nicht, dass du nicht isst, Liebes.« Daniil schaute mich an und beugte sich nach vorne über den Tisch. »Gibt es nichts hier in der Wohnung, was du magst? Ich mache was für dich, lass mich etwas für dich finden, wir müssen doch irgendetwas im Kühlschrank haben, was du essen möchtest, willst du getrocknete Aprikosen?«

Ich schluckte. Ich sah mich selber, wie ich mich damals mit zehn heimlich an den getrockneten Aprikosen in der Küche bediente. Ich hatte mich auf einen Karton gestellt und griff nach ganz hinten in den Schrank, wo Emma sie vor mir versteckte: »Die sind gut für Danjas Herz. Ich habe sie für ihn gekauft, fass sie nicht an, wenn du was Süßes willst, nimm die Karamellen.«

Mir wurde klar, dass Emma und Daniil die ganze Zeit gewusst hatten, dass ich sie ihnen geklaut und, was nicht in den Mund passte, in die Hosentaschen gestopft hatte.

»Darf ich dir einen Kaffee machen?«, fragte ich Danja und schaute vom Tisch hoch, der mit Fotos übersät war.

»Ich mache mir selber einen, bleib sitzen.« Er stand auf und schlurfte in die Küche. »Erzähl mir noch mal von diesem Buch, das du gerade liest«, rief er durch die Tür.

Ich schaute meine Großeltern an, wie sie verlangsamt durch den Raum gingen, an der Heizung drehten, die Gardinen hin und her schoben, sich die Hände auf die Schultern legten. Nachdem sie sich mir offenbart hatten, sich vor mir über die Deutungen ihres Lebens gestritten hatten, über ihre eigenen Stationen gestolpert waren, hatte ich das Gefühl, dass ich es ihnen schuldig war, etwas über mich zu sagen. Nicht wieder ablenken mit Gesprächen über Bücher. Ich wollte etwas zu dem sagen, was ich in Istanbul gemacht hatte, wie ich nach Anton gesucht hatte. Und auch zu meinem Bart. Sie wussten nichts, und das war meine Schuld. Über mich zu sprechen, war lange so abwegig gewesen, wie Daniil und Emma zu fragen, warum der Sozialismus gescheitert war, es gibt Dinge, über die spricht man nicht. Aber ab jetzt war es anders. Diese distanzierten, höflichen Menschen, mit den breiten, offenen Gesichtern und den stechenden, verunsicherten Augen, mit denen ich aufgewachsen war, die ich über Politik habe weinen sehen und über die Zahlungen des Sozialstaates auf ihr Konto, hatten etwas von sich preisgegeben, hatten mir Pfade gelegt und saßen nun nackt vor mir, während ich mich fühlte, als würde ich mich verstecken hinter dem, was sie glaubten von mir zu wissen. Ich war vom Bosporus wiedergekommen als eine Version von mir, die sie nicht kannten und auch nicht hinterfragten, oder falls sie es jemals getan hatten, dann hatten sie es mich nie wissen lassen. Sie nahmen mich als etwas Bekanntes, das eine neue Fassade trägt, ich wusste nicht, ob sie dachten, ich sei einer der neuen Moden gefolgt und dahinter verberge sich noch immer die alte Version von mir.

Und vielleicht war ich auch nach wie vor die Enkelin, die sie kannten, und sah in ihren Augen wirklich nicht anders aus, weil nahe Verwandte immer eine jüngere Version von einem abspeichern und diese über den älter werdenden, sich verändernden Körper legen, der sie einmal im Monat, einmal im halben Jahr besucht. Vielleicht sahen sie mich noch mit schulterlangem Haar auf meinem Fahrrad sitzen und vor ihrem Fenster Runden drehen, den linken Arm ausgestreckt, mit Lücken zwischen den Zähnen, wie auf der Fotografie in der Glasvitrine hinter ihnen, neben dem Bild ihrer Tochter, das auch schon lange nicht mehr stimmte, daneben zwei Plastikhortensien und eine Menora.

Ich war es damals noch gewohnt, von mir außerhalb meiner selbst, von mir in der dritten Person zu denken, als einer Geschichte, die irgendwem gehört, also erzählte ich ihnen eine Geschichte und hoffte, dass sie mich aus meiner Entrückung wieder an sich heranziehen, mich drücken oder mich wenigstens ansehen würden, das wäre schon viel. Ich wusste, ich konnte nicht verlangen, dass sie diese Geschichte verstanden, aber sie hörten mir zu, als ich ihnen von Ali erzählte und wie sie zu Anton wurde.

Testo   Ali wohnte mit Elyas zusammen, seit sie nach Berlin gekommen war. Weit weg von den geschiedenen Eltern, einem erwachsenen Bruder, der wieder bei seiner Mutter eingezogen war, und einem Vater, der ständig anrief, um Ali Dinge auf den Anrufbeantworter zu sprechen, die sie nicht verstand, weil er betrunken war und lallte, oder sie löschte die Ansage, noch bevor sie sie zu Ende gehört hatte.

Sie hatten sich auf einer Party kennengelernt, beide mit einem Wodka in der Hand, beide mit schlechter Laune und in gutsitzenden Hemden. Die anderen Gäste waren eine Masse aus neonfarbenen Polyestertops, rosa Muskelshirts, schwarzen Lederschuhen mit abgeschnittenen Spitzen, ausgewaschenen Lastwagenfahrer-Caps auf ungekämmten, gepuderten Haaren, in gelben Gesichtern rote Lippen, orange Lippen, schwarze Lippen, Glitzerlippen, Ali und Elyas waren beide unabhängig voneinander angeekelt. Menschen rauschten an ihnen vorbei, fragten etwas, drehten Zigaretten, nippten an fremden Gläsern und verzogen die Lippen, wie sie es aus Filmen gelernt hatten, fühlten sich beobachtet, wurden beobachtet, brachten kein Wort raus und lachten. Ali und Elyas begegneten sich mit Blicken im Raum, die sich zögernd streiften, Elyas' Augen standen eng zusammen und zeigten wie Pfeile hinunter auf das Nasenbein, er trug eine kantige Hornbrille, wenn er lächelte, fuhren seine Ohren hoch. Ali hätte schwören können, dass er mit ihnen wackelte.

Der Rauch einer Wasserpfeife neben ihr stieg ihr in die Augen, sie blinzelte unkontrolliert, öffnete ihre Lippen, atmete tief ein, hustete und schaute zu der Rauchwolke um einen Pilzkopf, aus der die verfilzten Haare ragten wie die Beine einer fetten Spinne. Dann schaute sie wieder zu Elyas, er sah sie immer noch an. Sie steuerten aufeinander zu, langsam, nicht zielgerichtet, es gab kein Ziel, sie wussten nicht, was sie voneinander wollten, das Übliche jedenfalls nicht. Sie tanzten seitlich an der Wand entlang, bewegten Ferse, Ballen, Ferse, Ballen in des anderen Richtung, und kurz bevor sich Elyas zu Ali umdrehte, sprang eine Frau zwischen sie, und Ali hatte unwillkürlich ihren Po in der Hand, während ihr freier Bauchnabel sich an Elyas' Gürtelschnalle schmiegte. Alis Hand zuckte zurück, sie wischte sie am Hosenbein ab, fluchte, stellte ihr Glas auf den Boden und suchte die Gastgeberin, um sich zu verabschieden. Durch die neonfarbenen Polyestertops drängte sie sich nach draußen, im Flur vor der Eingangstür schielte ein Junge ohne Augenbrauen nach ihr, kaum volljährig, ein Kopf wie eine polierte Kugel, seine Glatze lehnte am Türrahmen. Als Ali versuchte, den Türgriff zu ertasten, fasste er in Alis Haare und schloss die Finger zur Faust, er sagte etwas, was Ali nicht hören konnte, sie holte aus, soweit es in dem Gewusel ging, und schlug dem Jungen ins Gesicht. Er heulte auf und fing an zu weinen, irgendwer schrie und brachte den Kleinen ins Bad, irgendwer schubste Ali, sie sah nicht mehr viel, sah Elyas' Augen, spürte seine Hand an ihrer, spürte, er zog sie in einen leeren Raum. Sie legten sich aufs Bett, sie konnten hören, dass man nach Ali suchte. Irgendwer klopfte an die Zimmertür, sie rollten, ohne sich abzusprechen, unter das Bettgestell und zogen die Bettlaken wie Gardinen zu. Ihre Augenpaare leuchteten zwischen den Staubmäusen. Elyas' Brille rutschte ihm unter die Nase, er nahm sie ab. Eine Staubmaus sprang Ali ins Gesicht, sie nahm sie zwischen die Finger. Elyas schnappte sich auch eine und versuchte, sie wegzupusten.

»Ich mag das.«

»Was? Staub?«

»Ja.« Ali drehte sich auf den Rücken und schaute auf den Lattenrost, durch den sich das Fleisch der Matratze drückte.

»Ich bin allergisch.«

»Ich mache keine Mund-zu-Mund-Beatmung.«

»Ist okay.«

Sie atmeten nebeneinander, unschlüssig, ob sie sich küssen sollten oder nicht, weil ihre Bedürfnisse so unterschiedlich waren, aber was sie stattdessen machen sollten, wussten sie nicht. Küssen wäre sicherlich einfacher gewesen.

»Mein Vater ist oft zurück nach Russland gefahren, um seine Eltern zu besuchen, und immer bevor er aus Moskau wiederkam, mussten wir die komplette Wohnung putzen, bis sie glänzte, und er hat trotzdem immer irgendwo etwas gefunden. Der ging durch die Zimmer, hatte noch seine Reiseschuhe an, mein Bruder und ich ihm hinterher, mein Bruder hat voll gezittert. Und der Typ legte seinen Finger in jede Rille, stellte sich sogar auf die Zehenspitzen und fuhr oben am Türrahmen entlang«, Ali fuhr mit ihren Nägeln durch die Rillen zwischen den Dielen, auf denen sie lagen, »schaute dann auf seine Fingerkuppen und hielt sie uns unter die Nase.«

Sie fühlte spitze Steinchen und eingetrockneten Staub und kratzte ihn sich unter die Nägel. »Türrahmen oben – da kommt ein Kind gar nicht hin.« Sie atmete flach, die Staubmäuse wirbelten trotzdem herum. »Da kommt ein Kind gar nicht drauf. Oder?«

Elyas legte beide Hände unter seine Wange und hörte zu.

»Ich habe, glaube ich, seit ich ausgezogen bin, nie wieder Staub gewischt, werde ich auch nie wieder tun.«

Ali fühlte das Blut in ihren Kopf schießen, sie wusste nicht, warum sie das erzählte, sie sprach nie von ihrem Vater, schon gar nicht auf Partys, schon gar nicht unter dem Bett mit einem Fremden, dessen Ohren grenzenlos schienen.

»Kann ich dich was fragen?«

Elyas lag da mit angezogenen Knien und bewegte sich nicht.

»Kannst du mit den Ohren wackeln?«

Sie verabschiedeten sich am frühen Morgen vor einem Foto-Fix-Automaten, in dem sie zuvor Grimassen geschnitten hatten, ganz benebelt vor Müdigkeit, mit einer Plastikpistole, die Ali sich auf dem Weg hinaus aus der Wohnung gegriffen hatte, um sich die anderen vom Leib zu halten. Elyas hatte sich eine Sonnenbrille geschnappt. Auf dem Metallhocker im Fotoautomaten war nur Platz für eine Person, also hielten sie sich aneinander fest, kletterten aufeinander, das Blitzlicht der Kamera hielt sie wach. Dann fielen sie aus der kleinen Butze in die Morgenkälte, sahen sich gegenseitig auf die Füße, ihre Körper beugten sich nach vorne wie Grashalme, sie lehnten Stirn an Stirn und wären beinahe so im Stehen eingeschlafen, während der Automat den Fotostreifen mit ihren Grimassen föhnte. Eine Woche später zog sie bei ihm ein. Staubmäuse blieben ein Thema.

Ali kam mit zwei Mülltüten voller Klamotten und Comics. Die Wohnung war groß und leer, man konnte in sie reinschreien, und es hallte zurück. Elyas saß am anderen Ende des Flurs auf dem Boden und schraubte an der Tür herum.

»Ich repariere gerade deine Klinke.«

Die rechteckige Fünfzehn-Quadratmeter-Box, die ihr Zimmer wurde, hatte ein großes Fenster, das in den Hof hinausging, unter ihr war ein Kindergarten, der Geräuschpegel war so hoch wie an einer Autobahn. Sie schaute hinunter auf die über den Rasen flitzenden Köpfe und steckte sich eine Zigarette an, aschte hinunter, schaute.

Das Zimmer war bis auf eine Matratze leer, und so beließ sie es. Sie stapelte Umzugskisten aufeinander, in ihre aufgerissenen Bäuche stopfte sie Socken, Shirts, Unterwäsche und Hosen, hängte einen Vorhang drüber, damit nicht jeder sah, dass sie alles nur in den Farben Schwarz bis Dunkelblau variierte, und aschte auf den Boden. Elyas bot immer wieder an, mit ihr Möbel suchen zu gehen, aber sie legte eine Holzplatte auf zwei Schubladenschränke und hatte damit ihren Tisch. Auf den kam der kristallene Aschenbecher mit einem versilberten Knauf zum Zigarettenausdrücken, den sie von Elyas als Einzugsgeschenk angenommen hatte. An den Wänden gab es keine Lesezeugnisse, keine Freundschaftszeugnisse. Sie behielt die Matratze, die auf dem Boden gelegen hatte, als sie eingezogen war, und liebte die verlässliche Leere, die ihr Zimmer ausstrahlte. Wenn sie wegging, vermisste sie das Zimmer nicht, wenn sie wiederkam, grüßten sie einander höflich und verfielen dann in ein leidenschaftliches Miteinander, wie Geliebte, die sich nur zum wortlosen Sex treffen. Ali schmiss sich auf die Matratze, ihre Schulterblätter bohrten sich fast durch bis zum Boden, und sie wetzte mit ihrem Rücken hin und her, als würde sie sich in das Zimmer eingraben.

Sie hatte nicht grundsätzlich etwas gegen Möbel, sie kaufte Geschirr für die Wohnung, suchte Stühle vom Sperrmüll zusammen, zog mal ein halbes Sofa auf Rollen durch die Stadt und hievte es ins Wohnzimmer. Für die Küche kaufte sie einen Tisch im Secondhand-Laden und ölte sogar die Platte. Man konnte in den Ritzen trotzdem die Spuren ihrer und Elyas' Gewohnheiten ablesen – Wachs, das über leere Whiskyflaschen getropft war, die als Kerzenständer dienten, dazu Amarantreste und Zigarettenasche, ein schwarzer Strich, der auch mit einem rauen Schwamm nicht mehr rauszuwischen war und Ali immer an das erinnerte, was sie auf diesem Tisch mit Michal getrieben hatte, als Elyas plötzlich nach Hause gekommen war. Er hatte ihr damals so diskret wie möglich zu verstehen gegeben, dass sie wenigstens die Tür zumachen sollte. Sie sagte: »Musst erst die Türklinke reparieren.«

Elyas ging frühmorgens arbeiten und kam spätabends wieder, und wenn sie sich bis dahin nicht aus ihrem Zimmer bewegt hatte, warf er ihr seine Autoschlüssel auf den Bauch.

»Na, wenigstens ist sie braun geworden.«

Auf dem Tisch stand eine Packung Profiterol. Cemal und Elyas saßen am mit Efeu zugewachsenen Fenster und tranken Çay. Cemal rauchte, Elyas schaute durch den Rauch zu Ali, die den ganzen Weg von Karaköy bis hierher zu Fuß gelaufen war, weil der Nachmittagsverkehr die Straßen dichtgemacht hatte. Sie hatte dort unten, in den Antiquitätenläden von Karaköy, Fotos von sich in die Kisten mit Postkarten und alten Fotografien gemischt in der Hoffnung, Anton würde irgendwann dort vorbeikommen, darin rumwühlen, sie, also sich selber, auf den Fotos erkennen und verrückt werden.

Ihre Schläfen pochten vor Hitze, Wasser lief ihr über die Stirn in die Augen.

»Was machst du hier?«, fuhr sie Elyas an, als er aufstand und auf sie zuging, als wäre es das Natürlichste auf der Welt.

»Ist sie nicht herrlich? Was habe ich dir gesagt?« Elyas schaute zu Cemal rüber.

»Zu mir ist sie netter, muss ich sagen.« Cemal lächelte.

Elyas legte die Arme um Ali, durch den schweißnassen Stoff spürte sie seine Hände auf den Schulterblättern, er küsste ihre Schläfe. Sie wand sich heraus und blinzelte.

»Es gibt nirgendwo so gutes Profiterol wie hier, ich hatte plötzlich Lust drauf. Also dachte ich, ich komme kurz vorbei.« Elyas setzte sich und goss Ali Tee ein, lud sie mit einem Blick ein, sich zu setzen. Ali sah zu Cemal rüber.

»Kann ich mir eine Zigarette drehen?«

Cemal schob ihr das wellige Päckchen Tabak hinüber und kramte nach den Blättchen, die so dünn waren, dass sie Ali immer wieder rissen, weil sie mit zu viel Spucke über den Klebestreifen leckte, auf der Verpackung arabische Zeichen. Sie zog die Augen zusammen und versuchte, sich auf das Drehen zu konzentrieren.

»Es ist meine Schuld, dass Elyas da ist. Ich habe ihm gesagt, dass er nach dir gucken soll.«

Cemal schaute mit hochgezogenen Augenbrauen und offenem Mund zu Ali, als hätte er ihr die beste Botschaft der Welt mitgeteilt. Und weil Ali nichts sagte, nur ihre Zigarette anzündete und weiter schaute, schob er hinterher: »Ich habe ihm erzählt, dass du nachts weinst, wenn du denkst, dass alle schlafen.«

Elyas steckte seinen Löffel in den mit Schokolade überzogenen Windbeutel auf dem Teller vor ihm.

»Onkel hat gepetzt. Du weißt doch, der Familie darf man niemals trauen.« Er kaute laut.

»Cemal hat dich verarscht. Das kann er gar nicht wissen, ich schlafe nie hier.« Ali spuckte Tabak auf den Boden, zog sich die aufgeweichten Papierfetzchen von der Zunge.

»Doch tust du, kuşum, was erzählst du, hier auf diesem Sofa, und dann miaust du wie eine Katze, die man am Schwanz zieht.«

»Nein, tu ich nicht, ich schlafe nie hier, weil du Bettwanzen hast, und davon kriege ich Ausschlag und rote Punkte und muss mich blutig kratzen, das ist ekelhaft, ich ekele mich vor diesem Sofa. Ich würde hier nie schlafen.«

Cemal entfuhr ein leises Röcheln, er zog die Luft ganz hinten durch seine Kehle und stand auf. »Ich gehe mal«, sagte er und hustete. »Ich gehe mal deiner Mutter sagen, dass du gut angekommen bist. Das hast du doch sicher noch nicht gemacht?«

Elyas schaute zu seinem Onkel hoch, seine Backen aufgebläht von der Vanillecreme, und schüttelte den Kopf, dann lächelte er, und Cemal lächelte zurück. Ali sprang auf, küsste

Cemal auf beide Wangen und murmelte: »Grüß Sibel von mir, wenn du mit ihr sprichst.«

Ali kannte Elyas' Mutter von ihren Besuchen in der gemeinsamen Wohnung, bei denen sie den Kindern, die schon längst keine mehr waren, Schnittchen mit Kresse und Tee, der zu stark war, auf den Küchentisch stellte und keine Widerrede duldete. »Ihr könnt machen, was ihr wollt, aber ihr müsst essen.« Abgesehen davon war Sibel die zarteste aller Mütter, sie hatte klare, strahlende Augen unter Lidern wie aus Papier, und ihre Körperhaltung war die eines Mädchens geblieben. Ali hatte ihr Alter nie schätzen können und hatte nie danach gefragt. Dieses Mädchen war als Mädchen nach Westdeutschland gegangen, um in der Fabrik zu arbeiten, und hatte als eine der Ersten im Heim die fremde Sprache gelernt, womit ihre Rolle als Übersetzerin für alle Nachbarinnen auf der Etage besiegelt war. Sie ging mit ihnen einkaufen, zu den Behörden, zu Anwälten, zum Arzt, sie teilten mit ihr ihre intimsten Geheimnisse und Beschwerden, ob es der Stuhlgang war oder ein Ausschlag am Hintern oder der Ehemann. Darüber unterhielten sich Sibel und Ali oft. Ali hatte dasselbe getan in ihren Jahren im Heim, als sie mit den Alten auf ihrer Etage nicht nur in das Arztzimmer mit hineingegangen war, sie musste sich auch vorher im Warteraum alle Geschichten über ihr Leben anhören, weil die Alten dachten, das Mädchen sei zu klein, um sich das Wort Vaginismus zu merken.

Sibel erzählte, wie sie Deutsch lernte, indem sie unanständige Sachen im Wörterbuch nachschlug, um für die anderen Arbeiterinnen Liebesbriefe zu schreiben, und Ali erzählte, dass sie die Damen manchmal zum Friseur begleitet hatte und stumm zusah, wie sie auf ihre kahlen Platten zeigten und zu erklären versuchten: »Meine Haare sagen auf Wiedersehen.«

Immer bevor Sibel kam, schrubbte Elyas die Wohnung, er beschimpfte Ali wegen der Staubmäuse, die aus ihrem Zimmer krochen, Elyas fuhr immer wieder mit dem Staubsaugerkopf gegen Alis Tür und bat sie, die Musik leiser zu drehen. »Wenn Sibel da ist, bin ich das beste Kind der Welt. Besser als du. Aber jetzt lass mich.«

»Sie liebt dich eh mehr als mich, kannst du dann nicht wenigstens den Abwasch machen?«

»Kann ich ein frisches Hemd von dir haben? Dann ja. Meine sind alle in der Wäsche.«

Wenn Sibel mit einem Karton voller Eclairs in der Hand vor ihnen stand, schob Elyas Ali mit der Hüfte weg und umschlang seine Mutter als Erster, seine Arme wickelten sich zweimal um sie, er hob sie vom Boden hoch, und sie schrie auf.

Ali und Elyas wuchsen an der Mutter, an den Hemden und den Staubmäusen zusammen, bis keiner von ihnen mehr wusste, was es außerhalb ihrer noch gab, und erfanden eine eigene Sprache, die ohne viel Worte auskam.

»Ist das mein Hemd, das du da anhast?«, fragte Elyas, als Cemal gegangen war.

Ali schaute an sich hinunter, dann auf ihre Unterarme, sie waren tatsächlich sehr braun geworden, dann aus dem Fenster, die Efeublätter schützten vor Licht.

Sie saßen lange da, Ali hätte schwören können, dass sie eine Uhr ticken hörte, aber es war nur ihr eigener Atem. Elyas rutschte an sie ran, hatte noch Creme in den Mundwinkeln, Ali neigte ihren Kopf zur Seite, Elyas auch, sie lehnten Scheitel an Scheitel, dann legte sie ihre Locken in sein Schlüsselbein und kratzte mit den Zähnen an den Bartstoppeln an seinem Kinn, biss zu. Er schupste sie, und sie fiel fast vom Stuhl. Dann kletterte sie auf seinen Schoß und malte mit ihren Augen Ornamente an die Decke. Elyas legte die Hand auf ihre Augen, und es wurde dunkel und kühl. Dann zog sie ihn wie eine Decke über sich. Irgendwann sagte er: »Lass uns rausgehen.«

Sie schlenderten über die İstiklal, bogen in einen Hinterhof, vollgestellt mit geflochtenen Möbeln, auf denen Menschen so tief saßen, als würden sie ihren Tee in der Hocke trinken. Kellner mit silbernen Tabletts voller Teegläser wuselten in der Menge herum und fragten schreiend, wer Nachschub brauchte. Sie setzten sich nebeneinander, Elyas folgte mit den Augen Alis Blick, der das Gewusel der Kellner verfolgte wie ein Billardspiel. Große rote Kugel flog nach rechts, streifte einen Touristen, der sich an seine Plastiktüte klammerte und ängstlich hochschaute, eingelocht. Große grüne Kugel rollte nach hinten, holte ein Tablett voller Teegläser, prallte ab, kehrte zurück zur Ausgangsposition, eingelocht. Große schwarze Kugel stand unbeweglich in der Mitte des Hofes und gestikulierte mit den Händen, als wäre sie unter Wasser.

»Na sag schon irgendwas«, sagte Ali wie vor sich hin.

»Was willst du hören?«

»Deine Stimme will ich hören.«

»Hast du hier jemanden?«

»Das ist deine erste Frage?«

Ali schälte das Stück Würfelzucker aus dem Papier und warf es ins Teeglas. Sie nippte vorsichtig an der braunen Flüssigkeit und warf noch eins hinein.

»Keine Ahnung, wir können auch darüber reden, seit wann du deinen Tee mit Zucker trinkst.«

»Ja.«

»Ja, du hast hier jemanden, oder ja, lass uns über Zucker reden?«

»Ja, ich habe hier jemanden.«

»Einen Er oder eine Sie?«

»Seit wann spielt das für dich eine Rolle?«

Ali schaute in Elyas' hageres Gesicht, das plötzlich auch das eines Greises hätte sein können, es war eingefallen an den Wangen, er hatte einen silbernen Schimmer im Bart und an den Schläfen. Sie fragte sich, ob sie auch schon graue Haare bekam. Und wie lange sie schon in Istanbul war, dass sie nicht bemerkt hatte, wie ihr bester Freund ergraute. Seine Ohren waren größer geworden.

Elyas bemerkte, dass Ali auf die weißen Fäden in seinen Haaren starrte, und strich sich die Strähnen hinter die Ohren.

»Es spielt eine Rolle.«

»Welche?«

»Damit ich weiß, wie ich fragen kann, ob ER so wichtig ist, dass du nicht wiederkommen willst. Oder ob SIE so wichtig ist.«

»Eine grammatikalische Frage?«

»Genau.«

»Bist du gekommen, um mich zurückzuholen?«

»Möchtest du gern, dass ich dich zurückhole?«

»Seh ich so aus?«

Sie starrten einander an. Ali wusste, dass Elyas in ihrem Gesicht das Gesicht von Anton und das von Valentina sah wie Schatten. Vermutlich hatte Valentina ihn angerufen, ihn gebeten, sie zu finden, sie zurückzubringen, wenn schon das eine Kind verlorengegangen war, konnte man nicht auch noch das zweite verlieren. Und Elyas hatte ihr vermutlich etwas versprochen, weil er wusste, dass Istanbul ansteckend ist, natürlich wusste er das, das Istanbul-Gefühl war schlimmer als Wüste.

»Wir können heute noch in die Maschine steigen. Ich habe alle Türklinken repariert.«

»Glaube ich nicht.« Ali zog ihre Mundwinkel hoch.

»Warum nicht?«

»Weil in dieser Bruchbude die Türen eh alle auseinanderfliegen.«

»Du weißt, was ich meine.«

»Du weißt auch, was ich meine.«

»Gibt es drüben wirklich nichts, was du vermisst?« Elyas schaute sie nicht an.

»Kann ich dich was fragen?«

Ali nahm Elyas' Hände, raue, knochig gewordene Hände, Sibel ist schon lange nicht mehr mit den Eclairs vorbeigekommen, dachte sie und legte ihr Gesicht in seine Handteller.

»Ein ER oder eine SIE?«

»Was?«

In Elyas' Händen fühlte Ali, wie schwer ihr Kopf war, das Kinn füllte die Falte zwischen seinen kleinen Fingern, ihre Wangen brannten vor Hitze, die Haut unter den Augen spannte.

»Wenn du mich anschaust – bin ich ein ER oder eine SIE?«

»Ali, was soll das?«

Ali schob Elyas' Hände weg, lachte auf und ließ die Finger knacken. Sie schaute wieder zu den Kellnern, den vielen, viel zu vielen jungen Männern, die aus den Dörfern in diese Stadt gekommen waren, um Arbeit zu finden, welche auch immer, und zu fünft an einem Besenstiel hingen, so hätte man das im Sozialismus genannt, der eine Kellner hatte das Gesicht von Marx auf den Handrücken tätowiert. Sie liefen viel zu oft mit ihren riesigen Tabletts voller bauchiger Teegläser zwischen die hockenden Gäste und rissen ihnen ihren noch nicht ausgetrunkenen Tee aus der Hand: »Ist schon kalt geworden, hier dein neuer, mein Freund.« Zwei der Kellner zankten sich, der eine kickte plötzlich sein Bein hoch und traf den anderen am Brustkorb, er flog in die Menge der Teetrinkenden wie auf eine weiche Matratze.

Ali sprang auf, Elyas sagte noch etwas wie »nein« oder »geh da nicht hin« oder einfach nur »Ali«, aber das hörte sie schon nicht mehr richtig, sie stellte sich vor den jungen Mann, der zu Boden gegangen war, damit er dem anderen nicht den Hals umdrehte. Andere waren aufgesprungen, ein ganzer Ameisenhaufen zerrte an den Streitenden, die von dem Geschrei angestachelt wurden und so noch heftiger aufeinander loszugehen versuchten. Ali hielt jetzt den einen fest, jemand hielt Ali fest, Elyas blieb sitzen. Aus dem Teehaus kam mit langsamen Schritten ein älterer Mann, er knetete ein Tesbih, redete ruhig auf die beiden jungen Männer mit Köpfen rot wie geplatzte Tomaten ein, sie hörten nicht, sie kickten weiter ihre Beine in die Luft, und Ali wendete bei dem, den sie festhielt, einen Hebelgriff an.

Elyas sah ihr zu und dachte an die Zeit, als Ali ihr Mathematikstudium für das Boxtraining hatte sausen lassen: »Entweder oder. Du kannst nicht fünfmal die Woche zum Sparring und dann noch abends pauken«, hatte sie damals mit Nachdruck am Küchentisch verkündet, als hätte er eine Erklärung von ihr verlangt. Einmal kam sie grün und blau nach Hause und erzählte, dass sie ihren Ausbilder so lange provoziert hatte, bis er sie am Kragen gepackt und zwanzig Zentimeter vom Boden hochgehoben hatte. Sie sagte ihm ruhig und verächtlich, »lass mich runter«, und er schleuderte sie gegen die gepolsterte Wand des Sportstudios. Das bedeutete keineswegs das Ende ihrer Boxfreundschaft, ganz im Gegenteil, von da an vögelten sie nur noch hemmungsloser in den Umkleidekabinen, im Treppenhaus des Studios, sogar unter der Männerdusche, in die Ali keine Hemmungen hatte reinzugehen, mit nichts bekleidet außer ihren Flip-Flops. Und es war egal, wie oft Elyas versuchte, Ali davon zu überzeugen, dass es vielleicht nicht die einzige Möglichkeit war, Zuneigung zu bekommen, sich gegen Wände schleudern zu lassen, er hatte das Gefühl, je mehr er auf sie einredete, desto zahlreicher waren die blauen Flecke, mit denen sie nach Hause kam.

Die geplatzten Tomatengesichter schienen sich beruhigt zu haben, die Rangelei war vorbei, Ali kam keuchend zurück an ihren Tisch und strahlte. Ihre Locken waren zerzaust, das Hemd an der linken Schulter aufgerissen.

»Ich habe keine Ahnung, wem du was beweisen willst. Deine Mutter macht sich Sorgen, ich mache mir Sorgen, Cemo macht sich Sorgen, du pfeifst auf uns alle, machst, was du willst, stellst bescheuerte Fragen«, Elyas kramte nach Kleingeld in der Hosentasche, »ich weiß nicht, was das hier alles soll.«

»Gehst du jetzt?«

»Ja.« Er warf die Münzen auf den Tisch, ein paar rollten runter.

Ali hob sie auf und legte sie auf die Untertasse. Sie griff nach Elyas, zog an seinem Hosenbein, befühlte seine Kniekehle.

»Mach das nicht.«

»Ich soll nicht gehen?«

»Sei nicht sauer auf mich.«

»Ich bin nicht sauer.«

»Bitte, bitte, sei nicht sauer.«

Er konnte an ihrer Stimme hören, dass sie weinte, aber er traute sich nicht, sie anzuschauen. Er setzte sich wieder auf den Hocker und starrte vor sich hin.

Ali wischte in ihrem Gesicht herum und versuchte, sich gleichzeitig eine Zigarette zu drehen.

»Du weißt doch, warum ich hier bin.«

Elyas konnte hören, wie ihre trockenen Lippen aneinanderpappten und sie sie wieder auseinanderriss.

»Es ist nicht deine Schuld«, sagte er irgendwann.

Elyas' Handrücken berührte Alis, sie reichte ihm ihre Zigarette, er hasste den Geschmack von Rattengift auf der Zunge, aber nahm ein paar kräftige Züge, drückte die Zigarette im Kieselboden aus, und am nächsten Morgen flog er zurück.

Gizli Bahçe lag in der Nevizade, man musste sich durch ein Meer aus Köpfen drängen, um durch die schmale Passage zu kommen. Katho hatte die Hand auf Alis Schulter gelegt und schob sie beide durch die Menge, er dachte gar nicht daran, auf die Tische Rücksicht zu nehmen, die mitten auf der Straße standen, rempelte Trinkende an und flüsterte Ali ins Ohr. Zwischen Jungs in Bomberjacken, die auf ihren Handys Krieg spielten, zwängten sie sich in einen schmalen Hauseingang und lachten die schmale Treppe hinauf. Elektronische Musik, Menschen in engen Jeans und weiten Pullovern, mit neonfarbenen Mützen und dunklen Sonnenbrillen, eine Schar von wippenden Körpern, alle schienen an einer Zigarette zu ziehen, durch einen Strohhalm zu trinken. Wie ein Fenster nach Berlin, dachte Ali und ging an die Bar. Katho verschwand hinter dem DJ-Pult, ein Freund von ihm legte auf, Küsschen rechts, Küsschen links, Po an Po, und sie tanzten. Ali schaute durch die verrauchte Luft über die Tanzfläche, als sie eine Hand an ihrer Wirbelsäule spürte. Eine kalte, schmale Hand in ihrem Oberteil, das auf dem Rücken einen weiten Ausschnitt hatte, die Hand war im Ausschnitt, fuhr ihr über die nackte Haut und kniff sie in die Taille.

»Hi«, sagte die Frau, zu der die Hand gehörte. Lange, blonde Strähnen fielen ihr über die orangefarbenen Lippen, sie war so dünn, dass Ali fast glaubte, sie wäre eine Skizze von einem Menschen.

»Hi«, sagte sie.

»Bist du allein hier?«

»Nein, mein Freund ist auf der Tanzfläche.«

»Ah, dein Freund«, das Mädchen zog das Wort wie eine Beleidigung in die Länge, ließ sich aber nicht abbringen: »Meine Freundin kommt erst nächsten Monat nach Istanbul, sie ist Belgierin, ich vermisse sie ziemlich, weißt du. Du siehst ihr übrigens ähnlich, bist du Belgierin?«

»Nein.«

»Was bist du dann?«

Ali überlegte, was schneller gehen würde, mit dem Mädchen auf die Toilette zu gehen oder ihr zu erklären, dass sie kein Interesse hatte.

»Rate.«

»Spanierin?«

»Ja. Richtig.«

»Wow, das ist ziemlich toll. Kannst du mir was auf Spanisch sagen?«

»Иди на хуй!*«, fluchte Ali in einer sanften Tonlage.

»Das klingt so schön!« Die Augen der jungen Frau hefteten sich auf die Muttermale an Alis Hals. »Und dein Freund, ist er auch Spanier?«

»Nein, der ist Tunesier.«

»Habt ihr euch hier in Istanbul kennengelernt?«

»Nein, im Irak.«

»Seid ihr bei einer NGO oder so was?«

»Genau.«

Die Musik schützte. Ali sah den orangefarbenen Mund und wie er sich vor ihrem Gesicht öffnete, aber was rauskam, waren Beats. Sie drehte sich zum Barman um und schrie nach Wodka Tonic, da sah sie ihn im Spiegel über den Spirituosen.

Zwischen der Talisker- und der Lagavulin-Flasche sah sie Antons Gesicht, das ihr Gesicht war, es bewegte sich im Profil durch den Raum. Sie sah, wie er an ihr vorbeiging, sah sich selbst, wie sie sich hinter ihrem eigenen Rücken durch die volle Bar nach draußen drängte. Sie fuhr herum.

»Ey, was ist los?«, schrie der orange Mund. Ali stieß sie weg, stürzte aus der Bar ins Treppenhaus, es war leer, dann auf die Straße, riss den Kopf herum, lief los, fiel über die Tische in

* Verpiss dich!

226

der Nevizade, Kellner halfen ihr hoch, redeten auf sie ein, sie riss sich los, in ihren Ohren rauschte es, sie lief vorbei an den Straßenarbeiterinnen mit Glitzerlidschatten, rutschte aus in der Fisch-Passage, stieß mit einem Vater zusammen, der seine Tochter auf den Schultern trug, er konnte das Kind gerade noch so halten, und fiel fast auf den Rost eines Maronenverkäufers, als sie über die İstiklal lief. Sie schrie »Anton!«, so laut sie konnte, Menschen drehten sich nach ihr um, die ganze İstiklal drehte sich nach ihr um. »Anton!« Sie lief und sprach mit ihm, während sie lief, sie sprach mit ihm auf Russisch.

»Подожди. Подожди. Подожди.« Warte. Warte. Warte.

Vor der Patisserie in Cihangir ging ihr der Atem aus, sie blieb stehen, vor ihren Augen verschwamm alles, sie war ins Nichts gelaufen. Ihr Hals brannte wie Feuer, sie riss sich mit den Zähnen die Haut von den Lippen, im Kopf drehte es sich, die Straße dehnte sich wie ein Bogen, ihr wurde schwarz vor Augen, sie setzte sich auf die Bordsteinkante und starrte auf die Moschee vor ihr. Jemand lachte.

»In jedem Witz steckt auch eine Portion Witz.«

Eine alte Frau, von Kopf bis Fuß in Tücher gewickelt, ein bunter, flimmernder Kokon, hatte sich neben Ali gesetzt und zählte Geldscheine.

»Pardon?«, fragte Ali.

»In jedem Witz steckt auch eine Portion Witz«, kicherte die Frau.

»Ich verstehe nicht.«

»Kannst du kein Türkisch?«

»Doch. Nein. Entschuldigung.«

»In Afrika sagt man, in jedem Witz steckt auch ein Witz. Und wo steckt dann die Wahrheit? Richtig. In Afrika.«

Ali wusste nicht, ob sie die Frau wegen der Tücher über ihrem Mund kaum verstand oder weil ihr schwindelig war.

»In Afrika erzählt man sich, ein junger Mann wollte eine

junge Frau heiraten«, die Alte schaute in die Menge der Menschen vor der Moschee wie in einen tiefen Tunnel, »doch der Vater des Mädchens sagte zu dem Kerl, du bist zu jung, was hast du schon gesehen, geh raus in die Welt und finde die Wahrheit, und wenn du sie gefunden hast, bring sie mir, zeig sie mir, und dann darfst du meine Tochter heiraten. Der junge Mann machte sich auf den Weg und suchte und suchte, er suchte hartnäckig, er suchte verzweifelt, er war davon überzeugt, dass sie irgendwo sein musste, er überquerte hundertvier Ländergrenzen, er trank aus hundertvierzig Flüssen, er sah Krieg, er sah Mord, er sah, wie die Menschen waren, wenn die Erde bebte oder wenn Feuer ausbrach, wie sie sich bekämpften, wie sie zu Wölfen oder zu Gazellen wurden, von Wölfen gejagt. Eines Tages setzte er sich gebrochen und müde an das Ufer des Angereb und begriff, dass er sich nicht mehr an das Gesicht seiner Liebsten erinnern konnte, nicht an ihre Hände und ihren Geruch, und dass er nichts mehr wollte auf dieser Erde als diese Erinnerung zurück. Da sah er, dass eine hässliche Alte am Wasser entlangging, in zerfetzten Kleidern, mit verfaulten Zähnen, Haarbüschel standen wie graue Wolle von ihrem Schädel ab. Sie stank nach verdorbenen Äpfeln, süßlich und faulig. Sie setzte sich zu dem jungen Mann, der jetzt nicht mehr jung, sondern alt aussah, faltig und düster, und er fragte sie, wer sie sei.

›Die Wahrheit bin ich‹, sagte die Alte.

›Die Wahrheit!‹ Der junge Mann sprang auf, plötzlich fiel ihm ein, warum er die Reise auf sich genommen hatte. ›Dann musst du mit mir kommen! Ich habe dich gesucht, und jetzt habe ich dich gefunden! Du weißt nicht, was ich durchmachen musste, um dich zu finden. Du musst mitkommen, und ich zeige dich dem Vater meiner Braut.‹

›Ich kann nicht mitkommen, mein Junge, tut mir leid‹, sagte die Alte.

›Aber du musst, fünfmal habe ich fast mein Leben verloren, und ich habe viele, viele ihr Leben verlieren sehen. Ich würde für dich sterben, verstehst du das? Aber ich kann dich nicht zwingen, mitzukommen.‹

›Das stimmt‹, die Alte überlegte. ›Und was passiert, wenn du mich dem Vater deiner Braut zeigst?‹

›Dann kann ich endlich heiraten.‹

›Willst du es denn noch?‹

Der junge Mann blickte auf den totenstillen Angereb und verstummte.

›Ich komme nicht mit, mein Junge, aber du kannst ihnen erzählen, dass du mich gesehen hast.‹

Der junge Mann stand auf und sah auf die Alte hinunter. Sie sah aus wie eine verschrumpelte Pflaume, und wenn sie sprach, bewegte sich ihr Gewand, als würden unter ihrer Haut Würmer kriechen. Aus ihrem Mund lief Speichel.

›Und was soll ich ihnen über dich sagen, wenn ich zurückkehre?‹

›Sag ihnen, ich bin schön‹, sagte die Alte. ›Sag ihnen, ich bin jung und schön.‹«

Der Kokon neben Ali verstummte. Sie schaute auf den mit Tüchern behängten Körper, dann auf ihre Hände mit den grünen und braunen Scheinen, die sie die ganze Geschichte über weitergezählt hatte.

»Ja, ja. Das erzählen sie sich in Afrika.«

Die Frau schaute Ali an, ihre Augen leuchteten auf, sie lachte wieder, ihr Körper beugte sich dabei nach hinten, da sah Ali, dass sie einen großen weißen Hasen in einem Käfig dabeihatte, auf dem Boden des Käfigs lagen bunte Lose. Sie war eine dieser Wahrsagerinnen, die von Café zu Café gingen und Touristen die Dienste ihres Hasen anboten. Er hüpfte auf Ansage über den Haufen bunter Schnipsel, wählte für die Kunden ein Los aus, und dieses offenbarte ihnen dann ihre Zukunft. Ali hatte es mit eigenen Augen gesehen. Sie war ein paar Mal diesen Wahrsagerinnen nachgelaufen in ihren ersten Wochen in Istanbul, weil sie sehen wollte, wie der Hase die Touristen verarschte und ob es tatsächlich Idioten gab, die sich darauf einließen. Gab es.

Die Wahrsagerin bemerkte, dass Ali auf das zerrupfte Tier schielte.

»Willst du Zukunft?«, fragte die Wahrsagerin.

Ali kramte in ihrer Jackentasche nach einem Schein und gab ihn ihr. Der Hase bewegte sich nicht.

Die Frau stand auf und nahm den Käfig.

»Komm mit.«

Ali sah sie von unten an.

»Komm.«

Sie gingen hinunter zum Wasser, bogen in eine Seitenstraße, die plötzlich aussah, als verliefe sie durch ein russisches Dorf, Ali hätte schwören können, dass es die Wolga war, die sich vor ihnen erstreckte, die Wolga mit einer großen Brücke auf die andere Seite, nach Asien, und ihre Datscha wäre gleich um die Ecke. Es roch nach Katzenpisse und Himbeersträuchern, sie hörte Antons Lachen und blickte sich um.

Die Wahrsagerin führte sie in eine weitere Seitengasse mit Zäunen aus Wellblech, sie hörte ein Rascheln, überall lungerten fingergroße Katzen, der Boden wimmelte nur so vor grauhaarigen Viechern, als würde er aus ihnen bestehen, sie scharten sich um sie, kletterten an Ali hoch und unter die Hose und ihr Hemd, fielen durch die Schlitze zwischen den Knöpfen wieder heraus. Die Wahrsagerin hob ihren Rock und zog ein kleines Messer hervor. Die Klinge blitzte nicht in der Dunkelheit, aber sie gab ein leises Metallgeräusch von sich. Die Wahrsagerin nahm Alis rechte Hand und schnitt ihr über die Handfläche. Ali wollte schreien, aber sie wusste nicht wie.

Blut tropfte auf den Boden, und die Alte sagte etwas, aber das verstand Ali nicht mehr.

Ali lief durch die Nevizade und hatte Angst, Gizli Bahçe nicht mehr wiederzufinden. Dann erkannte sie an der Reaktion der Männer in den Restaurants, dass sie hier vorbeigestolpert war, sie schnalzten mit der Zunge und machten Handbewegungen, als würden sie Fliegen vertreiben. Sie wusste nicht, wie lange sie ohnmächtig in der Straße in Cihangir gelegen hatte, wusste nicht, wie spät es war, stellte sich Kathos wütendes Gesicht vor, das vielleicht nicht mehr wartete. Sie fand den Hauseingang mit den Jungs in Bomberjacken und stieg die Treppe hoch, ihre Handfläche war blutig und brannte, sie wusste nicht, ob die Wunde vom Sturz kam oder von woher sonst, sie dachte, desinfizieren, mit Wodka desinfizieren.

Aus der Bar kam noch Musik, sie wollte schon die Tür zur Seite schieben, da sah sie Katho, er saß ein paar Stufen höher im Treppenhaus und schaute auf sie herunter wie ein Vogel. Seine Augen waren rot.

»Es tut mir leid, ich –«, setzte Ali an.

Katho schrie auf, ein hoher, vibrierender Ton, dann wurde das Schreien zu einem schrillen Stakkato, er riss den Mund auf und keuchte, Schweiß lief ihm übers Gesicht.

»Die haben mich, die haben, da war, auf der Toilette, ich bin auf die Toilette, die haben –« Und erst da sah Ali den lila Fleck unter seinem rechten Auge. Sie lief zu ihm hoch, umklammerte seine Schultern, er zitterte und übergab sich, sie hielt seine Stirn, gelbe Galle spritzte auf ihre Schuhe, er schrie.

Ali brachte Katho zu Onkel Cemal.

»Wir erstatten Anzeige«, sagte er und drückte Katho ein nasses Handtuch aufs Gesicht.

»Vorsicht, er erstickt noch.«

Katho lachte unter dem Handtuch, oder weinte, aber Ali glaubte, dass es Lachen war.

»Ich rufe morgen bei meinem Freund bei der Polizei an.«

»Ah ja, dein glorreicher Freund.«

»Was soll das denn heißen?«

»Nichts.«

»Bist du illegal hier?« Cemal schaute auf den zusammenge-krümmten Körper auf dem Sofa. Katho antwortete nicht.

»Lass ihn schlafen.«

Sie gingen in die Küche, die so schmal war, dass sie nur ne-beneinander stehen konnten, Ali setzte sich auf die Herdplat-te und zündete sich eine Zigarette an, Cemal nahm sie ihr aus dem Mund und zog dran.

»Ich habe dir gesagt, dieses Land ist eine Höhle voller wil-der Tiere.«

»Das hätte überall passieren können.«

»Ist es aber nicht, es ist euch hier passiert.«

»Ich war nicht dabei.«

»Wo warst du?«

»Ist doch egal.«

»Warum ist das egal? Wo warst du, als deinem Freund Ge-walt angetan wurde?«

»Schwimmen.«

»Was?«

»Cemo, bitte.«

Sie rauchten. Cemal legte einen Zeigefinger unter Alis Kinn und zog ihr Gesicht an seines heran.

»Warum hast du ihn mir nicht schon längst vorgestellt?«

»Darum.«

»Traust du mir nicht zu, dass ich das verstehe?«

Ali zog ihr Gesicht zurück und starrte auf die Zigarette in Cemals Hand.

»Findest du nicht auch, dass er ein ganz eigenartiges Lachen hat? Er lacht wie ein Specht. Wie ein Specht, der gegen deine Schläfe hämmert. Rattatata. Rattatata. Rattatata.« Ali bohrte den Mittelfinger in ihre Schläfe.

»Ali.«

»Ja?«

»Wovon lebst du überhaupt?«

»Ich gehe –«, sie wollte sagen »anschaffen«, tat es aber nicht, zog ihr Gesicht weg, schlug die Arme über dem Kopf zusammen und breitete sie wieder auseinander. Cemal griff nach ihrer rechten Hand und betrachtete den frischen Schnitt auf ihrer Handfläche.

»Und was zur Hölle ist das?«

»Bin hingefallen, hab mich abgestützt, was weiß ich.« Ali kletterte vom Herd und ging langsam zur Tür. »Ich kann mich nicht erinnern.«

Dann drehte sie sich um und schaute in Cemals gegerbtes Gesicht. Der, der immer hoffte und immer weiterwusste, der, dem zuzutrauen war, dass er alles auf dieser Welt verstand, Ali wünschte sich, er würde sie hochheben, wie damals am Atatürk-Flughafen, und in seinen Armen wiegen.

»Cemo, ganz ehrlich: Wird dein Freund bei der Polizei Anton finden?«

»Nein.«

»Dann möchte ich, dass du mich ab jetzt Anton nennst. Würdest du das tun?«

Katho war einverstanden, dass sie in den Frauenbereich des Galatasaray-Hamam gingen. Die Umkleiden waren einzelne kleine Kabinen, verglast bis zur Hüfte, von da an abwärts mit weißem Holz verkleidet. Sie nahmen sich eine gemeinsame Kabine, zogen sich aus, zogen die Einwegunterhosen aus der Verpackung und verknoteten die karierten Baumwolltücher über der Brust. Das Lila unter Kathos Auge war nur noch ein Schatten, aber die Blutergüsse an seinem Oberschenkel hatten sich dunkel verfärbt. Ali hatte versucht, nicht hinzuschauen, als Katho sich die Jeans von den Beinen zog, er glotzte sie allerdings ziemlich unverfroren an. Als sie sich an ihm vorbeidrängen wollte, um in ihre Holzlatschen zu schlüpfen, legte er Ali die Hand zwischen die Schenkel, ihr Kopf schoss hoch.

Acht Kerzen hingen über einem heißen Stein in der Mitte des Raums, auf dem nasse Körper lagen wie Tücher, die man achtlos hingeworfen hatte. Ali und Katho setzten sich neben das Marmorwaschbecken und gossen sich heißes Wasser über die Schultern. Trotz der Hitze war es unruhig in dem Raum, alle schienen miteinander zu sprechen oder murmelten vor sich hin, wie in einem Bienenstock summte und hallte es unter der hohen Kuppel.

Ali schöpfte mit der Messingschüssel kaltes Wasser und leerte es sich übers Gesicht, fuhr mit der Hand über ihren Hals und ihre Brüste. Eine alte Frau, untersetzt, mit schwammigen Schenkeln, zerfressen von der Feuchtigkeit in diesen Räumen, in denen sie schon Jahrzehnte verbracht hatte, mit blauen Flecken unter den Pobacken, wusch ein junges Mädchen auf dem heißen Stein. Sie schrubbte mit einem Handschuh seine Fußsohlen, seine Beine, seinen Bauch, sein Gesicht, drehte es um, massierte seinen Rücken, massierte seine Kopfhaut, schwenkte den Schaumbeutel mit Seife hin und her, bis er sich mit feuchter Luft gefüllt hatte wie ein Luftballon, und drückte eine Wolke Schaum durch die Baumwolle auf den Körper. Die Augen des Mädchens waren schwarze Rosinen in einem Berg aus Seifenblasen. Es hustete mit Seifenwasser im Mund, die alte Frau wischte ihm mit der breiten Hand übers Gesicht und begann, es mit dem Schaumbeutel zu schrubben.

Ali schaute zu Katho, der sich gerade die Fußsohlen mit

einem Bimsstein rieb und dabei starr geradeaus in den Dampf guckte. Katho wuchsen immer mehr schwarze Haare auf seinen Brüsten, die sich kräuselten, er hatte aufgehört, sich die Härchen einzeln auszuzupfen. Ein feiner schwarzer Pfad führte vom Bauchnabel unter die Einwegunterhose aus Plastik, seine Unterschenkel waren bereits schwarz zugewachsen.

»Katho, kann ich auch was von diesem Zeug nehmen?«

Ali war aufgestanden und stellte sich vor ihn, ihr Schamhügel auf Höhe seiner Nase, er schaute an ihr hoch, an den flachen Brüsten vorbei, an dem spitzen Kinn, ihre Augen, dunkle Höhlen im Dampf, waren auf ihn gerichtet.

»Was für ein Zeug?«

»Ich will auch mit Testosteron anfangen. Wo kriege ich das her?«

Katho zog sie an den Oberschenkeln zu sich herunter, legte die Hände auf ihre Schultern. »Überall«, sagte er. »Die Frage ist, was willst du damit?«

Ich hatte mir keine Erklärung überlegt. Keine Rede, kein Bekenntnis, noch nicht mal die Formulierung eines Wunsches, ich hatte überhaupt nicht nachgedacht. Irgendetwas in mir hatte gesprochen, und ich folgte diesen Wörtern, die aus mir herausflogen wie Vögel. Ich ging davon aus, dass sie wüssten, wohin. Zugvögel haben einen Kompass im Schnabel, der sich nach dem Magnetfeld der Erdkugel richtet, sie wissen Dinge mit geschlossenen Augen, sie wissen alles, solange man ihnen nicht den Schnabel bricht. Also vertraute ich ihnen, ließ sie fliegen und folgte ihnen und dachte, dass es richtig sein müsste, richtiger als alles, was ich mir hätte ausdenken können, hätte ich mich hingesetzt und nach Worten gesucht.

Und es mag seltsam klingen, aber die einzige Angst, die sich von da an einstellte oder an die ich mich am klarsten erinnere, war nicht die vor den Spritzen oder dem Stimmbruch, dem Haarausfall auf dem Kopf und dem Haarbefall auf dem Rücken, den Blicken auf der Straße und den Blicken innendrin. Die einzige Angst, an die ich mich deutlich erinnere und die bis heute nicht nachgelassen hat, war, dass ich jetzt, wo ich ein Sohn war, werden würde wie mein Vater. Manchmal wache ich heute noch mit diesem Gedanken auf, manchmal höre ich seine Stimme durch meine, wenn ich laut werde, oft sehe ich sein Gesicht vor mir, wenn ich beobachte, wie mein Haar dünner wird und das Kinn breiter. Er hat mir nie beigebracht, wie man sich rasiert, warum auch, aber heute, wenn ich im Bad vor dem Spiegel stehe, sehe ich ihn oft neben mir, mir Anweisungen geben. Mein Rasierer hat fünf Klingen, darüber macht er sich lustig. Er habe zwei Klingen gehabt, als er so alt war wie ich, sagt er dann und macht dieses Geräusch beim Ausatmen, was heißen soll, dass für mich keine Hoffnung besteht. Dann lachen wir beide und setzen beide gleichzeitig den Rasierer an der linken Wange an. Ich traue mich nicht, den Rasierschaum mit Aloe Vera *for sensitive men* zu nehmen, wenn er da ist, ich will nicht, dass er mich für einen Schwächling hält, also Nassrasur, einfach die Klingen an den Backenknochen entlang, und wenn wir uns danach das Aftershave auf die Wangen klatschen, schließen wir beide die Augen. Wenn ich sie aufmache, ist er weg. Und natürlich wünsche ich mir, er würde mich jetzt sehen, so wie ich um die Unmöglichkeit weiß, dass er jemals verstehen könnte, wer ich bin, was den meisten Vätern wohl eigen ist. Den meisten aus anderen Welten. Und genauso ist mir bewusst, dass auch ich niemals wissen kann, wer er gewesen ist und vor wem genau ich so eine Angst hatte. Ich muss ihn mir denken, nach Worten und Bildern suchen, um mir seine letzten Wochen vorzustellen. Mir zusammendenken, wer er gewesen ist, bevor er bei Vika vom Balkon stürzte.

Kostja

Kostja wählte die Nummer heute zum achten Mal, zum achten Mal wies ihn eine elektronische Stimme darauf hin, dass die angerufene Person gerade nicht ans Telefon gehen möchte. Er war sich sicher gewesen, den Anrufbeantworter seiner Tochter schon vollgesprochen zu haben, war überrascht, dass ihn immer noch dieselbe Ansage aufforderte, eine Nachricht zu hinterlassen. Ihm fiel nichts mehr ein außer: »Was bist du nur für eine Fotze.« Er sprach es auf und schmiss sein Handy auf den Tisch.

Sein Fuß war geschwollen, schmerzte aber lange nicht so wie sein Kopf. Er hätte die Trinkerei gestern sein lassen sollen, er hätte die Trinkerei überhaupt sein lassen sollen, er war kein Trinker, er mochte den Geruch nicht, er mochte den Geschmack nicht, er mochte es nicht, wie er dann wurde und wie die Leute um ihn herum, vor allem die Frauen. Wenn sie raucht, dann trinkt sie, wenn sie trinkt, dann gibt sie, sagt eine russische Weisheit, das bläute er seiner schon sehr früh rauchenden Tochter ein, sie hatte noch nicht mal einen BH ausfüllen können, da hatte sie schon Kippen im Mund und klaute seine Feuerzeuge. Er sagte es ihr immer wieder: »Если курит, значит пьет, если пьет значит дает.« Aber die Kleine verstand nicht, war wohl doch zu jung, und aufklären kam nicht in Frage. Würde schon sehen, was sie davon hat. Eine flache Brust auf jeden Fall.

Er zündete sich eine Zigarette an und spuckte aus. Das Rauchen hätte er auch sein lassen sollen, auch das mochte er nicht. Er hatte damit angefangen, weil es alle taten, so wie fast alles, was er angefangen hatte, außer Musik machen.

Seine Finger juckten, er zog sie zur Faust zusammen und

spannte sie wieder auseinander, schaute auf die Haare am Handrücken, sie waren kupferfarben und grau. Seine Mutter hätte diese Hände gemocht, dachte er, echte Männerhände waren das jetzt mit dicken, schwieligen Fingern. Seine Mutter, die ihn in der Kindheit oft angeschrien hatte, weil er so dünn gewesen war: »Bist du magersüchtig, verdammte Scheiße, jetzt iss den Brei auf! Mit diesen Nudeln, die du da an den Schultern hängen hast, kannst du noch nicht mal einen Stuhl hochheben, und willst ein Akkordeon!«

Kostja mochte den Brei nicht, den seine Mutter ihm vorsetzte, Apfelauflauf mit Matzen und Rosinen, so glitschig wie Pudding, er schmeckte nach Eiern und Butter und Zucker, und die Rosinen schwammen darin wie Melonenkerne, aber er löffelte fleißig, weil er seine Mutter liebte und weil sie schrie. In diesem Augenblick hätte er seine Finger dafür hergegeben, diese Matsche zu essen und die Stimme seiner Mutter zu hören.

Er nahm wieder sein Telefon in die Hand und rief Wowa an, bei Wowa war immer Party. Wowa konnte man immer anrufen, wenn das Gefühl von männlichem Stolz in nackte Einsamkeit umschlug, und Wowa hatte ein Keyboard, darauf durfte Kostja immer spielen, so lange, bis Wowas Frau Galina eine CD mit russischen Popsongs einlegte. Kostja hasste diese Songs. Der eine klang wie der andere, es kam ihm vor wie ein nicht endender Jingle zu einem Werbespot, nur dass die Körper, die auf den dazugehörigen Videos unkontrolliert ihre Arme und Beine in die Luft warfen, weit davon entfernt waren, für irgendeine Verjüngungscreme in die Kamera lächeln zu können. Der Höhepunkt kam dann meistens um Mitternacht, wenn Galina »Всё будет хорошо« von Verka Serduchka spielte und alle hysterisch mitsangen, als meinten sie es ernst. Dieser Typ in Frauenkleidern mit einer Stimme, als hätte er Vaseline im Mund. Diese Vogelscheuche, die so fett war wie eine Diskokugel, mit dieser Kappe samt silbernem Stern, diese ukrainische Tunte log und sang »Alles wird gut«. In ihren Musikvideos kippte sie Kurze mit Polizisten und küsste Männer und Frauen. Klar, alles wird gut. Man hatte ihr zuerst die Einreise nach Russland verboten, dann das Singen an sich, trotzdem lief ihre Hymne des Optimismus auf jeder russischen Party.

»Wowtschik, warum lässt du so eine Schwuchtelmusik bei dir laufen?«, fragte Kostja Wowa, als sie sich in den Armen lagen, mit vom Wodka und der Luft feuchten Klamotten. Die Decke war nur knapp über ihnen und schien immer näher zu kommen.

»Red nicht, Kostj, ich habe dich dazu doch auch schon hüpfen sehen.« Wowa vergrub seine verschwitzte Stirn in Kostjas Achselhöhle und schlief ein, seine Hände um Kostja geschlungen. Wowa war immer für ihn da.

Er ging sofort ans Telefon.

»Was macht der Fuß?«, fragte er gutgelaunt.

»Stinkt. Und deiner?«

»Ich habe in einem Männermagazin an der Tanke geblättert, da steht drin, das glaubst du nicht, Frauen wollen, dass Männer Fuß-Deo benutzen. Das macht die geil.«

»War das ein deutsches Magazin?«

»Ich glaube ja.«

»Das zählt nicht.«

»Was gibt's, willst du vorbeikommen, ich habe frischen Wobla da. Semön ist grad aus Moskau zurück, hat mir einen ganzen Batzen mitgebracht, der hat eine gesamte Zeitung gebraucht, um alle Fische einzuwickeln.«

Kostja zuckte bei dem Wort Moskau zusammen, das überraschte ihn selbst. Dann dachte er, stimmt nicht, ich zucke nicht deswegen zusammen. Der Schmerz in seinem Fuß fühlte sich an wie Feuer.

»Ja, ist gut, wenn du meinst, ich komm vorbei.«

Kostja hatte keine Fotos an den Wänden, auch nicht von seiner Mutter, die voriges Jahr verstorben war. Ihren Diabetes hatte sie, seit er sich erinnern konnte, sie hatte trotzdem den Zucker mit der Hand aus der Schale gegessen, hatte damit auch nicht aufgehört, als sie langsam blind wurde. Valja hatte sie angefleht: »Hören Sie auf damit, ich besorge Ihnen Medikamente, gute Medikamente, aber Sie müssen weniger Zucker essen, sonst bringt das alles nichts.« Mit den paar verbliebenen Zähnen kaute die Mutter auf einem Zuckerwürfel herum, als Valja auf sie einredete, und schielte auf den Boden.

Dann kamen die Gangräne an den Füßen, ihre Zehen wurden erst schuppig, dann pelzig und grün wie Algen, dann schwarz wie eine Wurzel und faulten am Ende ganz weg. Sie konnte kaum gehen und zog sich durch die Wohnung, indem sie sich an Möbelstücken festhielt. Als Kostja bei einem seiner letzten Besuche die Füße seiner Mutter sah und dann, wie sie sich an der Kommode entlang vorwärtsschob, schlug er auf den Tisch und brüllte, es reiche ihm, er bringe sie jetzt nach Deutschland zu ordentlichen Ärzten, die einen Menschen behandeln wie einen Menschen. Er wusste, dass es keinen Sinn hatte, zu schreien, zu bitten, zu weinen, aber das machte ihn noch lauter. Seine Mutter verweste in Tschertanowo im vierten Stock in dieser Wohnung Nummer 120, in der er aufgewachsen war, und er konnte nichts dagegen tun. Sein Vater lag die meiste Zeit auf seinen beiden Matratzen im Schlafzimmer und starrte die Decke an. Wenn er das nicht tat, saß er mit dem Rechenbrett am Küchentisch, und seine Finger flitzten über die Holzkugeln, schlugen sie gegeneinander, er murmelte etwas vor sich hin, starrte auf den Tisch wie im Delirium.

Kostja hatte Geld geschickt, immer wieder, Geld, das Valja verdient hatte und ein bisschen auch er, er schickte es so lange, bis er dieses Geld in Einmachgläsern unter der Spüle wiederfand, feine grüne Dollarscheine, zusammengeknüllt zu Kompott in festverschraubten Gläsern, drüber das Waschpulver und die Pralinen, deren Haltbarkeitsdatum schon vor seiner Ausreise nach Deutschland überschritten war. Ab da schickten Valja und er Medikamente, Lebensmittel, sogar Kleidung, wohl wissend, dass auch das alles in den Schränken verstaut werden würde. Als seine Mutter ins Krankenhaus eingeliefert wurde, hatte sich ihr Körper bis zum Unterleib selbst verdaut. Er wollte sofort Semön anrufen, um einen Flug zu buchen, wusste aber nicht, wie viele Tickets er kaufen sollte. Er rief seinen Sohn an, der nicht ranging, aber eine SMS schickte, in der er fragte, was sein Vater denn wolle, Kostja schrieb zurück: »Deine Großmutter stirbt.« Anton rief zurück, sie stritten sich eine halbe Stunde lang, woraufhin Anton auflegte oder besser – sein Handy gegen die Wand warf, das war eines der letzten Gespräche mit seinem Vater gewesen.

Dann rief Kostja seine Tochter an, sie ging nicht ran, schrieb keine Nachricht und rief auch nicht zurück, obwohl er ihr den Anrufbeantworter vollsprach. Bei Valja versuchte er es erst gar nicht.

Bei der Beerdigung war es scheißkalt, ein gnadenloser Moskauer Herbst, niemand außer ihm, seinem Vater und seinem Cousin Mischa war auf dem Friedhof. Und Mischa auch nur aus Höflichkeit. Sie standen mit roten Nasen und den Händen in den Manteltaschen vor einem frisch gebuddelten Loch, das leer schien, man konnte in dem beißenden Wind nicht wirklich etwas erkennen, traten zitternd von einem Bein auf das andere, und irgendwann sagte Kostja: »Ну ладно. Хватит.« Ist gut. Reicht.

Sie stiegen in Mischas alten Lada und fuhren nach Hause.

Sie fuhren zwanzig Kilometer pro Stunde, der mit Dreck bespritzte weiße Jeep vor ihnen bremste immer wieder ab, als würde er absaufen, hinter ihnen hupte ein Volvo mit Dellen auf dem Dach. Kostja konnte im Rückspiegel das verzerrte Gesicht des Fahrers beobachten. Sie standen stundenlang im Stau, und irgendwann entlud sich Kostjas Wut in den kleinen Innenraum des Lada. Er brüllte alle Schimpfwörter aus sich heraus, die er kannte, und als sie ihm ausgingen, fing er an, welche zu erfinden.

Zu Hause stand die Luft, die Heizung war schon auf Winter eingestellt, die Männer rissen alle Fenster auf und setzten sich an den Tisch. Da lagen ein paar Brotkringel, und ein Glas Marmelade stand herum, jetzt, wo die Mutter tot war, schien der Küchentisch eine Herausforderung, und keiner der Männern wusste, was zu tun war, sie schauten unschlüssig in die Ecken, Mischa sogar an die Decke, keiner sagte was, dann stand Kostja auf, ging zum Kühlschrank, holte Weißbrot, Wurst und Butter raus, legte drei Messer auf den Tisch und öffnete eine Dose selbsteingemachter Salzdillgurken von unter der Spüle.

Sie tranken, aber sie tranken nicht viel, Kostja war der Erste, der auf den Tisch kotzte, und aus seiner Kotze flogen unzählige Stückchen Salzdillgurken an die Wände. Er vertrug das Trinken einfach nicht, er wusste es.

Seine Wohnung, die er nach der Scheidung von Valja bezogen hatte, hatte drei Zimmer, mehr als er brauchte, mehr als er je gedacht hatte, dass er haben würde: Wohnzimmer, Schlafzimmer und einen weiteren Raum, von dem er nicht wusste, was er damit anstellen sollte. Er dachte mal, da kann der Besuch rein, der viele Besuch, den er haben wird, er wird doch nicht allein bleiben die ganze Zeit, Kinderbesuch oder so was, die werden doch wohl kommen. Er hatte den Raum seit einer Weile nicht betreten, außer um das Bügelbrett und den Wäschesländer zu holen, die aber gleich neben der Tür standen, er musste nicht mal den Lichtschalter betätigen. Er hatte die Wohnung möbliert übernommen, seine Tochter hatte sie damals für ihn gefunden, die Papiere ausgefüllt, sie hatte sich gekümmert am Anfang, sogar bei der Scheidung für ihn übersetzt.

Kostja hatte sich keinen Übersetzer für den Amtstermin organisiert, »die sollen froh sein, dass ich überhaupt erscheine«, hatte er zu Semön gesagt, der immer wieder nachschenkte. Er fand, es sei die Pflicht der Kinder, ihm zu helfen, wofür hatte er sie sonst gemacht? Um ihn aus der Scheiße zu ziehen, wenn es mal nötig war. Er hatte sich kaputtgeschuftet, damit sie die fremde Sprache lernen, und jetzt konnte er wohl darauf vertrauen, dass sie für ihn da waren und nicht irgendein verlauster deutscher Bürokrat, der nichts verstand vom Leben. Semön pflichtete ihm bei. Ali hatte sich sofort bereit erklärt, zu übersetzen, sie ahnte, was kommen würde. Kostja nicht.

Vor dem Gerichtsgebäude gab man sich die Hand, Kostja hatte angefangen, Valentina wieder zu siezen, und bot allen Zigaretten an. Valja schaute nicht mal hin, sie schaute in das Gesicht ihrer Tochter mit den abrasierten Augenbrauen und fragte sich, was das alles zu bedeuten hatte. Kostja und Ali rauchten im Nieselregen, Valja und ihr Anwalt standen an die Eingangstür gedrückt und schauten auf die Uhr.

Das Echo der Schritte in den Gängen blieb stehen wie schlechte Luft, Ali quietschte mit der Gummisohle ihrer Turnschuhe. Im Raum setzte man sich einander gegenüber, der Richter saß links von Kostja, rechts neben ihm seine Tochter, gegenüber seine Frau, neben ihr der Anwalt. Kostja verstand nichts oder nur sehr wenig von dem, was gesagt wurde, seine Tochter, nah an seinem Ohr, übersetzte deutlich weniger, als von dem Richter kam, das fiel ihm zwar auf, aber er war zu verwirrt, um nachzufragen. Ali fasste das Referierte im Wesentlichen zusammen, und irgendwann flüsterte sie: »Du musst sagen, dass du damit einverstanden bist.« Und Kostja sagte: »Bin ich aber nicht.« Er fing an, laut zu werden, er war aufgeregt, verschreckt, er wusste plötzlich nicht mehr, was hier geschah und welche Konsequenzen es für ihn haben würde. Als wäre er gerade erst aufgewacht, schrie er wie ein Kind, fing an, Worte von sich zu geben, die seine Tochter nicht mal hätte übersetzen können, wenn sie gewollt hätte, weil sie solche Kraftausdrücke da noch nicht kannte. Sie kam nicht dazwischen und sagte nur immer wieder: »Papa, du musst langsamer reden. Du stotterst. Ich verstehe dich nicht.« Sie sah ihre Mutter auf der gegenüberliegenden Seite des Raumes kreideweiß werden, als wäre sie ein Blutbeutel, aus dem man den Stöpsel gezogen hatte. Der Richter fragte nach, was der Mann denn wolle, und Ali sagte: »Gar nichts. Er fragt nur wegen des monatlich zu zahlenden Versorgungsausgleiches.«

Всё будет хорошо, singt Verka Serduchka. Alles wird gut.

Natürlich hatte Kostja keine Ahnung, dass seine eigene Tochter ihn belog und etwas ganz anderes übersetzte als das, was er sagte, in panischer Angst, er würde die Scheidung noch länger verzögern, als er es ohnehin schon getan hatte. Valja hatte Ali beim verbalen Herumjonglieren zwischen dem Richter und ihrem Vater zugehört, verstand und bewegte sich nicht. Sie schien eingefroren, so wie damals in der Küche, als Anton hereingekommen war und seine Schwester an der Wand zappeln sah, nur stand Valjas Mund nicht so weit offen wie damals.

Kostja verließ den Gerichtssaal als geschiedener Mann, Ali ging mit ihm zu seinem Freund Wowa, bei dem er wohnte, seit er ausgezogen war, trank mit ihm drei Kurze und sagte: »Papa, ich helfe dir.«

Das hatte sie getan. Sie hatte diese Wohnung gefunden, in der er jetzt lebte, seine Bewerbungen korrigiert und für das

Bewerbungsgespräch sogar Sätze mit ihm eingeübt, was sich als verlorene Zeit herausstellte, weil der Abteilungsleiter in dem VW-Werk nach einem höflichen »Danke, dass Sie gekommen sind« mit ihm gleich ins Russische wechselte. Kostja hatte sein bestes Hemd angezogen, die Augen waren zwar zugeschwollen, aber er hatte ein charmantes Lächeln, das musste man ihm lassen, wenn er lachte, lachte er wie einer dieser besserwisserischen Halbstarken, die man sich in den Moskauer Bars vorstellte, wie sie in einer Ecke an der Wand lehnten, ein Bein angewinkelt, Kippe seitlich im Mund. In diesen Bars ist Kostja nie gewesen, seine Eltern hätten das nicht erlaubt, aber das Lächeln hatte er, und es war wundervoll.

Er bekam den Job, die Kollegen sprachen alle seine Muttersprache oder so etwas Ähnliches, Ukrainisch oder Tscherkessisch, man verstand sich, man lachte gemeinsam, rauchte, legte sich im Vorbeigehen die Hände auf die Schultern. Seine Tochter besuchte ihn am Anfang noch regelmäßig, und er erzählte ihr, wie es für ihn gewesen war, seine Eltern zu verlassen, niemanden zu haben, nur die verdammte Arbeit und die verdammten Wochenenden, an denen niemand mit einem sprach und es niemanden kümmerte, dass er Rückenschmerzen hatte. Niemand hatte nachgefragt, wie es ihm ging, obwohl alle wussten, dass er seit Jahren einen Rückengürtel tragen musste. Er hatte sich ein für alle Mal verhoben, und niemand war für einen da, niemand. Irgendwann auch Ali nicht mehr.

Kostjas erster Job in einer Fabrik, gleich nachdem die Familie Tschepanow aus dem Heim raus war, war so zermalmend, dass er nach Feierabend nach Hause kroch. Sie wohnten in einer Dachgeschosswohnung, und er musste sich mit den Händen am Treppengeländer hochziehen, um es nach oben zu schaffen. Er krabbelte auf das Sofa und war zu müde zum Reden. Wenn die Kinder sich zankten oder weiß Gott was machten, dann brüllte er mit aller Kraft, die er noch übrig hatte, sonst war er still. Meistens machte er aber Nachtschichten und kam nach Hause, wenn es hell wurde und die Wohnung schon leer war. Seine Frau war arbeiten, sie war immer arbeiten, und die Kinder waren in der Schule. Er schlief gleich ein mit dem Arm über dem Gesicht und wachte auf von dem Lärm, den nur Kinder verursachen können, wenn sie sich die Schuhe im Flur ausziehen. Dann raffte er sich auf, zog sich selber am Schopf in die Küche und kochte Hähnchenbouillon und Buchweizen, warf dann den Brei in die Brühe und löffelte den ganzen Topf selber aus, weil er wusste, dass seine Kinder dieses Essen nicht anrühren würden, und seine Frau kam spät. Für Ali und Anton lagen in einer zugeschweißten Verpackung Hamburger im Kühlschrank, zwei Stück, die an den Käserändern aneinanderpappten, die machte er ihnen in der Mikrowelle warm. Die Zwillinge standen mit großen Augen vor der Arbeitsplatte und schauten zu, wie das Brot aufging und sich wie ein langsam größer werdender Luftballon in der Mikrowelle drehte.

Am größten wurden ihre Augen aber, wenn er sie ins Auto packte und mit ihnen zu McDonald's fuhr. Sie prügelten sich um den Beifahrersitz, dann mussten sie beide auf der Rückbank sitzen. Sie spielten mit den Anschnallgurten, drehten die Fenster runter, steckten ihre Köpfe raus, kreischten auf vor Glück wie kleine Katzen. Kostja befahl ihnen, die Fenster zuzumachen, was nichts nützte, das war, bevor er ein Auto mit automatischer Fensterverriegelung hatte, und sich anzuschnallen, das hatte er früher selber nie getan, seitdem er Kinder hatte aber schon. Wenn die beiden bei ihm im Auto saßen, stellte er den Rückspiegel tiefer, damit er sie aus den Augenwinkeln beobachten konnte, und dann zog es in diesen Augenwinkeln, manchmal musste er einfach weinen, wenn er die zwei Kleinen sah, wie sie sich gegenseitig in die Schultern bissen.

Er kaufte ihnen alles, was sie haben wollten, alles, wofür das

Geld reichte, extra Hamburger zusätzlich zum Kindermenü und krosse Hähnchenflügel, die Anton alleine aufaß, und Cola und Fanta, und als Ali heulte, weil ihr eine Figur aus der Kindermenü-Sammlung fehlte, ging er zu dem verpickelten jungen Mann an der Fritteuse hinter der Kasse und redete in einem Mischmasch aus allen Sprachen, die ihm einfielen, so lange auf ihn ein, bis er mit der fehlenden Figur wiederkam. Das alles ging nur an Sonntagen, da hatte er frei, bis Kostja Wind davon bekam, dass man sich als Jude von Freitags- und Samstagsschichten freistellen lassen konnte, ohne gefeuert zu werden.

»Shabbes«, lachte er wie wild. »Shabbes! Glaubst du es?«, und schlug Valja auf den Rücken wie einem alten Freund. »Die meinen das ernst, ich darf weniger arbeiten, weil Shabbat shalom!«

»Die Kinder wollen auf Klassenfahrt«, sagte Valja, die gerade die Unterlagen zur Freistellung für ihn ausfüllte.

»Was soll das sein?« Kostja hörte auf zu lachen und schaute grimmig, das Wort Klassenfahrt hatte Valja auf Deutsch ausgesprochen.

»Ihre ganze Klasse fährt irgendwohin in den Norden und übernachtet dort drei Tage, das ist von der Schule so angeordnet.«

»Warum?«

»Was fragst du mich warum, das ist hier so üblich.«

»Und ich muss zahlen?«

»Sie finden sonst keine Freunde. Laufen herum wie Schlep, gehen nicht raus, fressen diesen Dreck da, den du in sie hineinstopfst, und sehen bald aus wie wir, willst du das?«

Kostja schaute in das Gesicht seiner Frau, das überall Grübchen zu haben schien, auch auf der Stirn. Die Haut war mit einer glänzenden Schicht überzogen, die Augen auch, ihre Oberarme und Beine waren aufgegangen wie das Weißbrot der Hamburger in der Mikrowelle.

Kostja zerriss den Antrag auf Freistellung von Arbeit an religiösen Feiertagen und schob Extraschichten, um das Geld für die Klassenfahrt zusammenzukratzen. Valja arbeitete zwar im Krankenhaus, aber damals arbeitete sie noch umsonst. Man hatte ihr gesagt, erst wenn sie eine Art Praktikum absolviert habe, also unbezahlt für andere schuftete, gäbe es Aussichten auf eine Anstellung, wenigstens auf eine halbe Stelle. Die kam dann tatsächlich nach einem Jahr und dann noch ein Stipendium hinterher, und der Chef schaltete sich persönlich ein und half, und so ging es weiter, bis Valja anfing, gut zu verdienen, unvorstellbar gut für eine Ärztin aus dem Sozialismus, da hatte keiner auch nur eine Ahnung davon, dass man überhaupt so gut verdienen konnte. Dort, wo Valja sich hatte ausbilden lassen, bekamen Ärzte genauso viel wie Bauarbeiter, manchmal weniger, wenn sie sich keine Briefumschläge in den Kittel stecken ließen, und hier stieg plötzlich Valjas Gehalt in Höhen, die sich weder Valja noch Kostja hätten vorstellen können. Dann gingen sie mit dem größten Einkaufswagen der Welt durch den Supermarkt und schmissen so lange alles rein, bis die Wurstkonserven den Lebensmittelberg im Wagen hinunterrollten.

Aber das kam erst später. Jetzt schob Kostja erst mal trotz Shabbat shalom Extraschichten, damit die Kinder auf Klassenfahrt ans Steinhuder Meer konnten. Als Ali und Anton vorzeitig wiederkamen, hatten sie Fieber und Durchfall und mussten schwarze Kohletabletten essen, die Valja noch von zu Hause mitgebracht hatte.

»Siehst du, das hast du davon, dass du deine Kinder wegschickst«, murmelte Kostja, der völlig hilflos neben dem Bett der Zwillinge stand und sie am liebsten umarmt und festgehalten hätte, damit sie zu weinen aufhörten, aber Valja lag halb auf ihnen und streichelte ihre Wangen.

Kostja nahm sich eine Zigarette, zündete sie an, drückte sie wieder aus, duschte, rasierte sich schnell mit einem Zweiklingenrasierer, zog sich ein frisches Hemd über und besorgte an der Tankstelle eine Flasche Vodka Jelzin.

Er war der erste Gast, Wowa nahm ihm die Jacke und die Flasche ab.

»Kommen Sie! Kommen Sie!«

»Darf ich?«, fragte Kostja als Erstes.

»Klar.«

Kostja setzte sich an das Keyboard, prüfte die Pedale, prüfte den Ton, dann fuhr er mit dem Finger über die schwarze Kunststoffoberfläche, schaute auf seine Fingerkuppen, stand auf und ging in die Küche.

»Hallo Galina.«

»Hallo Kostja.«

Galina mit bunter Schürze stand am Herd und briet etwas, das süßlich roch, er ging an ihr vorbei, holte sich einen Lappen von unter der Spüle, kniete sich vor das Keyboard und wischte den Staub von jeder Taste, bevor er, mit geschwollenem Fuß auf der rechten Pedale, seinen Beethoven in die Klaviatur drückte. Wowa und Galina ließen ihn in Ruhe spielen, bis der Raum voll war mit Gästen und sie was anderes hören wollten als »dein Gedudel da«.

Ein Berg Wobla lag auf der ausgebreiteten Zeitung, Wowa schabte schnell die silbergrauen, trockenen Schuppen ab, zog das Rückgrat aus dem salzigen Fleisch, zerpflückte es in dünne Streifen und verfrachtete es auf einen Teller, der sofort von den Gästen leergeräumt wurde, er kam kaum hinterher. Der getrocknete Fisch starrte Kostja mit seinen roten Augen an, er starrte zurück und fing an, seinem Freund beim Zerlegen zu helfen, packte ein Tier an den Flossen und riss sie ab.

»Und, was macht das Leben?« Wowa nahm sich selber ein

großes Stück Fisch und kaute daran. Kostja tat es ihm gleich, die Salzkruste der Wobla kitzelte auf seiner Zunge.

»Azohen Vey. Ich kotze.«

»Gleich so gut«, scherzte Wowa.

»Ne, alles wie immer, aber wenn mein Fuß nicht bald wird –«

»Musst nicht arbeiten und wirst bezahlt, was jammerst du, tut's weh?«

»Nein, tut nicht weh, nervt mich. Muss an meine Mutter denken.«

»Wie jüdisch von dir.«

Wowa schaute zu einem Pulk von Frauen, die am Fenster rauchten.

»Wer ist denn die Kleine da am Fenster?«

»Meine Frau.«

»Haha, das sehe ich, ich mein die Schwarzhaarige daneben.«

»Vika. Sie ist Tschetschenin.«

»Red nicht.«

»Aber unsere.«

»Wie unsere? Jüdische schwarze Witwe oder was?«

»Noch nie von jüdischen Terroristen gehört?«

»Tschetschenin. Na ja. Aber einen Arsch hat die, meine Güte, und wenn sie raucht, dann trinkt sie –«

Kostja schluckte das Stück Wobla hinunter wie einen Bonbon, hauchte sich in die Handfläche, bereute es sofort, kippte Jelzin drauf, rülpste leise, zog seine Jeans hoch, humpelte auf die Tschetschenin zu und ließ sich von Galina vorstellen.

»Was ist mit deinem Fuß?«, fragte Vika. »Gehst du immer so?«

»Blöde Geschichte, ein Generator hat mir ein paar Knochen zertrümmert.«

»So, so, ein Generator. Warum?« Vika zog an ihrer Zigarette, Kostja bemerkte, wie lang ihre Finger waren und wie lang die himbeerfarbenen Nägel.

»Kann sein, dass ich mit Anlauf dagegengetreten habe.«

Vika lachte auf, er zündete sich eine an, sie unterhielten sich über das Warten auf besseres Wetter und dass es besser war, wenigstens darauf zu warten als auf gar nichts. Sie zogen an ihren Zigaretten, atmeten gemeinsam ein und aus, und zwei Wochen später war sie bei ihm eingezogen.

Er war immer noch krankgeschrieben, also hatten sie Zeit, auf die Datscha zu fahren, wie sie zu dem Schrebergartenhäuschen sagten, das mal Vikas Mann gehört hatte, aber jetzt war er weg. Zurückgegangen, in die Berge gegangen, in die Steppe, zu einer anderen, wohin auch immer.

»Ganz weg?«, fragte Kostja, weil er keine Lust darauf hatte, dass der Ehemann mit einer Axt in der Tür auftauchte, während er es ihr auf der Pritsche in dem einzigen Raum des Schrebergartenhäuschens besorgte.

»Ganz weg«, sagte Vika und zog ihn in das Haus.

Zuerst war alles gut, dann wurde alles wie immer.

Kostja brachte einen Käse in rotem Paraffinüberzug nach Hause und stotterte begeistert, »schau, was ich gefunden habe!«, aber Vika verstand die Aufregung nicht, sie fand Babybel ekelhaft. Sie war damals nicht dabei gewesen, als Kostja den ersten Edamer in rotem Paraffinüberzug in dem Kühlregal eines Ladens in Tschertanowo gesehen und nach Hause getragen hatte wie teuren Schmuck. Kostja erinnerte sich an das Gesicht von Valja, als sie den Käse aufschnitten, er hörte noch das Knacken der Paraffinschale. Die Käsekugeln, die er jetzt gekauft hatte, hatten kleine Paraffinzungen, an denen man ziehen konnte, und dann fiel der Käse von selbst aus der Schale. Er aß eine ganze Packung alleine am Tisch, Vika war irgendwo anders.

Er träumte immer öfter von seinen Kindern, davon, dass er sie auf der Straße in einer Menge sah und sie ihn nicht erkannten oder nicht erkennen wollten, und einmal in einem Traum schmiss er einen Schuh nach ihnen. Im Bett nannte er Vika manchmal Valja, sein Bauch wurde immer größer, und er fragte sich, ob man ihn einfach abschneiden könnte, ihn mit einer riesigen Säge von ihm abtrennen. Dann kam der Anruf von Mischa, dass Kostjas Vater gestorben war, und das hieß vor allem eins: Ihm gehörte jetzt eine Wohnung in Moskau.

Moskau war eine der teuersten Städte der Welt, Kostja sah braune Scheine vor den Augen schwimmen wie Honig, sah sich selber in einem neuen Mercedes und Vika in neuen Kleidern, in hochhackigen Schuhen, er würde sie auf der Rückbank des Autos durchvögeln, gleich auf dem Parkplatz vor seiner Fabrik, so dass die Jungs die Schreie noch bis nach drinnen hörten. Er erzählte Vika von dem Todesfall, sagte aber nichts über die Wohnung, und sie sagte, wenn er möchte, komme sie mit zur Beerdigung, er sagte: »Ja. Ja.« Nächtelang malte er sich aus, was man für die Wohnung bekommen würde und was er damit alles anstellen könnte, eine Reise nach Amerika war auch dabei, und dann, eines Nachts, traf es ihn wie ein Blitz. Er wurde davon wach, sein Gesicht verzog sich zu einem Lächeln, er riss die Augen auf, sah plötzlich alles ganz klar vor sich und fing dann an zu weinen. Vika lag neben ihm auf dem Bauch, ihre geöffneten Lippen drückten sich ins Kissen und streckten sich ihm entgegen, sie waren länglich wie die eines Fisches, sie atmete tief durch den Mund aus. Kostja sah sie an, dann über sie hinweg und sprang, immer noch weinend, aus dem Bett.

Auf der Arbeit erklärte er die Situation mit dem verstorbenen Vater und kaufte sich ein Ticket, nur Hinflug, Vika ließ er nicht mitkommen, »ich muss das allein machen«, sagte er.

Die Beerdigung brachte er schnell hinter sich und saß dann bei Mischa am Küchentisch, der etwas auf lose Blätter kritzelte.

»Immer noch Cartoons?«

»Was soll ich machen, das ist das Einzige, was mich abhält.«

»Abhält von?«

»Meinen Kindern und der Frau den Kopf einzuschlagen.«

»Verstehe.«

»Was ist mit deinen?«

Kostja schaute auf Mischas Kritzeleien.

»Kannst du mir helfen, einen Käufer für die Wohnung zu finden?«, fragte er.

»Ich frag mal rum«, sagte Mischa.

Kostja wusste, was er wollte. Er wollte keinen neuen Mercedes, keine Vika in hochhackigen Schuhen, die er auf der Rückbank vögeln würde, er wollte seine Dreizimmerwohnung nicht und den verschissenen Job in der Fabrik, vor allem wollte er nie, nie wieder die deutsche Sprache hören, die ihm nichts als Ärger eingebracht hatte. Kostja hatte beschlossen, zurückzugehen.

Er war nicht gut darin, Pläne zu schmieden, er wusste nicht genau, was es hieß, umzusiedeln, die Vorbereitungen für die Ausreise nach Deutschland hatte Valja erledigt, und es wäre ihm auch nicht in den Sinn gekommen, umzusiedeln, er dachte, er ginge zurück, ginge nach Hause. Er wusste nicht, dass es so etwas wie ein Zurückgehen nicht gab.

Sein Plan war, sich eine kleine Wohnung mehr im Zentrum zu mieten, und die waren teuer, aber er dachte, es sei ja nicht nur die elterliche Wohnung, die sich zu Geld machen ließe. Die Schränke seien voll mit Adidasanzügen, Golduhren und Ketten, und es könnte gut sein, dass der Inhalt dieser von oben bis unten vollgestopften Höhle genauso viel Wert wäre wie die Wohnung selbst. Außerdem dachte er an die mit Dollarscheinen gefüllten Einmachgläser unter der Spüle.

Er fing an, Wertgegenstände aus der Wohnung zu verkaufen, dann andere zu kaufen, zu investieren, er spekulierte, das gelang ihm besonders schlecht, das Geld zerrann ihm zwischen den Fingern, aber er war glücklich, er lief durch die Stadt, stand in Staus, wurde wütend beim Juwelier, verschenkte die Anzüge des Vaters an Freunde, die vorbeikamen. Einer von ihnen hatte ihm vor dreißig Jahren geholfen, sein Klavier in den vierten Stock zu tragen, und er versprach Kostja, wieder zu helfen, dasselbe Klavier in die neue Wohnung im Zentrum zu hieven, sobald Kostja eine hätte. Kostja schenkte ihm eine goldene Uhr, als er ging. Er lag auf den beiden väterlichen Matratzen und hörte zu, wie sich die Nachbarn von oben anbrüllten, und grinste, weil er alles verstand, was sie sagten. Als sich ein Käufer fand, der für die Wohnung eine halbe Million hinlegen wollte, kriegte Kostja einen Lachanfall und wollte sofort Valja anrufen, um ihr davon zu erzählen, dann fiel ihm ein, dass das nicht mehr ging.

Papiere wurden vorbereitet und beglaubigt, der Notar protokollierte und ließ sich in bar bezahlen, Hände wurden geschüttelt, und als das Geld nicht auf Kostjas Konto erschien und immer noch nicht und immer noch nicht, rauchte er, mit beiden Füßen wackelnd, bei Mischa am Küchentisch eine nach der anderen und stotterte vor sich hin, und Mischa sagte: »Das kommt schon, mach dir keine Sorgen.«

Spätestens nachdem er zum Büro des Notars ein Taxi genommen hatte, das in dieser Gegend der Stadt vier Stunden brauchte – er war wieder umgeben von stehenden, hupenden Volvos und Jeeps, er hatte kein eigenes Auto mehr, das Taxi kostete ihn beinahe sein letztes Geld –, spätestens nachdem er gesehen hatte, dass das Büro geschlossen war und niemand

über den Verbleib des vermeintlichen Notars Bescheid wusste, spätestens dann verstand Kostja, was passiert war.

Er ging noch einmal in die Krasnyj-Majak-Nummer-Dreizehn-Gebäude-Zwei-Wohnung-Hundertachtundzwanzig. Er
ging ins Wohnzimmer, riss das Fenster auf, streckte seinen
Oberkörper hinaus und schrie, ließ das Fenster offen, ging
durch den fast leeren Raum, kniete vor den Brandlöchern im
Teppich, die seine Kinder als Kinder hinterlassen hatten, ging
in den Flur, lehnte am Türrahmen der Küche und starrte auf
die Plastiktischdecke mit den blauen Blumen darauf, auf die
sein Vater mit der Messerklinge gemalt hatte, schaute zum
Kühlschrank, auf dem immer noch der kleine Fernseher stand,
der seit Jahren nur Bild und keinen Ton sendete, auf den Herd,
der so blitzsauber war, als hätte nie jemand auf ihm gekocht,
dann fiel sein Blick auf das mit blauem Kugelschreiber improvisierte Maßband am Türrahmen, das nur bis 132 Zentimeter
reichte. Zwei fast gerade Striche, daneben stand in seiner, Kostjas, Schrift an dem einen Strich vertikal Антон, an dem anderen Алисса, und daneben standen die Zahlen:

1987 – 82 Zentimeter
1988 – 91 Zentimeter
1991 – 110 Zentimeter
1994 – 126 Zentimeter
1995 – 132 Zentimeter

Kostja fuhr die Striche mit den Augen ab, dann mit dem
Finger, dann kratzte er an ihnen mit dem Fingernagel, dann
spuckte er drauf und versuchte, sie mit dem Daumen abzuwi-
schen, er rieb und rieb und rieb, mit der ganzen Handfläche,
aber die Kugelschreibertinte hatte sich in den weißen Lack gefressen, also riss er an dem Rahmen, hebelte die Tür aus, brach
das Stück mit dem Maßband aus der Wand, nahm es mit ins
Schlafzimmer, legte es auf die beiden Matratzen und legte
sich selbst daneben.

Drei Tage lang lag er heulend in der Wohnung seiner Kindheit, kotzte in die Badewanne, schmierte die Fenster mit Scheiße voll, pinkelte auf den türkischen Teppich, versuchte, die Brandlöcher zu treffen, schlug alle Glühbirnen kaputt und achtete darauf, die Wohnung so zu hinterlassen, wie er wollte, dass sie vorgefunden würde.

Er verabschiedete sich von niemandem. Mischa brachte ihn zum Flughafen, sie sagten nicht viel, er bestieg die Maschine mit dem Geschmack von Salzdillgurken auf der Zunge, im Flugzeug sah er sich Prospekte von Deutschland an, blätterte in bunten Katalogen und flog zurück in Vikas Hände, ihre langen Finger, die fleckig waren von dem vielen Rauchen, das fiel ihm erst jetzt auf.

Valja »Ich habe Kostja kennengelernt an dem Tag, als er gerade sein Ingenieursdiplom nach Hause gebracht hatte, und so hat man ihn mir präsentiert: fertiger Mann mit fertigem Diplom, Arbeitsstelle gesichert, jetzt fehlte nur noch eine Frau, und nicht irgendeine, eine Jüdin musste es sein, und ich steh vor der Tür. Kannst du dir das Bild vorstellen, ja? Die haben ihre Zähne in mich geschlagen, ich habe heute noch die Abdrücke davon. Am vierten Tag hat Kostja mir einfach gesagt: Du bist meine Frau, der hat noch nicht mal gefragt, niemand hat mich je gefragt, und niemand hat auf meine Antwort gewartet. Dabei hat er eine andere geliebt, eine Schickse, wie sie im Buche steht, das war seine große Liebe, hätte er doch nur damals die Eier gehabt, sie zu heiraten.«

Das war der Moment, in dem ich merkte, dass ich mich selber belogen hatte, als ich dachte, ganz gleich, was sie mir sagen wird, ich will es hören.

Heute hatte Valja eine grüne Bluse mit einem unauffälligen Karomuster an. Sie saß eng an ihren schmalen Schultern und floss über ihren Körper, der so groß sein konnte, wenn sie sich aufrichtete. Sie schaute mich nicht an, sie schaute durch mich hindurch, las von meinem Gesicht einen Text ab wie ein Nachrichtensprecher von seinem Bildschirm, aber in ihrem Fall waren es die Nachrichten von gestern, deren Nachwirkungen Falten um ihre Mundwinkel hinterlassen hatten. Von der Oberlippe zog eine kleine Ausstülpung nach unten, ich glaube, sie hat nie viel gelächelt, aber nicht, weil sie kein fröhlicher Mensch gewesen wäre, im Gegenteil, meine Mutter war mehr zum Lachen aufgelegt als irgendwer sonst in unserer Familie, aber Lachen gehörte nicht in die Zeit, die sie geschaffen hatte, es gehörte nicht an diesen ominösen Ort Sozialismus, aus dem sie kam, nicht zum Umgang miteinander. Aber innen drin lachte sie viel, das sah ich an ihren Augen.

Sie sprach in mehreren Sprachen gleichzeitig, mischte sie je nach Farbe und Geschmack der Erinnerung zu Sätzen zusammen, die etwas anderes erzählten als ihren Inhalt, es klang, als wäre ihre Sprache ein amorphes Gemisch aus all dem, was sie war und was niemals nur in einer Version der Geschichte, in einer Sprache Platz gefunden hätte.

Sie sagte: »Ich hätte ihn nicht geheiratet, wenn ich nicht schwanger geworden wäre. Ich hätte ihn verlassen gleich nach dem ersten Streit, gleich nach dem ersten Schlag, als ich sein aufgedunsenes, rotes Gesicht zum ersten Mal sah. Versteh mich nicht falsch, ich bereue es nicht, das heißt, ich bereue es nicht, euch gekriegt zu haben, aber Kinder muss man schnell kriegen, bevor man Zeit hat, sich kennenzulernen und dann enttäuscht zu sein, sonst würde niemand Kinder kriegen, und die Welt würde aussterben, die Sowjetunion jedenfalls bestimmt.

Bei uns gab es kein Wort für Liebe, wir hatten keine Vorstellung davon, wir konnten uns kein Bild machen oder keinen ... wie sagt man ... wir hatten keinen Vergleich. Und wir hatten keine Zeit. Keine Zeit für gebrochene Herzen, wir haben doch den Sozialismus aufgebaut.

Natürlich gab es Mädchen mit verheulten Augen auf den Toiletten der Universität, ich habe das nie verstanden. Dass die sich nicht schämten, mit verschmiertem Make-up rumzulaufen. Ich hätte mir dafür selbst links und rechts eine runtergehauen. Einerseits. Aber andererseits hätte ich ja auch geheult, mich geohrfeigt und geheult, wenn ich gewusst hätte, wofür. Für wen heulen.«

Ich wusste nicht, ob es an ihrer Stimme lag, die hochrutschte, oder ob es meine Empfindlichkeit war, Schallwellen fingen an, mein Gehirn von der einen Innenseite des Schädels zur anderen zu schleudern. Etwas Pelziges kroch mir die Kehle hoch, meine Schläfen drückten nach außen, und ich merkte, wie meine Mutter, die gerade dabei war, sich mit Hilfe von Bruchstücken ihrer Geschichte selbst zusammenzusetzen, vor meinen Augen undeutlicher wurde. Für einen Migräneanfall war jetzt nicht der richtige Zeitpunkt. Zusammenbrüche wurden bei uns in der Familie stets aufgeschoben, vertagt auf die Einsamkeit leerer Räume. Außerdem wusste ich, dass Valja noch nicht mal richtig angefangen hatte.

Ich war ohne Vorahnungen gekommen, ich kam durch die Tür einer Wohnung, an die ich mehr Erinnerungen hatte, als ich dachte. Nur die Dimensionen, die Höhe der Decke, die Größe der Räume, auch die Möbel, erinnerte ich anders. Valja saß auch nicht mehr am Küchentisch, wo ich sie immer vorfand in meiner Vorstellung, sie saß in ihrem Schlafzimmer am Schreibtisch, drückte ihren Rücken gegen die Glasplatte hinter ihr, ihre Hände lagen auf den Plastiklehnen des Drehstuhls, über ihr schaute Schura von einem Ölgemälde auf uns herunter, und ich liebte sie in diesen Augenblicken so sehr, dass es mich drängte, von der Bettkante herunterzurutschen und meinen Kopf auf ihre Knie zu legen, aber ich rührte mich nicht, weil ich sie nicht unterbrechen wollte.

»Aber ich denke doch, ich hätte mich wehren sollen, hätte in Wolgograd bleiben sollen, ich wollte ja gar nicht nach Moskau, alle dachten, man muss nach Moskau heiraten, ich nicht. Ich war die Einzige, die das für bescheuert hielt, weil Moskau böse ist und stinkt, damals wie heute, heute vielleicht noch schlimmer, eine Schlangengrube von Stadt, du kannst nicht mal Milch kaufen, ohne dass dir die Verkäuferin ins Gesicht spuckt. Ich wollte da nicht hin, ich wollte in Wolgograd bleiben, aber die haben mich überredet, meine Freundinnen haben alle aufgeschrien: ›Was, bist du verrückt! Du bist dann in

Moskau gemeldet, wenn ich die Möglichkeit hätte, ich würde einen arbeitslosen Alkoholiker dafür heiraten, und deiner hat sogar eine Anstellung.‹ Eine von denen, Dascha, ist als Mätresse zu einem gegangen, der war dreißig Jahre älter, verheiratet, Kinder, all das, und sie war glücklich, weißt du, sie war einfach glücklich, in Moskau zu sein. Also dachte ich, da muss was dran sein, an diesem Moskau.«

Ich versuchte mir auszumalen, wie sich die Frauen der achtziger Jahre Moskau vorstellten, und sah nur unter Schnee begrabene Schaukeln, deren verrostetes Gestell in einen fadendurchzogenen Himmel ragte. Wie schade, dachte ich, dass ich mir nicht mehr vorstellen kann, als ich kann. Ich konnte nicht mehr geradeaus denken.

Das Aufkommen von Migräne merkte ich zuallererst am Licht. Es durchschnitt mir die Augäpfel, obwohl das Zimmer, in dem wir saßen, relativ dunkel war, Valja mochte es dunkel, die Gardinen waren zugezogen. Dann kam die Geräuschempfindlichkeit, ich wehrte mich dagegen, wollte nicht weg von Valja, aber dann zirkulierten die Gerüche im Raum, ich begann, alles scharf zu riechen, Valjas Parfüm brannte mir in der Nase.

»Als ich da in Moskau ankam, wurde mir ein Theater vorgespielt, ich bin heute noch baff, dass sie sich so viel Mühe gegeben haben. Und dass ich es geschluckt habe. Ich fand Kostja zwar hässlich, Sommersprossen überall, ein Rothaariger, damals schon mit dickem Bauch, dünnen Ärmchen, aber dann setzte er sich ans Klavier und fing an zu spielen und schaute mir dabei in die Augen, presste die Lippen aufeinander, blähte die Nasenflügel, und die Eltern sangen mir dazu das Lied, was für innere Werte dieser sensible junge Mann habe, wie belesen er sei, wie rücksichtsvoll er mit seinen Eltern umgehe, mit seinen Nachbarn, wie gern er ins Theater gehe und in die Oper.

Am Anfang führte mich Kostja noch aus, tagsüber ins Museum, abends ins Theater, kannst du dir das vorstellen? Kostja im Museum? Und weißt du, was lustig war? Er hat ja damals schon so viel gefressen, immer vor dem Theaterbesuch alles durcheinander in sich reingeschaufelt, saure Sahne auf Rind mit Zwiebeln und all das, und während der Aufführung hatte er dann Blähungen, und ich meine, nicht nur an einem Abend, sondern tatsächlich an allen, an denen er mich ausgeführt hat. Also jedes Mal, wenn wir ins Theater gingen und das Licht ausging, ging das Orchester in seinem Bauch los, und entweder rülpste er, oder er furzte, und ich habe so gelitten, für ihn gelitten, er hat mir so leidgetan, verstehst du, ich dachte daran, wie unangenehm ihm das sein musste, der Arme will mir Avancen machen und blamiert sich vor der ganzen Stadt. Aber heute denke ich, ihm ist das buchstäblich am Arsch vorbeigegangen. Was heißt, ich denke, ich weiß es mit Sicherheit.«

Immer wenn ich merke, dass es für Menschen eine Vorstellung von Welt gibt, auf die sie ohne Zweifel bauen, fühle ich mich allein. Ausgeliefert. Sie sprechen davon, Dinge mit Sicherheit zu wissen, sie erzählen, wie etwas gewesen ist oder sogar wie etwas sein wird, und ich merke dann immer, wie sehr ich nichts weiß von dem, was als Nächstes passieren könnte. Ich weiß ja noch nicht mal, als was ich angesprochen werde, wenn ich Zigaretten kaufen gehe – als ein Er oder als eine Sie? Mein Gesicht überrascht mich jeden Morgen im Spiegel, und ich bin skeptisch gegenüber jeder Prognose. Meine Schläfen drücken oft. Das lähmt mich für Tage. Aber ich wollte Valja nicht belästigen mit der Kompliziertheit meiner Gefühle, die auf Testosteron Achterbahn fuhren, als wäre ich in einer permanenten Adoleszenz. Ich war gekommen, um zuzuhören.

»Ich erinnere mich, Mama rief zwischendurch an, die war wieder irgendwo, Ungarn oder Tschechoslowakei, und fragte, ob Kostja mir schon einen Heiratsantrag gemacht hatte. Und ich sagte, Mama, ich kenne ihn doch noch gar nicht, wir haben uns gerade erst kennengelernt. Und sie sagte, Gefühle kommen mit den Jahren, Tochter.«

Plötzlich kriegte ich Angst vor einem Hörsturz, so wie damals, als ich verstanden habe, dass Anton wirklich weg war. Irgendetwas in mir begann zu rennen, lief gegen meine Innenwände und wollte unbedingt raus.

Valja sagte: »Schwanger geworden bin ich schnell. Unsere Männer verhüten nicht, Abtreibung war das übliche Verhütungsmittel, aber nach der zweiten Abtreibung bei Iwan hatte ich keine Lust mehr und ließ mir so eine hundertfünfzig Prozent sichere, sowjetisch geprüfte Spirale einsetzen. Kaum war sie drin, wurde ich mit euch schwanger.«

Valja fragte mich nicht mehr, wann ich ihr Enkelkinder auf die Welt bringen würde. Seit sie mich mit einem Dreitagebart gesehen hatte, hat sie aufgehört, zu fragen, das fand ich schön. Früher waren die Enkelkinder das Gesprächsthema Nummer zwei gleich nach meinen schlechten Essgewohnheiten – das Desinteresse meines Uterus. Die westliche Angewohnheit, nur für sich zu leben, statt etwas in die Welt zu setzen, was noch weniger eine Chance hatte als man selbst. Aber seit meine Schultern breiter geworden waren, die Muskeln an meinen Oberarmen deutlicher hervortraten und ich meine Mutter hochheben konnte zur Begrüßung, fragte sie nicht mehr.

»Ich war darauf nicht vorbereitet, ich war total fertig, das ging mir zu schnell, ich wusste nicht, wo ich bin und mit wem ich bin, und dann musste noch viel schneller geheiratet werden als ohnehin geplant. Eigentlich dachten wir, wir machen alles im Sommer an der Wolga, aber weil ich schon schwanger war, mussten wir im Winter heiraten. Im Moskauer Winter, im Moskauer Dreck, den man auf der weißen Strumpfhose bis über die Knöchel hoch sah, so sind wir ins Standesamt gegangen. Weißt du, wie schwer es war, damals weiße Strumpf-hosen zu bekommen? Das waren meine ersten Nylons. Ich habe Fleck für Fleck, Spritzer für Spritzer mit den Fingernägeln auf dem Damenklo versucht abzukratzen, ohne dass sie reißt. Hat nicht viel gebracht, auf den Hochzeitsfotos sehe ich aus wie ein Dalmatiner. Die Schwiegermutter hat sich noch lange lustig gemacht. Und dann ging alles noch schneller, viel zu schnell. Von da an weiß ich nur – ihr seid gekommen. Zu früh.«

Ich hätte nicht gedacht, dass sie darüber sprechen würde. Tat sie auch nicht. Sie tat es auf ihre eigene Art und Weise, durch Auslassung dessen, wonach ich mich niemals getraut hätte zu fragen, sie konnte nicht mehr sagen als: »Kostja hat seinen Geburtstag gefeiert. Ich wollte eigentlich zu Etinka nach Wolgograd und dort entbinden, aber es sollte nicht sein. Kostja hatte diese Geburtstagsfeier und –«

Ich sah Valja verschwommen, erahnte ihre Konturen mehr, als dass ich sie sah, die Luft war trocken, erst jetzt merkte ich, dass sie die Heizung voll aufgedreht haben musste. Sie fror immer, ihr war immer kalt. Mir auch. Und bevor etwas plat-zen konnte, in mir, in meinen Ohren, haute ich ab. Ich ging raus aus mir. Mein Körper blieb starr vor Valja sitzen, wäh-rend ich aus mir heraussprang, nach draußen, ich war außer-halb, das Zuhören konnte mir nichts mehr anhaben.

»Er hat seinen Geburtstag gefeiert und … Und auf jeden Fall … früh einsetzende Wehen, in unserem Auto kein Sprit, er noch völlig besoffen, der Krankenwagen kam dann nach zwei Stunden oder drei oder vier. Ab in den Kreißsaal, wo schon fünfzehn andere Kühe im Kreis lagen mit gespreizten Beinen und muhten. Und ich mit Hämatomen am ganzen Körper und hatte das Gefühl, das Köpfchen guckt schon raus, deins, das war dein Köpfchen, das weiß ich, wie ich da in den Saal marschiere.«

Valja sah auf die Wand hinter mir, sah nicht, dass ich ihr wieder entwischte, mich verabschiedete, sie redete durch meinen Körper hindurch, immer weiter.

»Zuerst gab es keine Liege für mich, ich habe mir gewünscht, irgendwer würde mich tragen, weil ich Angst hatte, dass ich das Köpfchen, das da aus mir rauskommt, zerquetsche beim Gehen, dann riss ich auch noch komplett auf, du hast mich aufgerissen, ich hatte das Gefühl, entweder ich zerquetsche dich, oder du zerreißt mich. Pressen, drücken, reißen. Und da sind wir heute. Wir haben es geschafft, darauf hätte ich damals nicht gewettet.«

Ich würde auch heute nicht darauf wetten, dachte ich, als ich uns von außen betrachtete. Ich ließ mich, meinen starren Körper, dort sitzen, stieg in die Luft und atmete auf, als ich über der Glastischplatte schwebte. Die leere Hülle von mir achtete darauf, regelmäßig zu blinzeln, um keinen Verdacht zu erregen, dass ich abgehauen war.

»Wir hatten also geheiratet und waren zu Tschepanow geworden. Kostja hatte keine Lust mehr, Berman zu heißen, er sagte, darum habe er ständig Ärger auf der Arbeit, und ich glaubte ihm, natürlich glaubte ich ihm, bin schließlich selber als Pinkenzon aufgewachsen. Woher der Name Tschepanow kam, frag mich nicht, gekauft, gemacht, irgendwer hat irgendwen geheiratet, irgendwas gab es da in der Familie. Seine Eltern fanden das gut, nur Opa nicht, sein Opa, der hat rumgeschrien, dass wir unsere Seele an die Christen verkaufen. Der hatte noch die Deutschen erlebt, verstehst du, bei dem stand eh alles ein wenig schräg seither, den eigenen Namen wegzugeben, war für den noch gleichbedeutend wie ab in die Gaskammer.

Einmal im Monat kam er uns besuchen aus Podmoskowje, der Gegend, wo die alle herkamen, und Kostjas Mutter gab ihm danach Essen mit, damit er nicht verhungert, aber vorher hatte sie genau auf das Haltbarkeitsdatum geschaut und gab ihm nur das mit, was wirklich weit über das Datum hinaus war.«

Das Ich unter mir lachte mechanisch auf. Sie schaute es an, sie hatte sich an das Blech meiner brechenden Stimme noch nicht gewöhnt. Wie auch. Sie fand es nicht lustig.

»Tschertanowo war die äußerste Kruste der Stadt, du musstest nur ein Mal durch den Wald, und schon warst du in Podmoskowje. Aber lauf die Strecke mal als alter Mann. Er tat es jedenfalls. Kam außer Puste bei uns an, setzte sich an den Tisch und aß mit beiden Händen.

Wir wohnten in diesem Drecksbezirk, unbetretbare Zone, da fuhren noch nicht mal Taxis freiwillig hin. Das wusste ich damals natürlich nicht, als ich nach Moskau kam, jeden zweiten Tag entweder ein Toter oder eine Vergewaltigung im Haus, du denkst jetzt, ich übertreibe, das ist ein Segen, dass du das denken kannst. Dafür habe ich dich hierhergebracht, damit du mir diese Geschichten nicht glaubst und denkst, das muss übertrieben sein, dass die Sechzehnjährige von nebenan vergewaltigt und ermordet im Treppenhaus gefunden wurde, und dem Nachbarn von gegenüber, einem Schuster, zwei Meter mal zwei Meter groß, dem hat man eine Flasche über den Schädel gezogen, um seine Tasche zu klauen, gleich vor unserem Haus, genau dort ist er verblutet. In seiner Tasche war natürlich kein Geld. Ein Kind ist aus dem siebten Stock gefallen oder rausgeworfen worden, ständig solche Geschichten.«

Ich hing im Schneidersitz über unseren Köpfen und genoss diese andere Perspektive, hier war ich noch nie gewesen, so hatte ich den Raum noch nie gesehen. Valjas Gesicht wechselte permanent seine Konsistenz: Einmal sah es aus wie ein Wattebausch, dann wie das einer Pionierin, die ins Weltall fliegt. Sie hatte von oben gesehen eine eigenartige Pilzfrisur, und ich fragte mich, seit wann sie sich die Haare färbte. Das hätte ich sie fragen sollen und wie sie so schnell so viel abgenommen hat und was sie gerne aß, ich könnte für uns kochen.

Sie sagte: »Ich habe die Schwiegereltern nie verstanden. Ich weiß nicht, wie die sich gefunden haben. Er schmächtig und klein, ein Wurm mit Stoppeln überall und diese unmögliche Schiebermütze, wie ein Straßenjunge, der hat sie ja noch nicht mal zum Mittagsschlaf abgenommen. Wenn er nicht gearbeitet hat, konnte er tagelang auf dem Bett liegen und an die Decke starren, und das war's. Er hat vielleicht noch ein Wasser getrunken und nichts gesagt, nichts gemacht, nur geatmet. Und die Schwiegermutter war ein Macher, die wusste immer, was sie wollte, und wäre ich nicht schwanger geworden, wäre sie auch weiter zur Arbeit gegangen. Sie hat gerne gearbeitet, ich glaube nicht, dass sie Hausfrau sein wollte, aber das war damals so, irgendwer musste bei den Kindern bleiben, in den Kindergarten konntest du deine Kinder nicht geben, dann konntest du sie gleich selber vergiften, die kamen entweder krank oder tot zurück nach Hause, also blieb die Schwiegermutter bei euch, und ich ging arbeiten. Und sie putzte und kochte und zog euch auf und wusch eure Windeln mit den Händen. War ein Dienstmädchen für uns alle.«

Ich schaute mir die Winkel der Wände an, den Stuck an der Decke, der war abgetragen, aber die Spuren waren noch geblieben.

»Ich glaube, sie hat mir leidgetan.«

Hörte Valja von irgendwo sagen: »Die Schwiegereltern hatten nur einen einzigen Freund gehabt, der war aus demselben Dorf nach Moskau gezogen. Das war der Einzige, der mal bei uns zu Besuch war, der kam oft, und hätte ich nicht gewusst, dass die sich niemals mit einem Bettler abgegeben hätten, hätte ich darauf gewettet, dass er einer war. Er sah so aus, und er roch auch so. Ein Stiller war das, fast zärtlich zu den beiden, ich habe nie einen Menschen gesehen, der so mit ihnen gesprochen hat, schon gar nicht ihr eigener Sohn, und sie waren fast menschlich zu diesem einen Freund, ich erinnere mich jetzt nicht an den Namen. Allerdings kann es auch sein, dass er so oft kam, weil seine Frau immer Urin getrunken hat.«

Das Ich da unten lachte wieder, Valja ignorierte das befremdliche Blechgeräusch, das aus ihm kam.

»Sie hat diese Harnstofftherapie gemacht, jahrelang, und er erzählte immer von dem Geruch und dass man es zu Hause nicht aushalten konnte. Es ist ja nicht nur so, dass man pinkelt und dann den Urin trinkt, nein, der muss da schon länger gestanden haben, frischer Urin hilft angeblich nicht. Der Arme musste immer weg von zu Hause, versteht man doch.

Ihr einziger Freund. Ich mochte den.«

Sie erzählte weiter von ihren Schwiegereltern und deren Freunden und Freundesfreunden, das verstand ich. Wenn man mich über mich selbst befragte, erzählte ich auch von anderen, täuschte vor, dass diese Erzählungen etwas über mich aussagen würden, und wusste gleichzeitig um die Hilflosigkeit des Versuches, Spuren zu verwischen.

Ich hörte jetzt nur noch Bruchstücke: »Dieser Freund ist nach Amerika. Als er kam und sagte, er wandere aus, war es vorbei mit der Herzlichkeit … Die haben irgendeinen Streit angefangen, von wegen er hätte sie beklaut, etwas aus der Wohnung mitgehen lassen … der hat ihnen die Füße geküsst, ihnen aus der Hand gegessen … angeblich hat er ein Radio aus der Wohnung rausgetragen, um es nach Amerika mitzunehmen, klar, man braucht nichts dringender als ein sowjetisches Radio, wenn man in die USA auswandert … irgendwann hieß es, er hat es tatsächlich rüber geschafft und ist jetzt tot …«

Ich sah zur Seite, Schura schaute mir direkt in die Augen. Dieses Gemälde hatte mich schon immer eingeschüchtert, weil das Öl seine Pupillen aussehen ließ, als würden sie pulsieren. Ich schaute fragend zurück.

Valja sagte: »Wir hatten immer viel zu essen, so viel, dass ich gleich dreißig Kilo zugelegt habe im ersten Jahr in Moskau. Die haben mich gemästet, als wäre es ihnen peinlich, dass die Professorenenkelin so mager war, das waren ja Kriegskinder, da musste alles mit viel Fett und Kartoffeln sein.

Die Schwiegermutter hat sich Butter auf die Hände geschmiert, damit sie nicht so rissig waren, den Geruch von sowjetischer Butter auf ihren Händen vergesse ich nicht. Ich habe ihr einmal von meinem Ersparten eine Handcreme gekauft mit Rosenduft, die hat sie nicht aufgemacht, sondern gleich hinten im Schrank versteckt, ich wette, sie hat sie irgendwem geschenkt, als sie über das Verfallsdatum drüber war.«

Ich riss meinen Blick von Schuras Gesicht los und schaute hinunter auf Valjas Hände. Dachte daran, wie gerne ich sie eincremen würde, jeden Finger befühlen, die Haut in den Zwischenräumen, über die Fingernägel fahren. Dann dachte ich an die Hände meines Ichs da unten, die rauer wurden, ich erschrak selbst manchmal über die Verhornung der Haut, wenn ich meine Hand in die andere legte, meistens im Halbschlaf, angewinkelt neben meinem Kopf, aber vielleicht war es auch einfach nur befremdlich, meine eigene Hand zu halten. Ich dachte daran, dass Valja nie merken würde, wie rau meine Haut wurde, weil wir uns nicht die Hand gaben und uns nur am Stoff anfassten, wenn wir uns umarmten.

Sie sagte: »Ich durfte bei den Schwiegereltern keine Fotos von euch machen, weil die Schwiegermutter sagte, dann holt der Teufel eure Seele. Darum gibt es so wenig Fotos von euch als Säuglinge … Die, die es gibt, habe ich selber … verhängte das Fenster in der Küche, schloss die Tür, dann war es dunkel genug, dann kam die Schwiegermutter rein, ging zum Kühlschrank, kramte darin lange rum, belichtete meine Negative und sagte, sie hätte jetzt so einen Appetit auf gekochten Schinken …«

Auf dem allerersten Foto von mir sieht man meinen nackten Kinderkörper mit mandelförmigen, weit aufgerissenen Augen und spitzem Kinn, der auf einem weißen Laken die Arme und Beine von sich streckt und versucht, sich aus eigener Kraft vom Bauch auf den Rücken zu drehen. Es sieht aus, als würde ich fliegen.

Auf einem anderen, das lange bei meinen Großeltern in Moskau auf der Kommode stand, sieht man meinen schon fast ausgewachsenen flachen Körper mit einer geblümten Weste, offen über den nackten Schultern hängend. Ich halte einen Apfel in der einen Hand, meine andere Hand ist zur Faust geballt und leer. Ich trage eine weiße Kappe, die mir über die Ohren reicht, und schaue in die Kamera, als hätte ich etwas verloren. Und ich weiß nicht, ob ich es mir einbilde, aber ich erinnere mich an ein Farbfoto von mir und meinem Bruder, ich in Leggins und Unterhemd mit verschränkten Armen und Anton neben mir im goldenen Kleid, er tanzt.

Ich zwang mich, wieder Valja zuzuhören, ich hatte das Gefühl, das war ich ihr schuldig. Nähte die Halbsätze wieder zusammen. Von hier oben tat es nicht weh.

Valja sagte: »Weißt du, dass man bei uns sagt, wenn man eine Vergewaltigung nicht verhindern kann, muss man lernen, sich zu entspannen? Ich habe das nie gelernt. Ich habe im Krankenhaus gelebt, ich bin da fast nie freiwillig rausgegangen, habe Überstunden gemacht, Konferenzen organisiert, was ich nicht alles gemacht habe, mit Patienten geredet bis morgens früh, um nicht wieder dahin zurückzumüssen – und Kostja hat immer auf mich gewartet, stand mit dem Auto vor der Klinik und ließ den Motor laufen, und ich kam manchmal einfach nicht, manchmal ging ich raus und sagte, ich habe zu tun, und ging wieder rein.«

Valja sagte: »Ich kann mich an den ersten Edamer Käse erinnern, in dickem, rotem Paraffinüberzug, den Kostja mir mitgebracht hat. Ich kann mich an den Geschmack erinnern. Ich kannte nur zwei Sorten Käse, bis ich fünfundzwanzig war, Kolbasnyj und Rossijskij, und da kam diese Exotik ins Haus, ich habe mich so über das Geschenk gefreut, bin ihm um den Hals gefallen. Er hat mich sein Äffchen genannt und brachte von da an öfters Käse mit nach Hause, woher auch immer er ihn hatte.«

Valja sagte: »Die Idee mit der Emigration kam ihm, glaube ich, zuerst, jedenfalls war er der Erste, der es ausgesprochen hat. Da waren Panzer auf dem Roten Platz, wir haben jeden Tag mit einem Bürgerkrieg gerechnet oder mit einem Umsturz oder was auch immer es sein wird – man weiß ja, wer als Erstes eins auf die Fresse bekommt. Da war eine ganze Welle, die nach Israel gegangen ist, es kamen massenhaft Einladungen, im Sinne von: Bei euch ist es unruhig und gefährlich, bei uns wachsen Mangos an den Bäumen. Die nahmen alle auf. Ob Juden, ob Russen, die sich gerade einen Namen gekauft hatten, der auf -berg oder -man oder -stein endete. Die nahmen alles, was nach Jude klang und in die Wüste wollte. Ich weiß noch, wie die Schwiegermutter sagte: ›Das ist ein Trick! Die Russen wollen rauskriegen, wo Juden wohnen! Sie registrieren euch und transportieren euch ab! Denkt ihr, sie fahren die nach Israel? Wie blöd kann man sein! In die Gulags werden die gebracht, in die Gulags.‹«

Und hier lachte Valja. Es kam ganz unvermittelt aus ihr raus, sie war selber davon überrascht und hielt sich den Mund mit einer Hand zu, mit der anderen suchte sie nach etwas auf dem Schreibtisch, was sie nicht greifen konnte. Das Glucksen kam tief aus ihrem Rachen und mischte sich mit einem schrillen Ton.

»In der Botschaft sagten sie uns, wir brauchen die Unterschrift der Eltern. Sie mussten einverstanden sein damit, dass wir das Land verließen. Kinder waren Altersvorsorge, was glaubst du, warum man so viele gemacht hat. Mit dem, was der Staat dir als Rente zahlte, hätte es bis ans Lebensende nur für Milch und Brot gereicht, darum mussten die Alten unterschreiben, dass sie auf ihre Kinder verzichten. Meine haben gesagt, sie unterschreiben alles, aber Kostjas sagten: ›Denkt nicht mal dran.‹

Man konnte die Unterschriften natürlich fälschen. Einfach jemandem was auf die Hand geben, und der stellt dir aus, was du haben willst. Aber Kostjas Eltern wussten das, sie drohten, uns zu melden, dann wäre es aus gewesen, die Tür in den Westen für immer zu.

Kostja hat immer wieder versucht, auf seinen Vater einzureden, und der hat dann Märchen von seinem Leben auf dem Dorf ausgepackt, wie schlimm es ihnen allen ergangen ist, wie viel sie für uns geopfert haben und dass wir völlig den Verstand verloren haben, zu den Deutschen zu gehen, wo unser, also das sowjetische Blut noch an den Bürgersteigen klebt. Ich habe es selbst auch versucht, habe ganz ruhig auf ihn eingeredet und gesagt, wenn es nicht klappt, kommen wir wieder, wir kommen ganz sicher wieder, ist doch nicht weit, man kann den Zug oder das Flugzeug nehmen und ist gleich da, wenn was ist. Er unterbrach mich mit einem Gesicht, das sehe ich noch heute vor mir: ›Keiner sagt jetzt was außer mir.‹ Dann nahm er das Messer in die Hand.

Der Schwiegervater war ja nicht ohne, er war zwar klein und schmächtig, dass du meinen konntest, du kannst ihn in deiner Achselhöhle zerquetschen, aber der hat angeblich in der Armee Sachen gemacht, also angeblich hat er Kameraden gefoltert. Hat ihnen heißes Öl in die Augen gegossen. Daran musste ich denken, als er mit dem Messer dastand. Kostja hat ihm natürlich sofort den Tisch ins Gesicht …

Ich schrie, die Schwiegermutter schrie, und du und Anton standet im Türrahmen, ich kann mich daran erinnern, dass ich eure Gesichter gesehen habe und sofort aufgehört habe, zu schreien, und dann die Schwiegermutter und dann Kostja und dann der Schwiegervater, wir haben alle in eure Richtung geschaut, wie ihr dastandet und uns angeschaut habt.«

Vor mir blitzte eine Messerklinge auf, ich sah meinen Vater einen Tisch durch die Küche schleudern, ich sah die erstarrten Gesichter, weil ich sie von Fotografien kannte, ich rief Bilder ab, von denen ich dachte, dass ich sie jetzt haben musste.

Valja sagte: »Ich hatte keine Vorstellung von Deutschland. Ich hatte keine Vorstellung von irgendwas, habe mir nichts ausgemalt, mir nichts gewünscht. Man sagt, man will eine goldene Zukunft für die Kinder, ja, ja, das ist richtig, aber das ist nicht, was man dann denkt. Man denkt gar nichts. Man fühlt sich wie ein Stein, der rollt.«

Ich schwebte über uns und sah zu, wie dieses andere Ich von mir meiner Mutter zuhörte, als sie vom Umzug erzählte. Es saß sehr gerade, sie auch. Ich konnte uns nicht genau verstehen, wir sprachen merkwürdig versetzt. Ich sah wieder in Schuras lila Augen auf der Höhe meiner Stirn. Redest du mit mir, alter Mann? Rede mit mir, sag doch was. Ich vermisse dich, ich vermisse es, mit dir zu reden. Aber Schura sagte nichts, und seine Augen waren auf dem Gemälde nicht lila. Ich sah wieder hinunter auf Kind und Mutter, wie sie einander spiegelnd voreinander saßen, ich sah noch einmal sehr deutlich, wie ähnlich wir uns sahen, vor allem in der Art, wie wir unsere Arme parallel neben unserem Körper runterhängen ließen, in den Ellbogengelenken leicht angewinkelt.

Ich sah Ali, der jetzt, plötzlich, als er seiner Mutter gegenübersaß, auch Alissa hätte sein können. Das machte die gewohnte Umgebung, er schwankte zwischen den Zeiten, zwischen den Körpern, er war leer. Ich hörte, wie seine Mutter davon erzählte, dass die Wände der ersten Wohnung in Deutschland feucht waren, wie die Schwiegermutter aus Moskau zu Besuch kam und sie, Valja, daraufhin einen Schlaganfall erlitt. Ich hörte, wie sie erzählte, dass ihr Vater Daniil sie im Rollstuhl durch die kleine westdeutsche Stadt schob, in der wir damals wohnten, weil sie wochenlang nicht gehen konnte. In den Sonnenflecken der kleinen Parkanlage, durch die er sie schob, schliefen viele alte Menschen in Rollstühlen. Da war Valja noch nicht vierzig. Ich hörte sie erzählen, dass ihr rechter Mundwinkel sich nie ganz von dem Schlaganfall erholt hat. Ich sah, dass Ali sich leicht nach vorne beugte, um den Mundwinkel der Mutter so unauffällig wie möglich auf Spuren zu untersuchen, aber alles, was ihm auffiel, waren die vielen Fältchen auf der Oberlippe, wie geschreddertes Papier.

Valja erzählte, dass sie in dieser Zeit zu ihren Eltern gezogen war und dass ihr Mann gekommen war und ihr die Kinder weggenommen hatte. Er brachte sie erst zurück, als sie drohte, die Scheidung einzureichen. Ich sah von schräg oben in Alis regungsloses Gesicht mit seiner großen Nase und dem spitzen Kinn, zwischen dem Kinn und der Unterlippe war ein tiefes Grübchen, aus dem schwarze Haare sprossen. Er blickte stumm seine Mutter an, die ihm von ihrer Tochter erzählte, die, nachdem ihr Vater sie, Valja, mit roten Augäpfeln aus der Wohnung geschleift hatte, so verstört gewesen war, dass sie für Wochen aufhörte, zu sprechen. Ali blinzelte verständnislos.

Ich hing in der Luft, die Zeit stockte, dann stolperte sie wie gerafft an meiner Nase vorbei. Dort oben in der Luft schwebend, streckte ich meinen Arm aus und fuhr über den Bilderrahmen um Schuras Gesicht, betrachtete meine Fingerkuppen, die feinen grauen Staubschlieren, ich rieb sie gegeneinander, der Staub bildete Kügelchen, ich schnipste sie weg über die

Köpfe unter mir. Nichts ergab Sinn. Ich hörte, wie Valja Ali Vorwürfe machte, dass er gekommen war, um Fragen zu stellen. Auf Valjas Art. Sie sagte nicht, dass es anmaßend sei oder dass er niemals verstehen würde, aus welcher Welt sie kam, nicht einmal, dass es über ihre Kräfte ging, ihm das alles zu erzählen, sie sagte so etwas sehr Russisches wie: »Die Erinnerung ist ein Parasit, fang ihn dir lieber nicht ein, sonst geht es dir wie mir, kannst gar nicht aufhören. Ich –«

»Ich« ist im Russischen nur ein Buchstabe: Я. Ein einziger Buchstabe in einem dreiunddreißigstelligen Alphabet. Der letzte. Man sagt: Я ist der letzte Buchstabe im Alphabet, also stell dich hinten an, vergiss dich, nimm dich nicht so wichtig, lös dich auf. Mir schien, Valja hatte diese Redensart vollkommen verinnerlicht. Sie war ganz hinten, und es ergab für sie einen Sinn, dass es so war. Für sie war es folgerichtig. Überhaupt gab es so etwas wie Folgerichtigkeit für sie, ein Ereignis musste zwangsläufig auf das andere folgen. Als sie mir ihr Leben oder jenen Ausschnitt, den sie weitergeben wollte, erzählte, spannte sie eine Kette von Begebenheiten, die für sie ganz natürlich schien, aber für mich trotz der Unbeirrtheit in ihrer Stimme kaum nachvollziehbar war. Meine Gedanken sprangen Himmel und Hölle, versuchten, nicht auf den Linien zu landen. Ein Я konnte ich nicht denken, das merkte ich, als meine Mutter mir ihr Bild von sich zeichnete. Ich konnte es nicht einordnen.

Mein Name fängt mit dem ersten Buchstaben des Alphabets an und ist ein Schrei, ein Stocken, ein Fallen, ein Versprechen auf ein B und ein C, die es nicht geben kann in der Kausalitätslosigkeit der Geschichte. Ein Denkfehler, zu glauben, die, die gemeinsame Stationen durchlaufen, kommen als ein Gemeinsames irgendwo an. Ich kenne viele mit meiner Biographie, sie haben andere Kerben in ihren Gesichtern, tragen andere Kleidung, spielen Musikinstrumente, essen bei ihren Eltern am Sonntag Heringssalat, können danach die Nacht durchschlafen, haben Berufe, kaufen Wohnungen, fahren in den Süden, um Urlaub zu machen, und kehren am Ende des Sommers an Orte zurück, die sie Zuhause nennen. Ich dagegen fühle mich unfähig, verbindliche Aussagen zu treffen, eine Perspektive einzunehmen, eine Stimme zu entwickeln, die nur die meine wäre und für mich sprechen würde. Ein festgeschriebenes Я.

Zeit ist für mich eine Drehscheibe. Bilder verschwimmen vor meinen Augen, und immer aufs Neue stelle ich Vermutungen darüber an, wie irgendetwas vielleicht ausgesehen haben könnte, wie die Straßen hießen, in denen ich nie gewesen bin, die Treppen der Städte, die Boote, die leer blieben. Versuche, die auseinanderzuhalten, deren Namen sich über Jahrhunderte immer wiederholten.

Ich erdenke mir neue Personen, wie ich mir alte zusammensetze. Stelle mir das Leben meines Bruders vor, stelle mir vor, er würde all das tun, wozu ich nicht in der Lage gewesen bin, sehe ihn als einen, der hinauszieht in die Welt, weil er den Mut besitzt, der mir immer gefehlt hat, und ich vermisse ihn.

Und was habe ich getan, als ich gedacht habe, er ruft mich? Ich bekam diesen Wink, ich missdeutete die Zeichen und zögerte, tippelte vorsichtig, tat alles, um meine Anspannung zu betäuben, sie in mir zu vergraben, legte mich auf ein Sofa, das mich auffressen sollte, bewegte mich kaum und wartete, denn was ist Warten sonst als eine Hoffnung.

ZWEI

»zu Hause«

Ich werde immer wieder mitgenommen, keiner fragt mich, und ich würde auch nicht nein sagen. Natürlich will ich zurück, Oma und Opa besuchen, meine Jungs sehen, Valera und Petja, und Kirill auch. Ich will ihnen so viel erzählen. Packe Geschenke für sie ein, hat alles Mama gekauft, viel zu viel, sagt Papa, »nicht, dass es aussieht, als würden wir angeben wollen«, Mama sagt, »halt die Klappe«, und stopft noch mehr Plastikroboter, Autos und eine Legoschachtel mit einem Piratenschiff in die Reisetasche. Dann noch ein paar Bücher zum Deutschlernen. »Man weiß ja nie.«

Ich versuche, die Tasche anzuheben, sie ist viel zu schwer, aber ich sage kein Wort, klettere rein, krame nach dem Piratenschiff, hole es raus und schiebe es weit unter mein Bett.

»Die Blusen gibst du Angela, Nadja und Kisa. Diese Creme ist nur für Marina, hast du verstanden?« Papa nickt eifrig und guckt gar nicht hin, aber küsst Mama im Vorbeigehen, seine Hände schwitzen, wenn seine Hände schwitzen, heißt das, dass er glücklich ist.

Meine Schwester steht im Flur und schaut uns alle durch Marmeladengläser an, als hätte sie tausend Augen, dreht den Kopf von einer Schulter zur anderen. Mama belädt sie mit noch mehr Einmachgläsern und legt einen Laib Brot obendrauf, so dass ich sie gar nicht mehr sehen kann, »dass ihr was Vernünftiges esst auf dem Weg, du hast die Provianttasche«. Die Schwester hält alles fest wie einen Teddybären und legt nichts davon in ihre Tasche, ihre Finger werden weiß, weil sie so krallt.

Wir schaffen es irgendwie die Treppe runter, bleiben noch mal stehen und schauen hoch, Mama winkt mit einer Hand aus dem Fenster und schlägt es dann schnell wieder zu, und Papa fängt an, ein Lied zu singen aus dem Film über die drei Musketiere. Irgendwas mit guten Zeiten.

Krasnyj-Majak-Nummer-Dreizehn-Gebäude-Zwei-Wohnung-Hundertachtundzwanzig, die Adresse kann ich für immer auswendig. Die stößt noch im Schlaf von ganz tief unten aus dem Bauch auf, man kann mich nachts wach rütteln, noch bevor ich meinen Namen weiß, weiß ich, wo man mich hinbringen soll, wenn ich verlorengehe. Wenn mich der Menschenpulk in der Moskauer Metro fast zerquetscht und ich, bevor mir der Arm rausgerissen wird, die Hand, die mich festhält, loslasse und mich dann allein in der Station wiederfinde und Marx, Lenin und Stalin von ihren Säulen auf mich herunterschauen und mich fragen, wo ich herkomme, dann werde ich wissen, was ich sagen soll: Krasnyj-Majak-Nummer-Dreizehn-Gebäude-Zwei-Wohnung-Hundertachtundzwanzig. Und dort gehe ich auch immer wieder hin, immer wieder heißt jedes Jahr. Man nimmt mich mit.

Als sie mich das erste Mal mitnehmen, denke ich, alles wird gut. Für immer, ab jetzt wird alles gut. Oma mästet mich, als wäre es das Letzte, was sie tut, Opa schleicht durch die Wohnung, hat schon einen Gehstock und schlurft in viel zu großen Pantoffeln, als würde er Schlittschuh laufen. Er ist so schmal geworden, bricht bestimmt auseinander, wenn er hinfällt. Papa sitzt die ganze Zeit am Küchentisch und trinkt mit Opa und Oma Tee, und dann weinen alle drei. Papa und Opa und Oma schluchzen laut auf.

Ich winke kurz in die Küche und will raus, die Wohnungstür ist gepolstert, ich habe ganz vergessen, wie dick das dunkelrote Polster ist, man kann mit dem Kopf dagegen rennen, und es passiert nichts, keine Beule, kein Riss. Sonst scheint alles dünner, kleiner, die Schränke, die Teppiche an der Wand. Mir fällt ein, dass ich noch nie allein durch diese gepolsterte Eingangstür rausgegangen bin, durfte ich nicht, jetzt schon, warum auch immer, Papa ist mit Reden und Weinen beschäftigt. Oma und Opa hören zu, die Schwester sitzt in der Ecke auf dem Sofa, auf dem Mama und Papa früher zu zweit geschlafen haben, und liest in ihrem Comic und will sich nicht rausbewegen. Sie ist ein riesiger, in rosa Frottee getauchter Wurm.

Ich gehe raus, nehme den Fahrstuhl, das Licht flackert, das hat es schon immer getan, und ich hatte schon immer Angst, dass der Fahrstuhl stehen bleibt. Der Notfallknopf ist rausgerissen, ich kann mich nicht erinnern, ihn je gesehen zu haben, aber die Treppe zu nehmen, ist gefährlicher, haben sie mir gesagt. Ich komme unten an, trete die eine Tür auf, ich trete die andere auf, die Bänke unter den Fenstern im Erdgeschoss sehen aus wie riesige Pilze mit vermoderten Köpfen, keiner sitzt drauf, keiner schreit mir hinterher, ich soll aufpassen. Die Metallstangen des Klettergerüsts auf dem Spielplatz waren mal blau, das weiß ich noch. Ich klettere hoch in meinem üblichen Dreierschritt, rechts, hochziehen, links, hochziehen, noch mal rechter Fuß, und ich sitze ganz oben auf dem geflochtenen Viereck und schaue über den Hof. Er scheint so groß wie ein Fußballstadion, dahinter hört die Welt auf, das kann man sehen. Links sind Weiden, sie sind ein Vorhang zu dem Nichts dahinter. Sonst überall nur dieselben grauen Wände der Plattenbauten übersät mit einem Meer aus schwarzen Augen. Der Himmel hat dieselbe Farbe wie die Häuser. In den Kniekehlen unter meiner Jeans spüre ich Schläge gegen die Metallstangen.

Valera und Petja schielen hoch und treten gegen das Gerüst. Vor Freude falle ich fast runter. »Hey«, schreie ich, »hey!«, lasse mich kopfüber hängen und strecke die Arme nach ihnen aus. »Wo ist Kirill?«

»Kirill ist weggezogen«, sagen sie, »bist lange weg gewesen, hast keinen Überblick mehr.«

Ich laufe die Streben des Klettergerüsts hinunter wie eine Spinne und will ihnen um den Hals fallen, weiß aber, dass wir so einen Kinderkram nicht mehr machen. Ich strecke ihnen die Hand entgegen. Sie nehmen sie nicht, sie schauen auf meine Schuhe. Valera geht um mich herum und schnalzt mit der Zunge, Petja steht dicht vor meinem Gesicht und sagt nichts, guckt nur, seine Lippen sind ganz trocken, die Außenwinkel seiner Augen auch. Er ist so blass, ich möchte etwas Schnee nehmen und ihm über die Wangen reiben, ich sage, ich habe Geschenke für sie, die sind oben in der Wohnung, sie können ja mitkommen. Oder später nachkommen, wenn sie wollen, wenn sie jetzt nicht wollen, wir können ja eine Weile zusammen draußen sein.

Petja verzieht das Gesicht zu einem Grinsen, nur die eine Seite, die linke. Valera ist hinter mir stehen geblieben und fährt mir mit der flachen Hand über den Hinterkopf, als würde er mir die Haare abrasieren. Ich springe zur Seite und schaue die beiden an, sie sehen einander so ähnlich, dass ich sie kurz nicht auseinanderhalten kann. Sie lachen nicht, sie atmen nicht, sie stehen Schulter an Schulter in ihren weißen Daunenjacken und schauen wie durch mich hindurch, aber sie schauen mich an, das kann ich spüren. Valera sagt als Erster das Wort: жид.

Ich habe es vorher schon oft gehört, aber das wusste ich nicht. Ich wusste nicht, dass ich damit gemeint bin. Auch nicht was es heißt: Judensau. Das erklären mir die Jungs dann. Dass ich eine bin und warum. Wir drei stehen da mit hängenden Armen, zwei sind zu einem zusammengewachsen, der bellt.

Sie erklären mir, dass ich eine Judensau bin, weil ich eben als diese Judensau aus dem Land durfte und sie hier bleiben mussten und Kirill verabschieden, als sein Vater versetzt wurde, und Dima verabschieden, der ist übrigens überfahren worden von so einer Missgeburt mit Schlitzaugen wie den meinen, einer nach dem anderen sind sie alle gegangen oder werden bald gehen, so wie ich und meine ganze Drecksippe, und jetzt komme ich mit meinen weißen Nike Sneakers zu Besuch und kann mir die Westgeschenke in den Schwanz schieben, so ungefähr.

»Und eine Schwuchtel bist du wahrscheinlich jetzt auch schon geworden«, педераст, sagen sie. »Sieht man an deiner Westjacke, was ist das für eine schwuchtelige Schwuchteljacke, was sind das für Farben?«, fragt Petja. »Trägt man das so bei euch Schwuchteln?«, fragt Valera mit derselben Stimme. Und bevor ich irgendetwas sagen kann, selbst Krasnyj-Majak-Nummer-Dreizehn-Gebäude-Zwei-Wohnung-Hundertachtundzwanzig kommt nicht so schnell aus mir raus, schupsen sie mich, beide gleichzeitig, und ich falle hin, fliege gegen das Gerüst, ein Metallgeräusch hallt in meinem Kopf nach. Ich mache die Augen wieder auf, und die beiden sind weg, als hätte ich sie mir eingebildet. Ich liege auf dem Boden und über mir ist der Himmel bekritzelt mit Gitterstäben, die mal blau waren.

Als Judensau und Schwuchtel stehe ich auf und spaziere über den Hof. Die Plattenbauten umarmen mich wie eine auseinanderbrechende Raute, ich greife an meinen Hinterkopf und glaube, da ist nichts, keine Beule, kein Riss, dann versuche ich, mich zu erinnern, wo ich mir damals das Bein gebrochen habe, hier irgendwo, mitten auf freiem Feld, das von denen, für die ich immer zu jung gewesen bin, als Fußballfeld benutzt wurde. Die Schuppen auf beiden Seiten dienten als Tore. Ich gehe zu dem Schuppen mit den Stromkästen, an den erinnere ich mich am besten, der kleine, flache Bau, wo die Nachbarn im Hof Illegale vermuteten, »zu zehnt, zu zwanzig, zu hundert hocken die drin, da ist doch keine Elektrik, dafür stinkt es zu sehr«.

Freundinnen von Mama kamen und sagten: »Stell dir vor, Valja, die hausen da drin wie die Tiere!«

Ich erinnere mich deswegen so gut an diesen Schuppen, weil hier die Wand war, an der ich mein erstes Hakenkreuz gesehen und nachgezeichnet habe. Ich wusste nicht, was es bedeutet, aber ich fand, die Zeichnung sah gut aus. Heute, wenn ich mit meinen Augen, meinen schwuchteligen Westaugen, draufschaue, steht da: »Nur die Toten haben das Ende des Krieges gesehen.« Auf dem Boden liegt wie immer, wie damals schon, Kreide, ich hebe sie auf und schreibe: ХУЙ. Schwanz.

Oma klopft mich von Kopf bis Fuß ab, ich bin mit Schneedreck und Kreidepuder beschmiert, habe mir auf die Cordhosen gemalt, dann draufgehauen und geschaut, wie der weiße Staub hoch in meine Nase fliegt. Oma hat schon fast keine Zähne mehr, ich verstehe nicht, was sie murmelt, unter ihren Haaren sieht sie aus wie ein Troll. Opa und Papa schauen aus der Küche zu uns rüber und bewegen sich nicht, sitzen wie Puppen, in ihren Händen dampfende Teetassen, so groß, dass sie sie mit beiden Händen halten. Die Schwester liegt auf dem Sofa, mit dem Kopf in ihren aufgeschlagenen Comics, Batman und Robin kleben ihr an der Backe. An ihren offenen Lippen ist Sabber. Ich lege mich dazu, Nasenspitze an Nasenspitze, Batman und Robin knistern an meinem Ohr, in meinem Hinterkopf pocht es.

Wir werden mitgenommen zu der Familie, die wir auch vor der Ausreise immer besucht haben, weil der Vater mit dem anderen Vater gerne Tschatscha trank und wir Kinder dieselben Spiele mochten.

Als Tato uns die Tür aufmacht, falle ich fast um. Er ist größer als ich, fast einen ganzen Kopf, und hat einen Bart dort, wo mich noch nicht mal Stoppeln jucken. Und Pickel, riesige, wie ein echter Mann. Seit dem Vater wegen dem vielen Tschatscha mit fünfzig die Leber explodiert ist, kümmert sich der Onkel um die Familie. Onkel Giso ist der Bruder von dem mit der geplatzten Leber und hat selber Frau, Leber und fünf Kinder zu versorgen.

»Giso ist keine Hilfe«, sagt die Mutter. Ihr Gesicht ist in sich zusammengefallen wie eine Sandburg. Sie stellt Tee auf den Tisch und eine Torte, die in Zitronencreme ersäuft. »Tato ist jetzt der Mann im Haus.«

Sie sagt es so, dass Tato es hört, und er hört es – seine Nasenflügel flattern.

Sari ist noch hübscher geworden, sie ist auch in die Höhe geschossen, hat mich aber nicht überholt, ihr Arsch ist ein halber Apfel, der an meinem Gesicht vorbeiwackelt, ohne mich zu beachten, die andere Hälfte des Apfels klebt vorne dran, darauf liegt ein goldenes Kreuzchen, das ich jetzt gerne wäre.

Sari fängt nächstes Jahr bei der Polizei an, wird eine Milizionärin, sagt sie, für die Uniform hatte sie schon Anproben. Das Vorstellungsgespräch war gar nicht schwer, sie wollten nur wissen, ob sie fließend Georgisch kann, und haben sie dann gleich unterschreiben lassen.

»Du wirst jetzt also eine Verräterin«, sage ich in der Hoffnung, dass sie näher kommt. Sie kommt nicht näher, dafür gibt mir mein Vater eins auf den Hinterkopf, der eh schon weh tut. Aber ich lasse mir nichts anmerken.

»Tato sorgt für uns«, sagt die Mutter. »Tato verkauft Sportanzüge auf dem Markt und Zigaretten und Spiritus.«

»Selbstgebrannt«, strahlt Tato.

Ich schaue ihn an. Es ist absolut unmöglich, dass er Tscha-tscha selber brennen kann.

»Letzte Woche hat er mir irgendwas am Auto repariert, und der Kühlschrank fällt ab und zu aus, auch das kriegt er wieder hin.« Und dann folgt eine Liste von Tatos Eigenschaften und wie er einmal am Tag die Welt rettet. Tato ist vierzehn und schon durch den Stimmbruch, während ich noch höher singe als meine Schwester. Die sitzt am Tisch, als wäre sie nicht da, schaut durch uns alle hindurch, blättert in ihren Comics vor ihrem inneren Auge.

Ich stelle mir Tato vor auf diesem Markt bei der Metrostation Prashskaja, wo ich manchmal mit Oma und der Schwester durchgehechtet bin, die Oma hat uns beide fest an der Hand gehalten und uns verboten, nach links und rechts zu schauen, stelle mir also Tato vor, hinter einem Berg aus Stoff, der in Plastik eingeschweißt ist, mit einer Kippe im Mundwinkel, und mit seiner tiefen Männerstimme schreit er: »Anzüge, Anzüge, frische Adidasanzüge! Kommen Sie näher! Schauen Sie!« Und damit ihm nicht kalt wird, trinkt er immer wieder einen kleinen Schluck von dem selbstgebrannten Tschatscha aus dem kleinen metallenen Flachmann, den er unter seiner Fellweste trägt.

Meine Augen wandern wieder zu Sari, ich starre sie an, so offen es geht, und versuche zu lächeln, warte darauf, dass sie von ihrem Tee hochguckt. Das tut sie nicht. Während der ganzen Erzählung von Tatos Heldentaten schaut sie auf den Dampf über ihrer Tasse, der sich in Regenbogenfarben wölbt. Sieht aus wie Seifenwasser. Sie bewegt noch nicht mal die Lippen, wenn sie über den vergoldeten Tassenrand bläst. Ich starre auf die dunkle Öffnung zwischen den beiden blassen Lippenkissen und werde hineingesaugt. Will da unbedingt hineinspringen, mit meinem ganzen Körper, mit den Füßen zuerst.

Wir haben nie was miteinander gehabt. Als wir uns das

letzte Mal sahen, wusste ich noch nicht mal, was ich mal mit ihr alles haben könnte, aber da war sie auch noch kein zweigeteilter Apfel und ihre Haare ein langer schwarzer Stängel dazwischen. Ich versuche mir auszumalen, wie gut meine Chancen bei ihr sind. Stelle mir alle möglichen Dinge vor. Sehe schon meine Hand in ihr verschwinden, die eine in ihrem weichen Mund, die andere zwischen ihren weichen Schenkeln, bleibe hängen an der Frage, wo ich sie dann küssen würde, wenn meine Arme sich in ihrer Mitte, unter ihrem goldenen Kreuzchen, wieder treffen würden.

»Und sag mal, wie ist es dort?«, fragt die Mutter, und ich fliege raus aus meinem Handshake, den ich mir gerade selber in Saris Körper gebe. Ich schaue weg von ihrer walnussfarbenen Haut und stiere auf die bunte Tischdecke, warte, bis mein Vater die eingeübte Antwort abspult. Er hat sie im kleinen Spiegel im Zugabteil einstudiert, das habe ich gesehen, das war ihm vor mir nicht peinlich. Der Zug hat hin und her geschaukelt, und er hat Stimmlagen ausprobiert, lachte sogar los und fing an mit »ach, die Frage!«. Er zog seine Augenbrauen zusammen, zog sie auseinander, kam nicht weit mit dem Text, aber er hatte einen. Ich habe währenddessen die ganze Zeit in den Spiegel geschaut, und er schaute ab und zu zurück, unsere Augen haben sich getroffen, und ich wusste, er brauchte jemanden, dem er es erzählen konnte. Als er es dann bei Oma und Opa versuchte, weinten die gleich los, egal, was er sagte, und er musste dann mitweinen, weil weinen ansteckend ist, also zählte das nicht. Hier war er also, der Moment. Die Frage. »Die Frage!«

Ich kann die Worte in seinem Hals sehen, sie springen dort hin und her wie Gummibälle, aber nichts kommt raus. Er kommt gleich bei den ersten Silben ins Stocken, zieht sie holpernd in die Länge, wird still. Wir alle schauen ihn an.

Später wird er nicht mehr stottern, wenn er von Freunden

gefragt wird. Dann wird er einen ganzen Kartenstapel an Witzen und Anekdoten rausholen, die meisten erfunden, und wie ein echter Spieler die Spannung in die Höhe treiben mit seinem Pokerface-Lächeln, bevor er was sagt. Aber jetzt ist es das erste Mal. »Wie es dort ist, in diesem Germania?«, und er wird rot. Wir auch. Er stottert, wir hören zu.

»Die haben ein Wort, das heißt Langeweile, wir würden скука sagen, aber die meinen was anderes damit«, sagt er schließlich, als hätte er schon lange gesprochen und würde damit eine Pointe setzen.

Die Mutter nickt, wir hören dem Summen des Kühlschranks zu und folgen mit den Augen den unsichtbaren Fliegen im Raum, die um uns kreisen. Sari schlägt die Beine übereinander unter dem Tisch, das spüre ich und versuche wieder, an ihre Schenkel zu denken und nicht an meinen Vater, dessen Gesicht immer feuchter wird.

»Und die Kinder, weißt du, die können dir ins Gesicht sagen: Heute mache ich mal nichts, heute mache ich frei, ich muss mich entspannen, hab so Kopfschmerzen oder bin so müde oder eben diese Langeweile, denen ist ständig langweilig, sie finden alles langweilig, weißt du? So fünfzehnjährige Rotzlöffel sagen dir das ins Gesicht. Ich kann mich nicht daran erinnern, dass uns je langweilig war. Du?«

Ich stehe auf, beuge mich über den Tisch, nehme mir noch ein Stück Zitronencremetorte und versuche dabei, Saris Schulter zu streifen oder wenigstens an ihrem Haar zu riechen. Sie weicht zurück und sprüht Funken aus den Augenwinkeln.

»Und dann habe ich noch gehört«, sagt mein Vater, »dass, wenn den Eltern mal die Hand ausrutscht, ihre eigenen Kinder sie dafür verklagen können. Das geht dort. So was machen sie. Kannst du dir vorstellen? Die eigenen Kinder die Eltern.« Er beißt in ein Stück Torte und leckt mit der fettigen Zunge die Creme zwischen Daumen und Zeigefinger weg. Die Mutter schaut ihn an und schaut dann aus dem Fenster. Ich schaue auch aus dem Fenster, da ist nur Weiß, es schneit wieder. Sari stellt die Tasse ab und verschränkt die Arme, Tato schlurft mit der Sohle seiner Schlappen über den Boden wie das Kleinkind, das er ist. Seine großen Zähne ragen weit aus dem Gesicht, er muss dafür nicht mal lächeln. Wir essen so lange schweigend, bis wir sehen können, dass der Teller unter der Torte schwarz ist, goldumrandet und mit roten Kirschen drauf.

Zum Abschied hält Tato uns die Tür auf und bietet an, uns zur Metrostation zu begleiten. Mein Vater sagt nein, nimmt ihn aber zur Seite und redet auf ihn ein, legt ihm die Hände auf die Schultern, und ich versuche, mir vorzustellen, wie viel er ihm gerade zugesteckt hat.

Ich sage »bis bald« und gebe allen die Hand. Sari guckt nicht mal hin und ich auch nicht.

Wir gehen auf die Straße, es ist kalt, es ist so viel kälter, als es sonst irgendwo sein könnte. Meine Nasenspitze wird ein Eisstängel, über meine Lippen legt sich ein weißer Film, die Haut spannt, und dann reißt sie. Ich spüre, wie meine Nikes sich vollsaugen und die Hosenbeine auch, der Dreck frisst sich hoch bis zu den Knien, in meinen Augen brennt es, ich kriege sie nicht mehr zu und verdrehe meinen Kopf, er kugelt von einer Seite zur anderen, aber ich kann nichts sehen wegen der großen Kapuze. Ich schaue von innen auf meine schwuchtelige Westjacke, streife die Kapuze ab, öffne den Reißverschluss, schmeiße die Jacke in den Schnee. Dann sehe ich meinen Vater, der zu verstehen versucht, warum ich seine Hand losgelassen habe. Sieht auf meine Jacke, die im Dreck liegt.

Mir wird warm, wie er mich durch die Straße nach Hause jagt, meine Wangen brennen. Ich schaue zurück, präge mir sein violettes Gesicht ein und weiß: Ab jetzt rennt er mir für immer hinterher.

Anton Ich dachte mir nicht viel dabei, als ich in Istanbul aus dem Zug stieg. Ich wünschte, es wäre jemand im Abteil gewesen, der mir gesagt hätte, hier musst du raus, hier wird es passieren, irgendwas passieren, dieser Ort hier ist gemeint, so ist es geschrieben. Aber nichts dergleichen geschah. Mein Abteil war voll mit schwitzenden Fleischbergen, die allesamt durch mich durch oder auf den Boden starrten, und wenn sie es nicht taten, wenn sie mich doch mit ihren Blicken fixierten, dann wünschte ich, ich wäre unsichtbar. Und irgendwann stieg ich aus. Irgendwann hieß es Istanbul, ich nahm meine Tasche und sprang auf den Bahnsteig, setzte einen Fuß vor den anderen, ging raus aus dem Bahnhof, streunte bei Sultanahmet herum, folgte der Straßenbahn am Basar entlang zu einer Moschee, die aussah wie ineinandergesteckte Klötze. Die Tauben flogen wie ein riesiges graues Laken auf mich zu, ich duckte mich. Ich ging über die Brücke mit den Männern, die sich mit den Spitzen ihrer Angelruten berührten, ich ging durch Straßen, in denen die Wände der Geschäfte mit Messern und Schläuchen, Fahrradreifen und Taucheranzügen bewachsen waren. Ich lief durch Gummistiefeltunnel und Lackfarbengeruch und achtete darauf, nicht stehen zu bleiben. Ich lief eine Straße ohne Bürgersteig entlang, mit den Händen in den Hosentaschen, der Rückspiegel eines Autos streifte meinen Ellenbogen, der Fahrer schrie irgendetwas aus dem Fenster, ob zu mir oder zu sich selbst, konnte ich nicht sagen. Ich ging und ging, irgendwann wurde die Straße so steil, ich hatte das Gefühl, ich könnte sie nur runterfallen, ich schielte, setzte mich auf den Boden und dachte, ich muss kurz durchschnaufen, und etwas zu trinken wäre gut. Ich hatte den ganzen Tag nichts getrunken, es roch nach Katzenpisse, mir war schlecht von dem Geruch, ich schaute runter, der Boden verschwamm, ich dachte, ich gehe in ihm unter, dann zerrte mich ein junger Typ hoch, er hielt mich fest und sagte »komm mit«.

Barış gab mir Wasser und führte mich rum. Er und ein paar Jungs hatten sich in einem Gebäude in der Çıkmazı Sokak eingenistet, die Wohnung untendrunter war ausgebrannt, man musste über verkohlte Stufen nach oben steigen. Wenn man hochging, hatte man das Gefühl, unter ihnen, unter diesem Ruß, ist das Nichts. Die Jungs, die mit Barış wohnten, wussten, wie man Strom anzapft, sie hatten Matratzen auf dem Boden liegen, und irgendwer spielte immer Tavla, irgendwer spielte schlecht auf der Gitarre, dem musste ich die Saiten zerschneiden, damit er aufhörte. Angeblich war das Haus verkauft und der Besitzer in Österreich, das konnte genauso gut heißen, wir können für immer drinbleiben. Nach ein paar Tagen begann ich, Sachen für die Wohnung zu klauen, Töpfe für die Kochplatte, die im Zwischenraum stand, und Hausschuhe für Barış. Er sah sie und lachte, aber zog sie an und legte mir die Hand in den Nacken.

Weiter die Straße runter war ein Fußballstadion, wir kletterten auf die Bäume vor unserem Haus und schauten aus der Vogelperspektive auf die herumlaufenden Männchen. Barış fieberte am meisten mit, und wenn seine Lieblingsmannschaft verlor, weinte er und erzählte mir Geschichten über seinen Vater. Dann nahm ich ihn mit auf Spaziergänge durch die Stadt, und während er weiterredete und weinte, beobachtete ich die Muschelverkäufer, die leere Plastikflaschen hin und her kickten mit Kopf runter, sie schauten sich nicht an.

Barış' Vater war ein Ranghoher beim türkischen Militär, ab da wollte ich die Geschichte gar nicht mehr so genau wissen. Barış war von zu Hause weggelaufen, er versuchte, mir immer wieder in neuen Anläufen zu erklären, warum genau, aber unsere Sprachen trafen sich nur bruchstückweise, außerdem konnte ich ihn nicht hören, die Stadt war so laut, wie ich das von nirgendwo sonst kannte. Ich riss die Augen auf und stand in Läden mit Weckern aus der Sowjetunion, Lippenstiften aus Kuba, Schallplatten aus den Vierzigern und Gummipuppen, die uns von der Decke mit offenem Mund anstarrten. Bilder von Che Guevara und Hitler und Lenin kosteten ab 200 Lira aufwärts, der Verkäufer erklärte mir und Barış, dass er ganz gut verdient, aber nicht weil er irgendwas von dem Krempel verkauft, sondern weil Touristen mit ihren Rucksäcken das Porzellan umschmissen, wenn sie sich durch die vollgestopften Gänge drückten, und er dann dafür kassierte. Mit Barış' Gesumme im Ohr lief ich durch die Stadt, beobachtete Männer in alten, abgewetzten Anzügen, die ihre Zigaretten am Straßenrand rauchten, in der Abenddämmerung fror der Rauch in der Luft ein wie Bernstein, und dann hatte ich für kurze Zeit das Gefühl, auch Barış ist still.

Alle redeten vom Erdbeben, das bald kommen würde, und gleichzeitig interessierte es niemanden. Das Aneinanderreiben der Erdplatten spürte man manchmal auf den Fähren. Ich fuhr ganze Tage zwischen Kadıköy und Karaköy hin und her, Asien, Europa, Asien, Europa, Sonnenaufgang, Sonne, Sonne, Sonnenuntergang, Lichter, Lichter, noch mehr Lichter, beobachtete Menschen, deren Gesichter unter den Neonlampen aussahen wie aus Wachs, mit grünlichen Händen auf dem Schoß, trank Tee. Vom Hin- und Herfahren wurde ich hungrig und wacklig auf den Beinen, meine Knie gaben nach. Die Jungs am Maronenstand unten bei der Synagoge kannten mich bald, sie sahen mich auf sich zusteuern, und weil ich ihnen nie etwas geklaut hatte und sie mich mochten, wickelten sie Trichter aus Zeitungspapier und füllten sie für mich mit verkohlten braunen Früchten, die an den Seiten aufgeplatzt waren, und gaben sie mir umsonst.

Das Essen führte mich durch Istanbul, es brachte mich durch das Jahr, alles verschwamm, nur das Obst und Gemüse erzählte mir von der Zeit. Was es gab, das gab es, und sonst war nicht die Jahreszeit dafür. Als ich in der Stadt ankam, war gerade Wassermelonenzeit, und ich aß täglich eine halbe morgens und eine halbe abends, mit weißem Käse, den ich in das offene Fleisch der Melone krümelte und damit zu rosa Brei vermischte, und ab und zu schob Barış ein Fischbrötchen in mich rein, auf der Brücke mit den Männern, die sich mit den Spitzen ihrer Angelruten berührten. Dann kam die Pflaumenzeit, und ich kochte sie ein, man braucht ja nicht viel, die Töpfe hatte ich schon zusammengeklaut, Zucker kriegte man überall, und es dauerte nicht lange, bis die schwarze Masse süß und bitter genug war. Ich schmierte mir die Soße aufs Brot und gab den Jungs was davon. Dann kam die Kaki-Zeit, die waren weich und süß, schmolzen wie Honig zwischen den Fingern und blieben als Flecken auf meiner Hose und meinem Shirt, das Auswaschen war kompliziert ohne fließend Wasser, aber die Früchte schmeckten wie schon eingekocht und dann mit einer festen Haut überzogen, ich konnte nicht die Finger von ihnen lassen. Dann war Porreezeit, und wenn ich gut drauf war, schnitt ich noch eine Karotte rein, und der Eintopf reichte zwei Tage für Barış und mich, dann kam die Apfelsinenzeit, die war nicht so gut, weil die Apfelsinen nach saurem Gummi schmeckten, man musste die Haut mit einem Messer aufschneiden, um an das Fruchtfleisch zu kommen. Dann gab es noch Grapefruits, die lagen auf dem Markt überall auf dem Boden, es ergab keinen Sinn, sie nicht mitzunehmen. Und ab da wurde es kalt.

Als der erste Schnee fiel, fiel er meterweise. Die Jungs in den Straßen von Tarlabaşı klopften die weiße Masse zu Figuren zusammen und schnitzten mit Butterflies Gesichter rein. Als ich vorbeikam und mitschnitzen wollte, schmissen sie den Kopf von einem der Schneemänner nach mir, der war hart wie Stein.

Die Welt wurde weiß, brannte in den Augen. Die bunten Schirme der Sexarbeiterinnen in der Balo waren das Einzige, was man erkennen konnte in den sonst völlig verschneiten Straßen, auf die dicke, haarige Flocken fielen, die der Stadt die Konturen nahmen. Ich lief gegen Häuserfassaden, tastete mich millimeterweise über die Bürgersteige, und als ich meine Hand in den Wagen des Straßenverkäufers stecken wollte, um mir an einem gekochten Maiskolben die Finger zu verbrennen, während er woanders hinschaute und dabei wie ein Vogel trillerte, griff ich in etwas Synthetisches und verstand erst da, dass yılbaşı süsü die Wörter für Silvesterschmuck sind. Ich dachte nicht, dass der letzte Tag im Jahr etwas bedeutete, ich wusste nicht mal, wann die Tage aufhörten, warum sollte der Jahresumbruch für mich eine Rolle spielen, aber die Jungs in der Çıkmazı Sokak wollten feiern. Ich balancierte die verkohlten Treppen zu unserer Wohnung hoch, und da stand er, ein Tannenbaum. Ich fragte, was das soll, sie sagten, den haben sie mitgenommen. Ich sagte, man muss nicht jeden Müll mit nach Hause schleppen, sie sagten, ich soll nicht rummaulen, sondern auch was beitragen. Ich ging zurück in die Balo Sokak, setzte mich neben Deniz, ihr Gesicht war schmal und lang und machte eine Kurve ab der Oberlippe, und sie hatte die höchsten Schuhe von allen an, ihr Plateau war weiß-blau gestreift.

»Und wie feierst du das neue Jahr?«, fragte ich sie. Sie lachte. In einer großen Lücke zwischen den Schneidezähnen steckte ein kleines Zäpfchen Fleisch. Ich hätte sie fast geküsst.

»Ist es dir nicht zu kalt, mit kurzem Rock im Schnee zu sitzen?«, schob ich hinterher, weil Deniz nichts sagte.

Sie nahm meine Hand und zog sie unter ihren Hintern. Der Rock war wie aus flüssigem Plastik, ich spürte ihre Arschbacken.

»Da bist du in einem Land, wo sie mit Tannen nichts zu tun haben, kommst nach Hause und findest so eine Vogelscheuche bei dir im Zimmer«, redete ich vor mich hin. Ich redete immer weiter, konnte plötzlich nicht aufhören, ich glaube, ich sagte auch etwas über meine Familie, über Brandlöcher in türkischen Teppichen, Deniz legte ihren Kopf auf meine Schulter, und an meinem Ohr hörte ich das Rascheln ihrer Perücke.

Ich ging zurück zu dem trillernden Verkäufer, besorgte was von seinem yılbaşı süsü, brachte Deniz eine dicke goldene Girlande, legte sie ihr um den Hals, und Konfetti und Lametta kriegten die Jungs. In der Silvesternacht tanzten sie im Kreis, klatschten in die Hände, Barış weinte und erzählte ausnahmsweise von seiner Mutter, ich legte mich auf meine Matratze und biss mir in den Handrücken.

Durch meinen ersten Istanbuler Winter kam ich, weil ich vor dem Einschlafen Weißbrot mit Zucker aß, dicke Scheiben aus Weizenmehl mit einer Schicht Butter und darüber so viele Zuckerkristalle, dass man vom Brot darunter nichts mehr sah. Und weil Barış einen Heizstrahler von irgendwoher anschleppte und an unsere Matratzen stellte. Die anderen Jungs zogen manchmal den Stecker aus der Dose, wenn sie kochen wollten, der abgezapfte Strom reichte nicht für beides aus, dann vergaßen sie, den Heizstrahler wieder einzustecken, und ich wachte auf, nass vom kalten Schweiß, als wäre ich in meinen Klamotten in den Bosporus gesprungen. Dann saß ich mit dem Rücken ans zugenagelte Fenster gelehnt, knabberte Sonnenblumenkerne, bis das Salz die Geschmacksnerven im Mund lahmlegte.

Ich ging raus, stand im Hauseingang, sah Ali auf der Straße herumirren, an mir vorbeihuschen wie ein Igel im Schnee, sah sie manchmal in dem ausgebrannten Treppenhaus auf den Stufen sitzen und so wie ich Sonnenblumenkerne knacken und geradeaus starren, einmal hat sie zu mir hochgeschaut und gefragt, »wo bist du?«, und ich wusste es nicht. Ich schaute auf meinen linken Handrücken, da stand zwischen Daumen und Zeigefinger »Istanbul« mit einem Kuli gekritzelt. Ich streckte ihr meine Hand entgegen, spreizte die Finger, damit sie die Notiz lesen konnte, aber da war sie schon weg.

Alles ist aus dem Ruder gelaufen, seit mein Alter im besoffenen Zustand vom Balkon gesegelt ist, ich meine, wer macht heutzutage noch so was, von allen meinen Rote-Armee-Verwandten inklusive Schoah- und Perestroika-Hintergrund war er der Einzige, der eines nicht natürlichen Todes gestorben ist, sondern einfach nur eines peinlichen.

Als er tot war, haben sie die Zeit angehalten, nicht irgendwelche hohen Kräfte, sondern meine Mutter und meine Schwester. Sie haben das mit ihren eigenen Händen getan, ich habe es gesehen. Plötzlich waren ihre Gesichter eingefroren, die Lippen eingetrocknet, Schleim hing ihnen an den Wimpern. Sie haben so getan, als wäre eine Lücke entstanden, was für mich deswegen seltsam war, weil ich nicht gewusst habe, dass mein Alter bis dahin etwas ausgefüllt hatte, ich dachte immer eher andersrum, er hat uns die Luft zum Atmen genommen, aber plötzlich taten sie so, als gäbe es etwas zu betrauern, und in dieser Trauer stellten sie sich selber tot. Schlechtes Gewissen lässt die Menschen auf eine ganz eigene Art tot sein.

Die Sache passierte nicht direkt nach der Scheidung, deshalb habe ich auch nicht verstanden, warum wir alle an seinem Tod schuld sein sollen, aber ein Jude nimmt keine Schmerzmittel, der Schmerz könnte ja weggehen, darum war diskutieren und erklären sinnlos und jeder Raum, in dem wir uns von da an bewegten, voller Schuld.

Nach der Scheidung war die Rollenverteilung klar: Ali kümmert sich um Pap, ich mich um Mam. Als Pap dann auf dieser Party vom Balkon flog und Ali erst mal wochenlang außer Gefecht gesetzt war, nicht gegessen und nicht gesprochen hat, und wenn sie gesprochen hat, habe ich mir gewünscht, sie würde es nicht tun, da dachte ich, Ali kümmert sich jetzt am besten um sich selbst, und ich kümmere mich um Mam, und bin wieder bei ihr eingezogen. Nicht dass ich das von Anfang an vorhatte, ich habe mein Zimmer bei Larissa nicht aufgeben wollen, aber ich wollte ihr auch nichts erklären, ich hatte kein Interesse an ihrem verständnislosen Alles-wird-gut-Gesicht, also habe ich meine Tasche gepackt und bin zu Mam, hab ihr gesagt, morgens und abends gibt es jetzt Schwarztee mit Marmelade, von mir persönlich zubereitet und zu ihr ans Bett gebracht. Sie hat gelacht, sah aber echt nicht gut aus mit all den Mulden auf der Stirn. Die ganze Zeit hat sie so Zeug vor sich hin gesprochen, sie hätte uns nicht hierherbringen sollen, alles selbstverschuldet, das habe sie jetzt davon. Dann sagte sie, Migration tötet, es klang wie eine Warnung auf einer Zigarettenschachtel: Migration fügt Ihnen und den Menschen in Ihrer Umgebung erheblichen Schaden zu. Schon klar. Ich versuchte, ihr genug Kekse mit Marmelade in den Mund zu stopfen, und schaltete die Heizdecke hoch, damit sie in der Wärme gleich wieder einschlief und keine Zeit mehr zum Denken hatte.

Ab und zu hat sie von einer Schickse geredet, in die Pap verliebt gewesen sein soll, ich fragte, ob sie die meinte, mit der er zusammen auf dieser Party gewesen ist, die er dann nicht mehr durch die Tür verlassen hat, aber sie schüttelte den Kopf und erzählte was von einer mit langen blonden Haaren, die Pap geliebt haben soll, bevor er und Mam sich kennengelernt haben, und sie, Mam, hätte gar nicht erst dazwischenfunken sollen, denn das war seine, Paps, große Liebe und sie, Mam, hätte ihm das Leben verbaut, also ihn umgebracht. Sie hatte ihn nie geliebt, und das hieße, sie kann gar nicht lieben, nichts und niemanden, sie ist ein Tier, ein Unmensch, und er, mein Vater, mein alter Herr, ist so gut zu ihr gewesen, er habe nicht rumgehurt und das Geld immer nach Hause gebracht. Ich legte den Arm um sie, und sie weinte los, aber so, dass man es nicht sah, bei uns in der Familie ging das Weinen immer nach innen, eine innere Dusche, die die Lunge durchspült. Wenn man uns festhält, kann es sein, dass der Oberkörper etwas zittert, muss aber nicht sein.

Mir war klar, das wird jetzt ein bisschen dauern, bis die wieder steht, richtete mich bei ihr ein, sagte Larissa, dass ich nicht weiß, wann ich wiederkomme, und dann war ich auch schon im Würgegriff von gleich zwei Frauen: meiner Mutter und ihrer Köchin, wobei die eine die andere dafür bezahlte, dass es mir an nichts fehlte, und bald schon in der Dunkelheit wieder zur Arbeit ging und in derselben Dunkelheit wieder zurückkehrte, mir die Stirn küsste und sich neben mich aufs Sofa setzte. Sie schien alles zu haben, was sie brauchte, wenn sie auf dem Sofa meine Hand hielt, und ich vergaß den Tee mit Marmelade und hätte vielleicht für mich selber kochen können, aber warum, wenn die Oladji mit Kefir direkt ans Bett kommen. Ich hielt dann in der einen Hand die Fernbedienung, in der anderen Mam, sie schmiegte sich an mich, und weil ich sie bei Tageslicht sonst gar nicht zu Gesicht bekommen hätte, brachte ich ihr Blumen in die Arbeit und ging mit ihr in der Mittagspause essen. Am Sonntag gingen wir Hand in Hand über den Markt, sie erlaubte es mir nicht, dass ich ihr etwas kaufte, es wäre eh von ihrem Geld gewesen, aber ich dachte, die Geste zählt, sie kaufte mir aber jedes Mal irgendeinen Kram, gebratene Kastanien oder ein neues Notizheft, ich kam nicht annähernd dazu, auch nur eines davon zu füllen, ich war mit Liegen, Lesen und Gesprächen mit der Köchin beschäftigt. Sopha reichte mir bis zur Hüfte, und in ihrem schwarzen Hauskleid und mit dem Besen, mit dem sie durch die Wohnung polterte, erinnerte sie mich an einen der Opritschniks aus dem Buch, das ich in den Händen hielt, nur der Hundekopf unter dem Arm hat gefehlt. Sie redete mit mir, ohne Luft zu holen, sie redete auch weiter, wenn sie gar nicht in dem Raum war, in dem ich auf dem Sofa lag und so tat, als würde ich Sorokin lesen, sie drehte einfach die Lautstärke höher, und der Dolby-Surround-Ton ihrer Stimme schallte mir ins Hirn: »Anton, Anton, willst du dir nicht endlich vernünftige Kleidung zulegen, deine Mutter schämt sich, mit dir rauszugehen!«

»Ich bin nicht ihr Ehemann!«, schrie ich zurück durch vier Wände. Sopha lachte so laut, als würde sie über mir stehen, der imaginäre Hundekopf lachte mit.

Ich ging ins Bad, schaute auf meine Klamotten, dann zog ich mich aus, stellte mich vor den Spiegel, drehte mich. Ich war erst vor ein paar Wochen hier eingezogen, und schon wölbte sich mein Bauch über dem Gummi der Unterhose. Ich sah meinen Alten, versuchte mir vorzustellen, wie er in seiner Blut- und Pisslache lag in diesem Vorort irgendwo in Süddeutschland, umgeben von Fichten, im Hof des achtstöckigen Gebäudes, aus dem er gerade geplumpst war auf seinen dicken, fetten Bauch, und wusste, ich musste das hier aufhalten.

Ich wusste nicht, was tun, aber ich wusste, ich musste Ali finden, dann würde die Sache schon ins Lot kommen, ich musste ihr ins Gesicht schauen, und dann würde es klick machen und etwas sich lösen.

Ich habe sie in allen Bars gesucht, wo sie damals meistens rumhing, sogar in ihrem Boxverein war ich, habe ihren Trainer gefunden, der hat mich seltsam angeschaut, hielt mich wohl erst für sie, und als ich ihn nach meiner Schwester fragte, sagte er, er wisse auch nichts, aber wenn ich sie zu Gesicht bekomme, soll ich ihr sagen, sie solle sich nicht mehr blicken lassen. Zu Ali nach Hause bin ich als Allerletztes, sie lag auf ihrer Matratze, die Schulterblätter in die Dielen gebohrt, und starrte an die Decke.

Sie drehte den Kopf zu mir und lächelte mich an. Ihr Gesicht war wie mit Löschpapier überzogen, ganz matt. Ich setzte mich im Schneidersitz neben sie, und wir starrten uns eine Weile an, dann streckte sie den Arm nach mir aus und zog mich zu sich runter, schob ihre Hände in die Ärmel meines Pullovers, verknotete ihre Waden mit meinen. Ich lag an ihre flache Brust gepresst und wusste nicht, ob sie auf meine Stirn weinte oder sabberte. Wir starrten an die Decke, sie erzählte irgendwas von den Sternen, fragte mich, ob ich mich an die Nachmittage in Wolgograd erinnerte, in denen Daniil uns im Planetarium parkte und wer weiß wohin ging, ich erinnerte mich, dass ich zuerst immer rumjammerte, weil ich dachte, der setzt uns aus, und dann vor Erschöpfung einschlief. Wenn ich die Augen wieder aufmachte, saß Ali immer noch da mit offenem Mund und schaute die Lämpchen an der gewölbten Kuppel über uns an. Abends nervte sie mich mit Sternbildern: Gürtel des Orion, Einhorn, Kleiner Hund, Großer Bär, der ganze Zoo, sie kannte sie alle, und Daniil streichelte ihr über den Kopf.

Alis Kinn kitzelte an meiner Kopfhaut, und sie murmelte was über den Fuhrmann am Firmament, ich starrte an die weiße Zimmerdecke und suchte nach Bildern, Daniils Gesicht drückte sich durch den Stuck und dann die Gesichter der anderen, ich roch an Alis Hals, schob mich zu ihr hoch und drückte meine Nasenspitze gegen ihre. Ihr Gesicht zerschmolz.

»Weißt du noch, wie wir uns als Kinder immer gefragt haben, wie dieses Küssen gehen soll, wenn die Nasen im Weg sind?«

Ihre Pupillen waren fast so groß wie die Augäpfel selbst, ich war mir nicht sicher, was sie eingeschmissen hatte. Ich küsste sie.

Ihre Lippen schmeckten säuerlich und kalt, als würde man Metall küssen. Erst bewegte sie sich nicht, aber ihr Blick wurde schlagartig klar, lila Kränze um das Schwarz ihrer Pupillen. Sie blinzelte ein paarmal und hielt die Luft an, ich küsste sie noch einmal und merkte, wie sich ihre Finger tiefer in meine Unterarme bohrten, es tat weh. Ich schüttelte ihre Hände aus meinen Ärmeln raus, zog mir den Pullover über den Kopf, zog ihr ihren über den Kopf, ihre Brüste waren mit Bandagen abgebunden, wie beim Boxen, sie drückte meinen Kopf auf ihren Bauch, griff in meine Locken und zog mein Gesicht über ihren Bauchnabel, als wäre es ein großer Pinsel. Sie roch. Aus ihrem Bauchnabel kam ein feiner, milchiger Geruch, und ich dachte, dieser Bauchnabel, das ist meiner.

Ich zog ihr die Hose aus, ihre Zehennägel hatten weiße Striche, ich steckte meine Zunge zwischen jeden einzelnen Zeh, sie fuhr hoch, sah mich hellwach an, drückte mich mit einem Fuß von sich weg, ich fiel mit dem Rücken auf die Dielen, sie setzte sich auf mich, beugte sich zu mir herunter. Ich wollte ihr die Bandagen lösen, aber sie drückte meine Arme an den Handgelenken auf den Boden, fuhr mit offenen Lippen über meine Nase, saugte an meinen Augenbrauen, biss mir in das rechte Ohrläppchen und zerrte mit den Zähnen dran, biss sich an mir runter. Sie ließ meine Armgelenke los und verkrallte sich in meine Hüftknochen, drehte mich auf den Bauch, ich atmete durch den Mund in die Ritzen der Dielen, sie leckte meine Kniekehlen, ich spürte ihre Hände zwischen meinen Pobacken, ihren Finger in mir, sie vergrub sich immer tiefer und stieß schnell zu. Ich griff nach ihr und zog sie an den Haaren hoch, ihr Becken drückte ihre Hand tiefer in mich rein, der Stoff der Bandagen scheuerte an meinen Schulterblättern. Ich wollte etwas sagen, sie drückte meinen Kopf mit ihrem Kopf runter, drückte meine Nase zu, ich brauchte meinen Mund, um zu atmen, keuchte und hörte sie über mir Luft durch die Zähne pressen.

Ich drehte mich um, griff sie an den Oberschenkeln, zog sie über mich, über meinen Bauch, über meine Schultern, über mein Gesicht, hielt sie fest und fuhr mit der Nasenspitze über ihre Schamlippen, steckte meine Zunge in sie rein, sie riss den Kopf nach hinten, spannte ihre Schenkel an, ich kratzte über ihren Rücken, sie beugte sich nach hinten und suchte mit der Hand meinen Schwanz, drehte sich auf mir um, nahm ihn in den Mund, ihre Lippen waren immer noch kalt, ich drückte meinen Kopf zwischen ihre Beine, leckte sie, bis sich ihr Hals nach hinten bog und sie zu schreien anfing, sie schrie und schrie und fiel auf meinen Bauch und meine Oberschenkel, knallte mit dem Kinn auf den Boden, ich hatte das Gefühl, sie hat aufgehört zu atmen.

Wir lagen auf den Dielen, die jetzt kalt waren. Sie ritzte mit ihrem Fingernagel Sternbilder in meine Schulter, sie hatte immer noch ihre Bandagen um, ich war nackt und suchte mit dem Fuß nach einem Laken, das ich über uns legen könnte. Ich setzte mich auf und schaute in das leere Zimmer, das plötzlich keine Wände zu haben schien, keine Decke, keine Matratze, kein Fenster, nichts, was ich greifen, zu- oder aufschließen konnte. Ich drehte mich zu Ali um und wollte sie etwas fragen, aber ich wusste nicht was.

»Hast du Gras da?«

Wir rauchten das Zimmer zu, als wären wir zwei Igel im Nebel, die sich einmummeln für den Winter, und durch diesen Nebel sah ich alles ganz deutlich vor mir.

Ich habe meine Sachen gepackt und wollte irgendwohin, ich glaube, ich wollte sehen, wie weit ich komme. Bin über Maribor, Zagreb, Niš und Skopje getrampt mit dem Ziel, kein Ziel zu haben und vielleicht bis nach Neuseeland zu kommen, dort hatte ich Freunde, die Gemüse anbauten und Kinder bekamen, eine Menge Kinder, und ich dachte, ich könnte ihr Babysitter werden, ich liebe Kinder, vor allem die ganz kleinen, ich dachte, ich bleibe dort, bis mir die Haare in den Schädel zurückgewachsen sind. Ich wollte irgendwo sein, wo ich nichts wusste und nichts verstand und die Sprache nicht konnte, und die paar Freunde, die meine Sprache sprechen, würden still sein. Das Geld reichte bis Istanbul.

Die meiste Zeit schlug ich mich durch in den Bars beim Tarlabaşı Bulvarı, schmiegte mich an die Jungs, und wenn sie an nichts anderes denken konnten als an meinen feuchten Mund an ihrem Ohr, zog ich ihnen das Portemonnaie aus der Tasche oder ihr Handy oder beides. Kaum zu glauben, wie nah Menschen einen an sich ranlassen für ein bisschen heißen Atem unterm Ohrläppchen.

In Tarlabaşı bekam ich immer einen fairen Preis für die Geräte, ich konnte mich sogar zwischendurch im Büyük Londra einquartieren, einfach so zum Spaß, weil ich unbedingt in diesem Kolonialzeit-Sarg wohnen wollte und weil Barış mir zu viel weinte, ich konnte diese Elendsgeschichten über seinen Vater nicht mehr hören. Außerdem wollte ich warm duschen, mit Seife, also spazierte ich durch die schwere Glastür des Hotels »Das Große London« und haute mein Geld auf die Theke. Ich musste grinsen wegen der goldenen Schnörkel auf der Tapete. Der Portier schaute mich an, als würde ich ihn verarschen, ich schaute genauso zurück, und wir arrangierten uns. Die Zimmer waren gar nicht so teuer, wie ich dachte, siebzig Lira die Nacht für ein bisschen Gruselgefühl im Flur und muffige Decken, ich fand das fair. Nicht zu fassen, wie schnell warmes Wasser deine Einstellung zur Welt verändert.

Nachdem ich eine Stunde lang in der Duschkabine gesessen und geplantscht hatte wie ein Dreijähriger, lief ich über die Marmortreppe in die Lobby hinunter, aus meinen Haaren tropfte es auf den bordeauxroten Teppich. Die Sitzgarnitur erinnerte mich an die bei meinen Urgroßeltern, ähnlich unförmig, übertrieben und sehr bequem, und kaum hatte ich mich hingesetzt, sah ich, dass sich in der Ecke am Fenster etwas in einem Käfig bewegte, der so groß war wie ich. Ich näherte mich dem Vogel, seine wurzelartigen Krallen krochen aus der Dunkelheit auf mich zu, ich drückte meine Nase an die Gitterstäbe, er neigte seinen Schnabel in meine Richtung, die Wachshaut am Ansatz war verhornt, der Schnabel schnappte auf, und heraus starrte eine kleine Wurmzunge. Ich öffnete meinen Mund und holte ein Geräusch aus meiner Kehle, in der Hoffnung, wir würden uns verstehen, aber der Papagei sah mich nur an, drehte sich weg und stratzte die dünne Leiter hoch unter die Kuppel seines Käfigs.

Ich streifte durch die Lobby, probierte die Wandtelefone aus, die nebeneinander an der Backsteinwand hingen, es gab kein Freizeichen, alles Deko, ihnen gegenüber standen ein paar Computertische, an einem saß ein sehr junges Mädchen, das mit klirrenden Geräuschen ein Volk bekämpfte und dazu leise Flüche ausstieß. Ich hielt vor der Jukebox an, auf dem Startknopf stand auf Deutsch »Sie hören jetzt«. Ich wollte unbedingt eine Platte laufen lassen, man konnte auswählen zwischen Liedern wie »Green, Green Grass of Home«, »Let's Twist Again«, »Ben Buyum« und »Drei Matrosen aus Marseille«, ich stand da und fuhr mit meinen Fingern über die Knöpfe, dann bemerkte ich, dass der Portier mich schon eine Weile angestarrt haben musste, und zog weiter.

Eine Tarantel war in einem Glaskasten ausgestellt, und ich bildete mir ein, dass sie mich anschaute, mitten im Raum standen zwei Motorräder, eines davon eine BMW, das andere konnte ich nicht zuordnen. Ein riesiger Porzellanmops vor einem Spiegel trug einen Cowboyhut, der erinnerte mich ein wenig an Pap, über ihm wuchsen rote Plastikblumen. Der Spiegel nahm eine gesamte Wand ein, ich stand davor in meinem einzigen weißen Hemd, mit den Händen auf dem Rücken, und dachte, ich habe es geschafft.

Im Russischen sagt man: Ich wollte mir wie ein Weißer vorkommen. Как белый человек hat meine Mutter immer gesagt: »Was ist, willst du nicht wie ein weißer Mensch schlafen, leg dir noch ein Kissen hin, was ist, willst du dich nicht anziehen wie ein Weißer, hier ist ein frisches Hemd.« Und hier war ich. Ich war raus, ich war weit weg, in dem berühmten Hotel »Das Große London«, und trug ein weißes Hemd.

Tagsüber schlief ich in dem Mief des Londra, und die Nächte habe ich auf der Terrasse verbracht. Von der Aussicht konnte ich nicht genug bekommen, der schwarze Bosporus, die Sultan-Ahmed-Moschee in Goldgelb, die unzähligen Gecekondular. Das Licht floss wie der Saft eines ausblutenden Granatapfels in das Goldene Horn. Der Barman Feit erzählte mir, dass die Japaner angeblich diese Kloake kaufen und reinigen wollten, um ihr wieder den alten Glanz zu verleihen, aber sie würde dann für immer ihnen gehören, ein japanisches Goldenes Horn. Das würde man natürlich nicht zulassen, lieber sollte die Kloake Kloake bleiben. »Schwimm da ja nicht drin, kommst ohne Haut wieder raus.« Ich nickte. Dann erzählte er mir das Gerücht, dass der Portier ein warmer Bruder sei, der Gedanke schien Feit zu schütteln. Während er mir das erzählte, beobachtete ich ein paar ältere Herren, die mit geröteten Augen in ihre Gläser schauten, die meisten von ihnen Deutsche, ich hatte ohnehin das Gefühl, das Hotel sei ein Seniorentreff der Berlinmüden. Ich wagte mich an einen ran, der hielt mich zuerst für einen Türken und griff mir sofort an den Arsch, dann war er froh, dass ich seine Sprache sprach, und legte mir die Hand auf das Brustbein, ich beugte mich zu ihm und erzählte ihm von der Schönheit der Lichterflut in den Bergen, Granatäpfel und all das, dann wechselte ich ins Russische. Als ich sicher war, dass er kurz davor war, abzuspritzen, legte ich meine Hand an seinen Gürtel und ließ sie weiterwandern zu dem Porte-monnaie in seiner Tasche, da bemerkte ich, dass Feit uns be-obachtete. Ich zog das Portemonnaie trotzdem heraus und ging später zu Feit, legte Bares auf die Theke und schlug vor, dass wir teilten. Er schaute mich immer weiter an, wäh-rend er den kompletten Batzen Geld einsteckte und sagte: »Zieh Leine.«

Also zog ich aus.

Ich ging in die Çıkmazı Sokak, schaute mir die Jungs dort an, das Lametta an unverputzten Wänden, das da immer noch hing, schaute mir Barış' eingefallene Wangen an und be-schloss, mir eine Arbeit zu suchen. Ich dachte, ich könnte vielleicht Geld anhäufen und mir was mieten. Ich versuchte es als Schuhputzer. Man würde denken, Schuhputzer verbrin-gen ihren Tag damit, irgendwo an einer Ecke zu sitzen und nach verdreckten Lederschuhen Ausschau zu halten, aber das ist anders, man läuft durch die gesamte Stadt, sucht sich seine Kunden aus und hat Spaß mit ihnen, während sie noch die zerknüllte Stadtkarte in ihren Händen vollschwitzen und nicht wissen, wie ihnen geschieht. Der Trick geht so: Du gehst mit einem Korb oder Kasten, oder worauf auch immer deine Kunden ihre Schuhe platzieren sollen, durch die Stra-ßen, manche Professionellen hatten diese schönen Messing-kästen mit den vergoldeten Köpfen und einem Plateau zum

Abstellen des Fußes, damit sich die Touristen wie »weiße Menschen« vorkommen konnten. Ich bin dagegen nie ein Professioneller gewesen, in nichts, ich habe es mit einem Holzkasten versucht. Du gehst also an einem Menschen, vorzugsweise in geschlossenen Lederschuhen, vorbei und lässt eine deiner Bürsten aus dem Schuhputzkasten fallen, den du dir unter deinen Arm geklemmt hast. Gehst natürlich weiter, als hättest du nichts bemerkt, irgendwer bleibt immer stehen. Irgendwer hat Mitleid mit dem armen Schuhputzer, der nichtsahnend seines Weges geht und vielleicht jetzt ohne diese Bürste nicht mehr arbeiten und seine Familie ernähren kann. Sie heben die Bürste auf und rennen dir sogar hinterher, schreien in allen Sprachen, Por favor, espere!, Veuillez patienter! Warten Sie!, und reichen dir die Bürste, und du, mit glänzender Stirn und glänzenden Augen, bietest ihnen zum Dank an, ihre Schuhe zu putzen, du bestehst darauf – I insist! –, du musst es einfach tun, für deine Ehre und die Ehre deines Vaters, du musst der Person jetzt sofort auf der Stelle die Schuhe putzen, ausgiebig lange, während du sie mit Geschichten über deine arme Familie in dem Dorf penetrierst und die todkranke Mutter. Ich habe mich immer wieder gefragt, warum Menschen mir, einer russisch-jüdischen Fresse aus Deutschland, diese Geschichten über meine vermeintliche Familie abkauften, und irgendwann habe ich verstanden, dass man Menschen einfach jede Geschichte verkaufen kann. Menschen wollen Geschichten hören. Und dann lässt man sie dafür zahlen, tragische Familiengeschichten machen sich besonders gut.

Ich überlegte, meinen Pass zu verkaufen, das Einzige von Wert, was ich noch besaß. Bis Neuseeland würde das Geld nicht reichen, aber vielleicht bis Griechenland. Was sollte ich in Griechenland? Dasselbe wie in der Türkei. Dann dachte ich, ich könnte weiter in den Osten des Landes ziehen und mich der Guerilla dort anschließen, da war gerade wieder Krieg. Dann dachte ich, ich sollte eine reiche Frau finden und sie heiraten und sie würde mich bei sich aufnehmen und ich müsste mir nie wieder um irgendetwas Sorgen machen, ich würde viermal am Tag warm duschen und ihr zwischendurch die Füße massieren und sonst nichts.

Mit Gedanken solcher Art schlug ich mich rum, als İlay mich in einer der Bars in der Mis Sokak aufgabelte. Gleich in der ersten Nacht stellte er klar, wie nicht schwul er sei. »Hey, sind wir alle nicht«, sagte ich, »nur einsam.«

Seine Wohnung war in einem Fabrikgebäude bei Osmanbey. Die Etage unter ihm stand voller Nähmaschinen, eine ganze Familie, an die zwanzig Männer und Frauen, drückte in die Pedale. Die Nadeln schlugen im Takt mit meinem Stöhnen in den Stoff, İlay war immer ganz leise und musste mir den Mund zuhalten, weil wir meist tagsüber vögelten, nachts waren wir in Bars und kamen selten vor dem Morgen zurück nach Hause. İlay wollte keine Schwierigkeiten, er presste seine Hand auf meinen Mund, während er immer wieder in mich stieß, und ich sagte durch seine Finger: »İlay, sie werden denken, es ist Möwengeschrei.«

Alles roch klamm, sein Haus, das Treppenhaus, die Eingangstür, an die er mich presste, während er seine Schlüssel suchte, seine Kleidung, seine Haut, die Stoppeln auf seinem Kinn, die Haare um seinen Schwanz, die schon weiß waren. Wahrscheinlich roch ich auch klamm nach den Herbst- und Wintermonaten, in denen die Kälte sich uns alle gekrallt hatte, aber das konnte ich selber nicht riechen, und im Sommer, als wir auftauten, hatte ich İlay schon verlassen.

Am ersten Abend in der Bar hatte er ununterbrochen Getränke bestellt, mir wurde schwindlig, ich hielt mich an ihm fest und sagte, ich muss was essen, er schleppte mich in das Bambi-Café an der Ecke der İstiklal, und als ich in den Dürüm biss und sah, mit was für Augen er mich anschaute, bekam ich einen Lachanfall. Er sah aus wie ein fetter Kater mit Schnurrhaaren. Am nächsten Morgen, als ich neben İlay aufwachte, war ich mir zuerst nicht sicher, was das für eine Bude war, es war bitterkalt. Der Sinn einer Wohnung muss doch sein, dass man im Warmen aufwacht. Vor den Fenstern standen große Gemälde mit dem Motiv hinaus in den Hinterhof, durch die Farbschichten auf der Leinwand schimmerte es bunt ins Zimmer, und es roch nach Petroleum. Der Mann, der neben mir schlief, hatte einen behaarten Rücken, er atmete schwer durch den offenen Mund, und seine Nase machte Geräusche wie eine schlecht geölte Tür.

Die Wohnung war keine Wohnung, es war sein Atelier, überall Farbe und fein säuberlich ausgeschnittene Schnipsel aus Lifestyle-Magazinen in großen Haufen über einem Tapetentisch ausgebreitet. Klebstofftuben lagen offen herum, und Zahnpasta war in Ölfarbe gemischt. Ich kniete mich hin, um mir seine Collagen auf dem Boden anzuschauen, dabei merkte ich, wie schwindlig mir noch war. Ich sprang in seine Hausschuhe, warf einen Blick in sein Bücherregal: fast nur Thomas Bernhard und Oğuz Atay. Oje, dachte ich und suchte die Toilette, die es nicht gab, es war nur eine kleine Abstellkammer mit einem Duschkopf über der Kloschüssel. Offensichtlich duschte man, während man auf dem Klo saß, im Waschbecken war Zigarettenasche, und in dem rostigen Spiegel darüber sah ich, dass mir der schlafende Kater einen blauvioletten Fleck am Hals verpasst hatte, so einen hatte ich seit meinem sechzehnten Lebensjahr nicht mehr gehabt.

Ich lehnte meinen pochenden Rakıschädel an den Spiegel und hörte mir selbst beim Atmen zu, dachte schon, meine Lunge röchelt, dann begriff ich, dass die gurrenden Geräusche aus der Wand kamen. Ich legte das Ohr an die feuchte Mauer, es fühlte sich pilzig an, jemand oder etwas bewegte sich dahinter, jemand oder etwas Kleines. Ratten gurren nicht, dachte ich und zog die Spülung. Ein paar Tage später erklärte mir İlay, dass Tauben sich in den Hohlräumen zwischen den Wänden einnisteten und brüteten, und ab da machte ich mir Sorgen, wenn ich keine Geräusche hinter der Wand hörte, und klopfte vorsichtig dagegen. Gurrte zurück und zog die Spülung zum Abschied.

Aber an diesem ersten Morgen war für mich die Wohnung wie ein Märchenland, nichts schien Sinn zu ergeben, ich wusste nicht, wie es weitergehen würde, wenn ich die Räume betrat, ob sie schmaler würden, die Decke niedriger, ob sie plötzlich spitz zulaufen würden oder sich einfach in nichts auflösten. Und das lag nicht nur am Rakı.

İlay war inzwischen aufgestanden und schaltete einen Heizpilz an, einen von der Sorte, wie sie vor Cafés stehen und die Raucher wärmen, er hatte so einen mitten im Zimmer aufgestellt, in der kolossalen Unordnung hatte ich ihn übersehen, ich kroch sofort unter die glühende Spirale, und meine Haare machten Geräusche, als hätte ich die Finger in einer Steckdose. Man konnte unter den Dingern schwer atmen, aber es wurde schnell warm, das spürte ich vor allem an den Wangen.

İlay kam mit Çay und Rührei mit Peperoni und Tomate in einer kleinen messingfarbenen Pfanne und setzte sich mir schweigend gegenüber. Ich aß, putzte das Zeug weg wie ein Staubsauger, hätte am liebsten über die Ränder geleckt, und während der gesamten Zeit beobachtete mich İlay mit übereinandergeschlagenen Beinen und einer Zigarette zwischen seinen dicken Lippen, ich hätte schwören können, von seinen Mundwinkeln standen Schnurrhaare ab. Als ich fertig war, schob er mich gegen sein Bücherregal, zog mir die Hose runter und verschlang meinen Schwanz, dass ich fast Angst kriegte, und Thomas Bernhard schaute zu.

Ich lag oft auf seinem Bett und sah auf die Häuser gegenüber. Jeden Morgen und jeden Mittag beugten sich Frauen aus den Fenstern die Häuserfassade hinunter, wie beim Kopfsprung, zupften an zerkauten Badezimmervorlegern auf den Wäscheleinen, klopften Teppiche und Decken aus, weiße Fäden stiegen in die Luft wie Samen einer großen Pusteblume. Eine von den Frauen warf jeden Tag einen zugeschnürten Plastikbeutel auf das tiefer liegende Dach gegenüber, er platzte beim Aufprall, und getrocknetes Brot regnete auf die Ziegel. Dann kamen die Möwen und pickten das Dach leer.

Ab und zu stieg ein Mann auf das Dach mit den Brotfetzen und verscheuchte die Vögel mit einem langen Stab, die Vögel kreisten um ihn herum und kreischten, und er linste in unser Fenster, immer und immer wieder. Einmal trat ich nackt an das Fenster, zündete mir eine Zigarette an und schaute zurück, İlay zerrte mich weg und schob eine Leinwand vor das Fenster. Seine Bilder waren seine Vorhänge, sein Sichtschutz vor den bösen Blicken. Ich sah eine Ameise seine Ohrmuschel hinunterlaufen, als er mich festhielt. Überall in der Wohnung waren Ameisen, sie krochen von den Blättern der Dattelpalme über die Bücher in meine Klamotten und Haare, manchmal dachte ich, die nisten sich unter meiner Haut ein und kriechen da rum und vermehren sich. Jeden Morgen kämmte ich sie mir aus den Haaren, sie fielen in das Waschbecken in die Aschehäufchen, die İlay dort hinterließ.

İlay rauchte fast immer. Er rauchte im Bett, er rauchte auf der Toilette. Er rauchte, wenn er mir vorlas, während ich versuchte, mich zu waschen, und aschte dorthin, wo er stand. Er rauchte, wenn er für mich Menemen machte. Mit der Kippe im Mundwinkel schnitt er Zwiebeln, und wenn er weinte, dann, weil ihm der Zigarettenrauch in die Augen stieg. Er rauchte, als er mir die Haare kürzer schnitt. Und er versuchte, weiter zu rauchen, wenn ich ihn küsste.

Ich mochte ihn, er mochte mich, er malte viel, wenn er nicht las, er lag auf dem Boden, vermischte Farben mit Zahnpasta, warf Papierschnipsel auf Leinwände, ich fragte, ob er mich malen wollte, aber er sagte nein, morgens legte er meinen Kopf an seine Schulter und streichelte meine Brust und sah mir in die Augen. Eines Morgens fragte er mich, ob ich Lust hätte, mit ihm die Ägäis-Küste entlangzufahren. Dort sei es warm, viel wärmer und sonniger als in der Stadt, er hatte es satt, unter seinem Heizpilz in Osmanbey zu sitzen und immer wieder dieselben zerfallenen Häuserfassaden anzustarren. »Man muss weit rausschauen können, sonst ist es nicht gut für den Kopf«, sagte er.

Er ging zu seinem Galeristen, ließ sich einen Vorschuss auszahlen, kaufte davon einen Gefrierbeutel Gras und zwei Tickets nach Antalya, wo wir ein Auto mieteten. Der Olymp, der Berg der Götter, hatte zu, und unser Auto blieb im Schlamm stecken, der Motor machte jämmerliche Geräusche, wir kifften, bis irgendwelche Touristenhippies vorbeikamen und uns rauszogen.

Wir kamen nach Anbruch der Dunkelheit in Kaş an, standen an der Rezeption eines Hotels, das mich an meine Kindheit erinnerte, die Frau hinter dem Tresen ähnelte dem speckigen Aufseher im Asylbewerberheim, dasselbe Hemd, derselbe Schnurrbart. Sie sah uns an, rollte ihre Augen von İlays Gesicht zu meinem und schüttelte den Kopf. İlay fing an, mit ihr zu diskutieren. Und ich fing an, die Schimpfwörter zu verstehen. Bevor die Frau die Polizei rufen konnte, zog ich İlay am Ärmel raus auf die Straße. Er fluchte und spuckte auf den Boden, ich hörte Krähen über uns und sah in den malvenfarbenen Himmel. Wir beschlossen, im Auto zu übernachten, vögelten, als wäre es der letzte Tag, und am Morgen wuschen wir uns zwischen Felsen in der Bucht. Er las mir vor, während ich die Joints drehte.

In Fethiye legte er mich auf die Kieselsteine des Ölüdeniz, was das Tote Meer hieß, aber es war das Gegenteil von tot, es stürmte auf mich zu, als wollte es mich mitnehmen, und die Sonne auf meinem Bauch wie ein kitzelndes Tier. İlay stand über mir, schaute mich an. Es war kurz sehr still, dann hörten wir die Peitschenhiebe der Angler, die in gelben Gummistiefeln das Ufer entlangliefen. Sie schielten immer wieder zu uns herüber und schnalzten mit den Angelleinen durch die Luft.

In Gümüşlük waren die Straßen wie leergepustet, das Bier stand warm in den Kühlschränken der Bakkal. Vernagelte Apotheken, daneben blinkende Geldautomaten. »We sell everything«-Schilder hingen schief. In Ephesos schubste İlay mich vor den Tempel der Artemis, also vor das, was davon übrig war, und sagte: »Sing. Sing etwas!« Ich stellte mich vor die Ruine, summte erst die Melodie, lachte, schob mit dem Fuß kleine Steine hin und her und sang dann immer lauter das einzige Lied, das ich auf Russisch kannte: »Пора, пора порадуемся на своем веку.« Es ist an der Zeit, es ist an der Zeit, sich dieser Zeit zu erfreuen.

In Ayvalık tranken wir frischgepressten Granatapfelsaft aus Pappbechern, auf denen »Oktoberfest« stand, und ich probierte einen Spidermananzug an, ich alberte in der Umkleidekabine herum, hob die blaurot bezogenen Arme und versuchte, die Wand hochzuklettern. İlay lachte und hätte mir den Anzug gekauft, wenn ich ihn nicht aus dem Laden gezogen hätte.

Wir hielten am Wegrand an, um Schafherden zu beobachten und zu pissen. In einer Parkbucht lagen über den gesamten Platz Kuscheltiere verstreut, Esel und Hasen in Plastikverpackungen mit einer Schleife an der Seite, ich beugte mich zu ihnen, schnüffelte an ihnen, der Geruch von Waschmittel drang durch die Hüllen, ich hob einen rosa Esel auf und schaute ihm in die Knopfaugen, aber ich durfte ihn nicht mitnehmen. İlay sagte, wer weiß, was das alles zu bedeuten hat.

In Çanakkale standen wir übermüdet vom Fahren und Reden und Vögeln vor der Holzleiche des Trojanischen Pferdes, ich hatte das Gefühl, zu kippeln, es war derselbe Schwindel wie nach den Stunden auf der Fähre, ich schaute zu İlay rüber, der schaute mich nicht an, aber seine Schnurrhaare wippten. Er sagte: »Anton. Bleib. Okay?«

Ich sagte nichts, was sollte ich sagen, ich schaute wieder geradeaus aufs Pferd.

Ab da verbrachten wir den restlichen Weg hoch nach Istanbul fast schweigend. Einmal nur versuchte er, eine Unterhaltung zu führen, ich hatte keine Lust und antwortete einsilbig, und plötzlich fing er an zu schreien, ich dürfe so nicht mit ihm umgehen, immerhin tue er alles für mich, und ich brüllte zurück, er solle mich sofort am Straßenrand rauslassen, habe im Fahren die Tür aufgemacht, er stieg auf die Bremse, sein Kopf sah aus wie ein pochender Muskel.

Und dann war Sommer, und die Leute tanzten im Park bei Osmanbey, das hat İlay mir gesagt, »da tanzen Leute im Park, lass uns gucken gehen«, und ich sagte, »ja, gleich«, und zog ihn ins Bett. Am nächsten Morgen war schon Tränengas in der Wohnung und draußen Lärm, ich steckte meinen Kopf raus, Menschen klopften auf Töpfe und Eimer, die Straßen waren voll mit Transparenten, wir also raus und gleich wieder rein, weil wir so husten mussten.

Ich kannte den Geruch von Tränengas aus dem Heim. Ein paar Jungs und ich hatten so Zeug besorgt und einmal in eine

Belüftungsanlage geworfen, das ganze Gebäude hat geheult, und eine Oma aus dem Dritten wäre fast aus dem Fenster gesprungen.

Ich schnappte mir einen Schal, wickelte ihn um das Gesicht und lief wieder auf die Straße, İlay mir hinterher, der beißende Geruch brannte in der Nase. Ich habe nie verstanden, warum sich die Leute Zitronenhälften auf die Schläfen pressten und Milch in die Augen schütteten. Das war noch, bevor alle mit Mundschutzmasken herumliefen, aber die haben auch nichts gebracht. Irgendwas explodierte wie ein Geysir, weiße dicke Luft schoss in den Himmel, alle rannten durcheinander, Augen wie wilde Tiere, ein Rudel, das aufgescheucht wurde. Ein ganzes Bataillon vollständig vermummter Polizisten walzte durch die Menge. Sie schlugen auf alles, was sich bewegte, die Leute schrien, der Angstschweiß roch bitterer als das Aceton in der Luft, und als die Polizei auf uns zustürmte, lief İlay weg.

Ich habe noch seine Augen gesehen, wie sie sich weiteten, und dann sah ich, wie er davonsprang mit Armen in allen Richtungen, und mir wurde klar, wie ekelhaft ich ihn fand. Seine pilzige Wohnung, die weißen Haare um den Schwanz, die verkifften schweren Lider, die er nie ganz aufkriegte. Ich legte mich auf den Boden und hörte dem Beben zu. Ich würde nicht zurückgehen, es war Sommer, ich konnte im Park schlafen. Und dann, danach – es war mir egal, wo ich schlafen würde, ich war mir nicht sicher, ob es ein Danach geben würde. Musste nicht sein.

İlay sah ich nur noch einmal wieder, er bat mich, ihn zu treffen, flennte so lange rum, bis ich ja sagte, und während die ganze Stadt Revolution übte, saßen er und ich in einem Café voller Wasserpfeifen, und ich sagte ihm, dass ich es nie vergessen werde, wie er weggelaufen ist und mich allein gelassen hat in einem Pulk voller Menschen, die sich gegenseitig niedertrampelten.

»Ich habe doch Asthma! Ich wäre gestorben in dem Gas!«, schrie er, und ich merkte, wie egal mir das war.

Aglaja Man konnte Aglaja nicht übersehen. In einer Menge aus kurzen Jeans, engen knalligen Shirts und langen wehenden Haaren war sie in ihrer schwarzen Männeranzughose mit Bügelfalte, den Hosenträgern auf zerknittertem weißem Hemd und ihrem schwarzen Hut ein Clown aus einer Schwarzweißfotografie. Nur die Haare waren rot, sie sah aus wie zweidimensional. Als ich sie sah, öffnete ich den Mund, ich wollte ihr so viel sagen, aber bevor ich wusste, was, fiel sie tot um. Dass sie nicht tot war, konnte ich da noch nicht wissen, sie sah tot aus, Blut lief ihr aus den Ohren, ihr Kopf war nach hinten gekippt, der Mund stand offen, die Zunge hing heraus, verdreht wie Knete.

Später, als die Demonstranten die İstiklal mit ihrem Portrait zusprühten, sah man sie als Schwarzweiß-Silhouette mit roten Vögeln, die ihr aus der Schläfe flogen, aber so sah das hier nicht aus. Sie war von einer Gaskartusche am Kopf getroffen worden, dafür wurde sie das Symbol der Bewegung, aber davon hatte sie in den Wochen, in denen sie im Koma lag, nichts. Die Graffiti waren noch lange in den Seitenstraßen um Taksim herum zu sehen, ich ging mal mit Aglaja daran vorbei, sie blieb stehen und schaute lange hin, und ich hatte das Gefühl, sie lachte.

Die Gaswolken um uns herum waren orange. Aglajas Hut war weggeflogen, ihr Kopf war auch weiter weg, als er sein sollte, ich hob sie hoch und wollte raus aus dem Park, dann fing ein Mädchen mit Glatze und Augen, aus denen Feuer kam, an, wie wild an mir zu zerren und mich auf Ukrainisch zu beschimpfen. Ich antwortete auf Russisch, sie solle lieber aus dem Weg gehen, und auf Türkisch verständigten wir uns dann im Hotel mit den Angestellten, wo wir Aglaja auf einem Sofa ablegten, das kahlrasierte Mädchen den Kopf, ich die Beine. Die Lobby war voller verheulter Gesichter und Ärzte oder zumindest Leute, die die verheulten Gesichter verarzteten, sie schütteten den Verletzten eine milchige Flüssigkeit über den Kopf, es sah aus, als würden sie sich mit Milch waschen. Wenn ich nicht gewusst hätte, dass die Menschen, die hier auf den Sofas, auf den Teppichen, im Flur lagen, niedergeprügelt worden waren, hätte ich gedacht, die drehen ein Musikvideo. Die Glatzköpfige kniete über Aglaja und sprach auf sie ein, auf ihr geplatztes Marmorgesicht, das fast durchsichtig war, ich sah die bläulichen Fäden, die ihr aus den Ohren liefen, dachte: Sie ist so schön. Dachte dann: Sie ist tot. Dann dachte ich gar nichts mehr, bin wieder zurück in den Park.

Ich habe Aglajas Namen aus den Zeitungen erfahren, nicht dass ich welche gelesen habe, aber ich habe sie auf dem Foto wiedererkannt in einer Zeitung, auf der ich meinen Fisch zerteilte, ihr Gesicht war vollgematscht. Ich habe das Krankenhaus gefunden und ihr Blumen gebracht und ein Tesbih aus einem turmalinähnlichen Stein, der konnte seine Farbe wechseln. Habe den Krankenschwestern vorgelogen, ich sei ihr Verwandter, sie fragten mich, ob ich ihr Sohn sei, ich brauchte eine Sekunde zu lange, um zu antworten, war zu überrascht von der Frage. Die Frau in der weißen Krankenhauskleidung deutete mit dem Kopf auf Aglajas Tür und schüttelte ihn gleichzeitig.

Ich habe mich ein wenig geschämt, Aglaja ein Tesbih mitzubringen, nicht dass sie denkt, ich bin ein Gläubiger oder so was, ich wollte keinen falschen Eindruck hinterlassen, aber dieses Tesbih hatte ich von einem ziemlich reichen Typen von der Büyük-Londra-Terrasse, der mir dafür in die Boxershorts durfte, und ich fand den Stein wirklich schön, fand, er würde gut zu ihr passen. Außerdem wusste ich nicht, ob sie überhaupt je wieder aufwachen und den Stein sehen würde. Sie lag im Koma, so lernten wir uns kennen, ich stellte die Blumen in eine Vase, legte das Tesbih neben ihre warme Hand auf das Laken und beobachtete, ob der Stein seine Farbe wechselte. Dann schob ich es unter ihre Handfläche und legte ihre Finger auf die Gebetsmurmeln, aber es passierte immer noch nichts. Ich habe ein bisschen gewartet und in ihr aufgeplatztes Gesicht geschaut, ihr Mund war aufgequollen, als wäre ein Tier aus ihm herausgekrochen, und dann bin ich los. Als ich sie später danach fragte, wusste sie nichts von einem Tesbih, das die Farben wechselt, sie war alleine aufgewacht, und es lag nichts in ihren Händen.

Die Stadt roch nach Säure, es war still, als hätte jemand ausgeholt und mir auf beide Ohren geschlagen. Verlangsamt, wie unter Wasser schwamm ich leere Straßen entlang, Geräusche klangen wie das Echo ihrer selbst, ich spürte sie auf der Haut, ich sah runter zu meinen Füßen und fand sie nicht. Ein Mann kam auf mich zu, sein Alter konnte ich nicht schätzen, sein Gesicht war zur Hälfte mit einem weißen Stoff überzogen, auf dem stand etwas gekritzelt, er lief sehr langsam an mir vorbei, ich konnte ihn die Arme und Beine in Zeitlupe anwinkeln sehen, als er auf meiner Höhe war, sah er mich an, und ich schaute auf seinen Mundschutz, auf dem stand ein Buchstabe, A, eingekreist mit wackligem Strich.

Dann wurde alles plötzlich sehr laut und sehr schnell, wie ein Vogelschwarm, der angreift. Um mich herum flogen die Lippen einer alten Frau, die an mir zerrte, ein Rudel Polizisten jagte über die Straße, blutende Hemden schlugen mit den Flügeln, ausgerenkte Gelenke flatterten durch die Luft, grüne Schwimmbrillen, die vollgelaufen waren mit Tränen, der

Schwarm rauschte durch mich hindurch und riss mich fast um, dann stand plötzlich ein Mädchen vor mir mit blondem Zopf und einer Kamera in der Hand und fragte mich, ob ich ein Foto von ihr machen kann vor der ausgebrannten Starbucks-Filiale. Ich nahm die Kamera in die Hand, das Mädchen stellte sich in Pose, die eine Hand stemmte sie in die Hüfte, mit der anderen griff sie in das Spinnennetz aus Glassplittern. Ich stellte das Objektiv scharf, zoomte an das eingeschlagene Schaufenster heran, zoomte wieder raus, drehte mich um, schaute durch die Linse auf die zerstörten Fassaden um mich, die abgebrannten Ladentüren, die Transparente in den Fenstern, die den Ministerpräsidenten des Landes alles Mögliche nannten. Ich stellte von scharf auf unscharf, hörte das Mädchen mit dem Zopf irgendwas schreien, linste in die Gassen, in der einen saß eine Katze und schaute direkt in das Objektiv, ich warf die Kamera auf den Boden und lief der Katze hinterher.

Keine Ahnung, ob es Hunger oder Wut war, aber mein Magen drehte sich wie ein Kreisel, ich konnte nicht klar denken, und mir ging Ali nicht aus dem Kopf, ausgerechnet sie. Es ist nicht so, dass ich nie an sie gedacht hatte, ich habe nie etwas anderes getan, als an sie zu denken, aber genau in diesem Augenblick, in den nach Säure stinkenden Straßen, hätte ich es echt gebraucht, etwas anderes im Kopf zu haben als sie. Sie war plötzlich da, stand vor mir und schaute mich einfach nur an, das war wie Schmerzen neu lernen.

Ich tat das, was mir immer half: Ich beschloss, sie mir aus dem System zu rennen. Ich lief und lief durch die Stadt, ich lief weg vom Gezi-Park, weg von der İstiklal, von den Touristen, den Omas, den Demonstranten, ich lief runter zum Wasser, überlegte, eine Fähre zu nehmen, aber sie fuhren nicht, ich lief über die Galata-Brücke und wieder zurück, vorbei an den Anglern, die immer noch dastanden, als wäre nichts, stolperte über ihre Angeln, mit deren Spitzen sie sich berührten, ich nahm Anlauf und sprang auf das Geländer der Brücke, und die Männer fingen an zu schreien, genau wie meine Mutter, als ich klein war, sie haben es genauso wenig verstanden wie sie und holten mich runter. Als sie so an mir zerrten, merkte ich, dass mein Gesicht nass war. Ich schrie, stieß die Männer weg und lief weiter. Ich lief so lange, bis die Luft in meiner Lunge in roten Brocken aus meinem Mund kam, dann kletterte ich auf einen Baum beim Fußballstadion, die Rasenfläche war leer, darüber das gesamte Panorama von Fatih, mit den Moscheen und Wolken wie getrockneter Salbei.

Ich weiß nicht, wie lange ich da saß. Sah Ali nach mir greifen wie damals, als wir klein waren, sah Ali nach mir schlagen, als wir dachten, dass wir nicht mehr so klein waren. Sah Ali wegrennen, als ich Larissa geküsst habe, sah ihre Tränen und wollte hinterher. Sah sie auf den Dielen ihres leeren Zimmers neben mir auf dem Boden, mit abgebundenen Brüsten, schmalen nackten Hüften, verdrehten Beinen, blasse, bläuliche Haut, die auf den Dielen zerläuft.

Irgendwas flog gegen mein Schienbein und dann noch einmal, ich schaute hinunter, da stand so ein Knirps und warf Steine nach mir. Ich schrie ihn an, er lachte und sagte etwas auf Arabisch. Ich riss einen dünnen Ast ab und warf ihn nach ihm, verfehlte den Witzbold, er lachte wieder und winkte. Ich wollte schon runterklettern und ihm den Hintern versohlen, da stieg er, einen Fuß nach dem anderen, den Baumstamm hoch und setzte sich neben mich, ich konnte ihn ja schlecht runterschubsen. Also saßen wir da und schauten aufs leere Fußballfeld, und er fing an, mir etwas zu erzählen, was ich nicht verstand, und dann mischte sich dieses Grapefruitrot in die Wolken, und der Junge kniff mir in den Schenkel und zeigte mit dem Finger darauf, er schrie fast. Ich nehme an so was wie: »Schau! Schau! Schau!«, und ich schaute. Der Junge hatte eine rote Nasenspitze und eine trockene gelbliche Kruste darunter, ich wollte, dass er sich an mich lehnte, aber er bewegte sich nicht, und ich hatte Angst, die Hand nach ihm auszustrecken, nicht dass ich ihn erschrecke und er fällt mir runter. Ich kauerte auf diesem Ast, umklammerte meine Knie und dachte, irgendwer muss mich ganz dringend festhalten.

Aglaja war als das zweite Kind einer rumänischen Zirkusartistin und eines ungarischen Clowns zur Welt gekommen, seit sie drei war, trat sie in Zirkusmanegen in der ganzen Welt auf, sie erzählte von Deutschland, der Schweiz, Frankreich, Spanien, Portugal, Argentinien und ein bisschen von New York. Am besten erinnerte sie sich an Argentinien und Spanien, dort war sie ein Kinderstar und eine Attraktion, man warb mit ihrem Kinderkörper auf bunten Plakaten an jeder Straßenecke in Farben, die bereits ausgewaschen wirkten, als sie aus dem Druck kamen. Auf diesen Plakaten saß sie nackt auf einer Schaukel mit gelbroten Kordeln und einem Toupetdreieck zwischen den Beinen. Weil da noch nichts wuchs, hielten es die Mutter und die Tante für das Beste, die Blöße des Mädchens mit falschen Haaren zu schützen, das Kind auf der Schaukel grinste mit gespreizten Beinen und streckte die Hände in die Luft.

Aglaja hatte Spanien kurz nach Franco erlebt, sie erinnerte sich an die Clubs, in denen sie aufgetreten war, und an das schwere Atmen der Männer. Wenn sie Angst vor ihnen hatte, senkte sie einfach den Kopf, schaute auf den Boden der Manege, und ihre Haare wurden zu rotem Seetang, der sie schützte. Ihre Sprache war von Bildern geprägt, Kinderbildern, sie glaubte an Märchen, an Geister aller Art, der Aberglauben war Teil ihrer Körpersprache, sie klopfte bei fast allem, was sie sagte, entweder auf Holz oder zog sich am Ohrläppchen oder spuckte dreimal trocken auf den Boden.

In Deutschland sei es nur kalt gewesen, erinnerte sie sich, in der Schweiz sei sie mal mit einem Jungen weggelaufen, der wollte ihr Felsklettern beibringen, die Kinder schafften es tatsächlich acht Meter hoch ohne Seilsicherung, bis man sie entdeckte. Aglaja brach sich keinen ihrer wertvollen Knochen, was aber der wutentbrannte Vater nachzuholen versuchte, als er sie in die Ecke des Wohnwagens prügelte. Von Frankreich wusste sie fast nichts mehr, und Portugal – da lebten sie am Strand, und ihre Mutter übte unablässig ihre Stunts, und ungefähr in dieser Zeit begann Aglaja, Angst zu lernen, die Angst vor dem Tod, viel zu früh für einen so jungen Menschen.

Das Kunststück ihrer Mutter bestand darin, dass sie an ihren langen Haaren unter der Kuppel der Manege hing und dabei jonglierte. Warum ihre Haarwurzeln dabei nicht ausrissen, sich ihre Kopfhaut nicht vom Schädel löste, ihre Kiefermuskeln das Gesicht nicht auseinanderzogen wie Kaugummi, blieb das Geheimnis der Mutter, nicht mal Aglaja kannte es, aber sie kämmte die Haare der Mutter jeden Morgen und besprach sie mit Zaubersprüchen, damit sie abends beim Auftritt nicht rissen.

Am Hafen in Porto wollte die Mutter Werbung für die Vorstellungen des Zirkus machen, indem sie mit einem großen Plakat »Circus in town« in den Händen über dem Wasser schwebte. Sie überzeugte den Lenker eines Schiffskrans, sie an den Haaren über dem Wasser schweben zu lassen, indem sie ihm ihre Brüste zeigte, das hatte Aglaja selber gesehen, und ihr Vater stand daneben. Die Schwebenummer funktionierte gut, und die gaffenden Passanten versammelten sich am Pier, Aglaja stand am Hafen und besprach den Schiffskran, der Vater lief in der Menge herum und verteilte Flyer.

Als die Mutter wieder zurück ans Deck gehievt werden sollte, versagte der Kran und stoppte, und Aglajas Mutter pendelte hilflos über dem Wasser und schrie wie am Spieß, sie spuckte ihre Zunge aus und ihre Augen färbten sich rot.

Am Ende schaffte man es, sie herunterzuholen, bevor ihr Kopf, vor den Augen der jubelnden Menge, vom Körper abriss. Von da an weigerte sich Aglaja, für den Zirkus zu arbeiten, sie schnitt sich eigenhändig ihre langen Haare ab und überreichte sie ihrer Mutter, zum Blumenstrauß zusammengebunden, die Mutter stellte ihn in die Vase.

»Meine Mutter hat mit mir im Bauch schon all diese Sachen gemacht. Vor meiner Geburt war ich schon acht Monate lang Seiltänzerin auf dem Kopf«, sagte sie. »Ich lag in meiner Mutter und machte einen Spagat auf dem hohen Seil.«

Aglaja kratzte sich manchmal die Haare zu Berge, ihre Kopfhaut schien zu brennen, sie rieb und riss mit den Nägeln an ihr, die Haare stellten sich auf wie Stacheln. Sie sagte: »In Rumänien werden alle Kinder alt geboren.«

So redete sie. Wie ein altes Kind, und so sah sie auch aus, sie war älter als ich, zwanzig, fünfundzwanzig Jahre älter, aber wenn wir durch die Stadt gingen, sahen wir aus wie Geschwister, und ich kam mir wie der große Bruder vor. Sie war das Aglaja-Kind ihrer Erinnerungen geblieben, das Kind, das man vor ein Akkordeon setzte, damit es wenigstens noch zu irgendetwas gut war im Zirkus, wenn es schon nicht mehr seinen Körper zur Schau stellen wollte. Sie drückte mit Fingern und Zehen die Knöpfe. Sie mochte den Klang, vor allem das Atmen des Balgs, wenn sie mit Händen und Füßen das Instrument auseinanderzog. Sie lernte schnell ein paar Matrosenlieder und lief so durch die Sitzreihen im Zirkuszelt. Männer steckten ihr Geld in alle Ritzen ihres Kostüms, einer fasste zu tief, da haute sie ihm das Akkordeon über den Kopf. Ihre Eltern beschlossen, sie zur Tante nach Zürich zu schicken, wo sie mit dreizehn lesen und schreiben lernte in einem Internat, aus dem sie regelmäßig ausriss, um wieder zurück zur Tante zu laufen und vor ihrer Haustür auf dem Teppichvorleger zu warten, bis sie sie reinließ. Ihre Mutter sah sie nie wieder.

Einmal noch begegnete sie ihrem Vater, da war sie schon Ende zwanzig, als er mit dem Circus Roncalli in Süddeutschland auf Tournee ging und sie ihn auf Plakaten erkannte. Sie ging vor der Vorstellung auf den Zirkusplatz und fand seinen Wohnwagen, klopfte, und ein alter böser Clown machte ihr auf, genau so, wie sie ihn in Erinnerung hatte. Der Clown erkannte die Tochter sofort und sang ein Kinderlied zur Begrüßung.

»Era un rățoi posac, Toată ziua sta pe lac, Și trecând striga așa: Mac! Mac! Mac! Mac! Era singur, singurel, Nici o rață după el, Apa nu învolbura, Mac! Mac! Mac! Mac!«

Der Vater sagte, er sei froh, sie zu sehen, denn er wüsste sonst nicht, wem er seine Super-8-Filme vermachen sollte, wohin mit dem wertvollen Zeug. In ihrer Kindheit hatte der Vater mit der gesamten Familie Trash-Horrorfilme gedreht, in den meisten rettete er Aglaja, ihre Schwester und ihre Mutter vor irgendwelchen Ungeheuern, die von Puppen dargestellt wurden. Aglajas Rolle in diesen Filmen bestand darin, »Hilfe! Hilfe!« zu schreien.

Er drückte ihr über zwanzig Super-8-Filme in die Hand, nahm dann seinen schwarzen Hut vom Garderobenständer und setzte ihn ihr auf den Kopf. Zum Abschied umarmten sie sich, und der Vater versprach, er würde ihr schreiben, wenn er mal in der Gegend sei. Nur wohin er schreiben sollte, war nicht klar und damit auch geklärt, dass es bei dem Lippenbekenntnis bleiben würde. Aber über all das war Aglaja froh, sie sagte, diese Begegnung habe für sie ausgereicht. Allein die Vorstellung, sich mit ihrem Vater ausgesöhnt zu haben, ließ sie sich wieder wie ein Mensch fühlen, aber sie sagte es anders, sie sagte, »es macht mich wieder wie ein Mensch fühlen«.

Ich fand die Formulierung bescheuert, füllte meinen Mund mit Zigarettenrauch und dachte, ich sage es ihr lieber nicht.

Über ihre Mutter und die Schwester sprach sie nicht viel, ihre Familie war die Tante gewesen, sie hatte ihr alles beigebracht, was sie konnte, vom Kaffeesatzlesen über Kleidernähen bis zum Umgang mit Geld. Nur kochen mochten beide nicht und aßen am liebsten Haferbrei mit Milch und einer Schicht Zucker drüber. Als Kind wusste Aglaja nicht, was diese Sache Diabetes war, wegen der man der Tante beide Füße abgenommen hatte, aber sie fand die Silikonprothesen, die sie in den Schuhen der Tante befühlte, lustig, klaute sie manchmal, um mit ihnen durch die Wohnung zu stapfen. Als die Tante schließlich starb, nahm Aglaja die Schuhe samt den Silikonfüßen und haute ab. Und von da an war sie überall gewesen, sagte sie, und jetzt eben hier. Sie schaute über die Dächer von Bayrampaşa.

Wir saßen auf einem schrägen Ziegeldach und schauten über ein angeranztes Farbenmeer von Häuserfassaden, gelbe und orange und rote und violette Rechtecke. Man konnte Aglaja nur selten überreden, durch die Straßen zu spazieren oder sich in ein Café zu setzen, sie sagte, oben gibt es mehr Sonne, warum also unten bleiben, sie fand immer einen Weg hinauf aufs Dach. Zu unseren Füßen lief eine ganze Horde hungriger Katzen über einen Straßenköter hinweg, der mitten auf dem Bürgersteig lag mit geöffneten Augen und geöffnetem Mund, aus dem die Zunge hing.

»In dieser Stadt vergiften sie Hunde, statt sie zu füttern«, sagte Aglaja und drückte die Ellenbogen und den Rücken durch, um noch weiter hinunterschauen zu können. Ich beugte mich auch nach vorne und sah auf den Köter, der wie ein Mensch auf der Seite lag, mit den Pfoten unter der Schnauze.

»In Moskau gibt es ein Denkmal für einen Straßenhund. Maltschik heißt das Vieh. Bei der Metrostation Mendelews-kaja.«

»Warum?«

»Keine Ahnung, vielleicht damit sie sich nicht um die Menschen Gedanken machen müssen, was weiß ich.«

»Als würde irgendwer sich je um irgendwen Gedanken machen«, sagte Aglaja nach einem Schweigen. »Istanbul ist eine Hure, eine alte Hure mit langen Haaren voller Dreck. Eine Hure, die man kaputtfickt, dann operiert und wieder kaputtfickt. Und die Menschen können nicht mehr.«

Ich sah auf Aglajas Füße, sie baumelten über der Straße, die Zehennägel waren rot lackiert, ein Rot, zu dem manche Chanel-, manche Pionierrot sagten, je nachdem. Dann sah ich weiter an ihr hoch. Sie trug eine weite Männerhose mit breiten schwarzen und grauen Streifen und Hosenträger über einem schwarzen Shirt, ihre Armmuskeln spannten darunter, sie stemmte ihren gesamten Körper in die Luft und wippte hin und her, als wäre sie eine Schaukel, mit den Zehen über der Stadt. Ich unterdrückte meine Angst, dass sie das Gleichgewicht verlieren oder sich einfach fallen lassen könnte, oder was, wenn sie wieder einen epileptischen Anfall hätte, sagte aber nichts, zündete mir eine Zigarette an und sah auf den hechelnden Maltschik unter uns.

Das erste Mal, dass ich bei Aglaja einen Anfall gesehen hatte, war während eines unserer ersten Dates, oder ich weiß nicht, ob es auch für sie eines gewesen ist, ich jedenfalls überlegte die ganze Zeit, wie ich es anstellen könnte, sie endlich zu küssen, dann ging es los. Zuerst verstand ich nicht, was passierte, sie starrte einfach durch mich hindurch, dreißig Sekunden oder so starrte sie einfach nur, als hätte jemand die Zeit angehalten. Da hätte ich sie fast geküsst, jetzt, jetzt, dachte ich, ist der richtige Augenblick. Dann sah ich, dass ihre Hände sich zu Klauen verkrampften, ihr Kopf verrenkte sich nach hinten, aus dem Mund kam weißer Schaum, viel Schaum, als hätte sie eine Tasse Waschmittel getrunken. Ihre Augen waren weit aufgerissen und komplett starr, ich dachte, vielleicht ist sie tot, so wie sie schaut, aber ihr Körper zuckte hin und her, hoch und runter, und als ich sie festhielt, merkte ich, dass sie sich vollgepinkelt hatte. Einen Stock oder ein Stück Holz in den Mund schieben, damit man sich nicht die Zunge abbeißt, das hatte ich irgendwo aufgeschnappt, ich hatte aber keinen Stock, wir waren damals auf einem Dach, nicht mal abgenagte Knochen gab es hier, die Katzen manchmal auf Dächer schleppten. Ich versuchte, ihr meinen Unterarm zwischen die Kiefer zu schieben, ihre Mundwinkel rissen, und ich zog meinen Arm zurück, weil ich Angst hatte, ihr die Zähne rauszubrechen. Ich hielt ihre Arme fest, drückte mein Schienbein auf ihre Schenkel, dachte, keine Rippen brechen, keine Rippen brechen, darunter ist ihre Lunge, und irgendwann, ohne Vorwarnung, war es vorbei. Sie lag mit geschlossenen Augen und vollgepinkelter Hose und Schaum auf der Brust auf meinen Knien und atmete ruhig.

Ich dachte, sie wird vielleicht nie wieder etwas sagen, nachdem der Körper so durchgeschüttelt worden war, vielleicht nie wieder aufstehen, bereitete mich vor, sie zu tragen, irgendwohin. Der Muezzin sang los, und als er fertig war, sagte Aglaja: »Ich habe eine Narbe im Gehirn, die geht nicht wieder weg, die ist für immer. Ich kann mir heute deinen Namen merken, aber ich kann dir nicht versprechen, ihn morgen noch zu wissen.« Sie sah mich nicht an, sie sah auch nicht in den Himmel, sie schaute in eine so große Ferne, wie ich es nie gekonnt hätte, und dann sagte sie: »Ich bin mal klug gewesen, jetzt bin ich nur noch dumm.« Und dann klopfte sie auf ihre roten Locken mit der geschlossenen kleinen Faust, und es gab ein Geräusch, wie wenn jemand an die Tür klopft. »Aber ich habe eine Metallplatte im Kopf, und das klingt lustig. Willst du mal fühlen?«

Sie griff nach meiner Hand und legte sie auf ihre durchgeschwitzten Haare. Ich rührte mich nicht, wollte nicht klopfen, auch nicht streicheln, schaute auf sie runter, und sie sagte, sie brauche jetzt Zucker, Tulumba Tatlısı. »Die Spritzkringel sind so süß! Ist nur Zuckersirup und Mehl und Butter und Fett. Als ich nach Istanbul kam, habe ich mich die ersten Wochen nur von den Dingern ernährt.«

Sie legte meine Hand auf ihren Mund und leckte die Innenfläche mit ihrer riesigen Zunge, wie ein Hund. Dann streckte sie ihren Arm nach oben, fuhr mir durch die Haare, und unter meiner Hand spürte ich, dass sie lächelte. Ich blinzelte, sooft ich konnte, versuchte, mit meinen Augen Fotos von ihr zu schießen.

»Ich vermisse den Zirkus nicht, aber eine Sache hätte ich doch noch gerne gemacht. Durfte ich nicht. Meine Schwester schon, ich nicht. Mein Vater sagte, das ist nichts für mich, ich soll mich lieber auf der Schaukel ausziehen.«

Wir lagen noch lange auf diesem Dach, und sie redete und redete und redete irgendwas vor sich hin, in ihren vollgekotzten Kragen, und ich wusste nicht, ob sie es mir erzählte oder sich selbst, sich selbst eine Geschichte von sich erzählte, um sich zu versichern, dass sie noch am Leben war.

»Meine Schwester ist größer als ich, breiter in alle Richtungen, und dann lief sie auch noch immer auf diesen Absätzen herum, die trippelte auf ihren Zehen und wackelte mit dem Hintern. Bei den Shows trug sie diesen durchsichtigen Einteiler, der mit Glassteinen bestickt war. Wenn sie mit dem Rücken dann an einer Zielscheibe stand und die Arme ausbreitete und die Beine spreizte, glänzte sie wie eine Qualle, eine große, fette Qualle. Mein Vater warf Messer auf sie. Manchmal waren hinter ihr an der Wand Farbbeutel. Wenn das Messer die Beutel traf, platzten sie, und rote Farbe schoss auf das Kostüm meiner Schwester, das Publikum schrie, wollte noch mehr, noch mal!, noch mal!, und ein paar Leute fielen in Ohnmacht. Ich mochte das. Ich stand hinter dem Vorhang und sah in ihre panischen Gesichter, als wären sie alle gleichzeitig ganz kurz vorm Kommen, sie zitterten, mit dem Mund offen. Wenn so ein Farbbeutel platzte, roch es sofort nach Sperma im Raum. Aber ich durfte nie zum Messerwerfer, meine Mutter sagte, warum willst du das, willst du, dass dein Vater dich mit einem Messer trifft? Und ich sagte, meine Schwester trifft er ja auch nie, und meine Mutter sagte, ja, aber sie liebt er ja auch.

Mein Vater liebte meine Schwester auf viele Arten, ich wollte das auch, ich dachte, warum sie, warum nicht mich, war ich zu dünn, war ich zu dumm, mein Hintern zu klein, ich habe es nie wirklich rausgefunden, warum ich nie durfte und warum meine Mutter das alles zugelassen hat. Ich habe sie nie gefragt.«

Ungefähr da, auf dem Dach, beschloss ich, sie zu heiraten. Ich kaufte in der Balık Pasajı eine Kette für ihre Taille, und als ich sie ihr ummachte, lachte sie, als würde ich sie kitzeln.

»Machst du mir einen Heiratsantrag?«, fragte sie.

»Warum nicht?«, fragte ich zurück.

»Weil ich deine Mutter sein könnte.«

Und ab da dachte ich, wir sind verlobt.

Ich erzählte es Aglajas hübscher ukrainischer Freundin, mit der sie ab und zu im Club auftrat. Ich war mir nie sicher, ob sie etwas miteinander hatten oder nicht, ich war jedenfalls nie eingeladen, Katharina hieß sie oder Katüscha. Ich zog sie auf mit diesem Militärlied Выходила на берег Катюша, Каtüscha ging ans Flussufer, sie fand es nicht so witzig wie ich. Sie tanzte in dem Club, in dem Aglaja ab und zu spielte. Aglaja mochte es nicht, dort aufzutreten, sie machte es nur wegen des Akkordeons, sie wollte spielen und singen und dass die Leute ihr zuhörten, an Geld komme sie auch so ran, sagte sie.

Katüscha zog in dem Club so eine Hotpants-Nummer ab, ich bin da nur einmal gewesen, bin auf den roten Polstern eingeschlafen. Wir waren zusammen im Gezi-Park gewesen, hatten Aglaja gemeinsam da rausgeschleppt, ich dachte, ich könnte mit ihr reden, aber als ich zu ihr sagte, Aglaja und ich sind verlobt, dachte ich, sie kratzt mir die Augen aus. Die drehte durch, wenn ich den Arm um Aglaja legte, in der Öffentlichkeit küssten wir uns ja eh nicht, aber bei der Geste schon verkrampften sich bei Katüscha die Arschbacken, das konnte ich sehen. Sie hat Angst, dass ich mir Aglaja schnappe und sie nach Deutschland bringe, habe ich damals noch im Scherz gedacht, und als mir aufging, dass es genau das war, was ich wollte, bin ich allein ins Flugzeug gestiegen.

Ich hatte Geld gespart, das erste Mal in meinem Leben, weil ich Aglaja ein Akkordeon kaufen wollte, dann würde sie nie wieder vor schnaufenden Männern auftreten müssen, sie würde jeden Tag zu Hause üben und bald so gut werden, dass sie eigene Konzerte geben könnte, dann könnten wir gemeinsam rumreisen, ich würde ihr nachts nach den Auftritten die Hände und Füße massieren. Ich wollte ihr unbedingt so ein Instrument besorgen, habe mich in den Läden bei der Galata-Brücke schlau gemacht, aber die waren teuer, und ich hatte Respekt davor, ein Akkordeon zu klauen, ich fand, so etwas macht man nicht, also sparte ich. Und am Ende war ich froh darüber, dieses Geld gespart zu haben für ein Akkordeon, das ich nie kaufte, dafür aber ein Flugticket.

Aglaja ging mit vielen Männern mit, das war in Ordnung. Ich beobachtete sie, wie sie an die Bar gelehnt so tat, als wüsste sie nicht, dass die halbe Welt sie anstarrt. Die, die sich vor ihr aufbauten, griffen ihr meistens sofort auf den nackten Rücken, sie lächelte dann, ihre Körpersprache war ganz von der Artistik ihrer Kindheit geprägt. Was ihr Sphinxgesicht verbergen konnte, drückte ihr Körper aus in Bewegungen. Ihre Halsmuskeln entspannten sich, ihr Kopf fiel leicht nach vorne, und die roten Locken flogen ihr ins Gesicht, dann wusste ich, sie geht mit.

Ich lief dann durch die Stadt und trank Tee. Überlegte, meiner Mutter zu schreiben, überlegte, Ali zu schreiben, und tat es nicht. Ich saß vor der Moschee in Cihangir und versuchte, die Bilder von Aglaja und den anderen Männern zu vertreiben, indem ich sie zeichnete, ich hatte eines dieser Notizhefte dabei, die meine Mutter mir so hartnäckig unter die Nase gehalten hatte. Ich zeichnete sie, wie ich sie mir vorstellte, Aglaja auf den Männern, Aglaja unter den Männern, Aglaja vor den Männern, Aglaja hinter den Männern.

Ein langer Bart hing plötzlich über meinen Skizzen, ich schaute hoch, der dazugehörende Typ lud mich auf Deutsch zum Tavlaspielen ein, ich setzte mich zu ihm an den Tisch, er redete, ich suchte nach Essensresten in seinem Bart, beobachtete seine zusammengewachsenen Augenbrauen. »Willst du mitmachen?«, fragte er plötzlich, ich hatte nicht zugehört, dann fing er an, mir das Geldverdienen zu erklären. Er würde bei so einer Agentur arbeiten, organisiert Frauen, die Klamotten nähen für H&M, aber nicht direkt für H&M, da kommt ein Auftrag aus, sagen wir, Deutschland, dreißigtausend T-Shirts in der und der Größe und Farbe mit der und der Aufschrift. Die Fabrik nimmt den Auftrag an, obwohl die Verantwortlichen wissen, dass eine so große Anzahl in der vorgegebenen Zeit für sie nicht machbar ist, sie rufen eine Unterfirma an, an die sie einen Teil des Auftrags, sagen wir zwanzigtausend T-Shirts, weitergeben, diese Unterfirma wiederum lagert vierzig Prozent davon aus in die nächste kleinere Firma, und das kann noch viele Male so weitergehen. Ganz unten in der Kette stehen Männer wie er, die den ganzen Tag nur Anrufe koordinieren. »Willst du mitmachen?«, fragte er noch mal.

»Nein. Danke.«

»Bist du arbeitsscheu?«

»Ich bin nicht deswegen hier«, sagte ich.

»Ah, du bist einer von denen.«

»Von welchen?«

»Einer von diesen Deutschen. Wenn du dort vor zehn Jahren gesagt hast, ich lebe in Istanbul, hast du Blicke gekriegt. Deutsche behandelten dich sofort besser, weil sie dachten, du kommst aus der Dritten Welt, wo du nichts zu fressen hast, und Strom gibt es nur am Wochenende. Alle waren gleich netter zu dir und boten dir extra viel von ihren Leberklößen an. Nicht alle natürlich, manche fickten dich auch direkt. Die waren wenigstens ehrlich. Und jetzt kommt ihr hierher, nistet euch ein in unserer Stadt, als wäre es das Mekka des guten Lebens. Klar, ihr seid jung und schön und reich, und für euch ist diese Stadt wie geschaffen. Ihr geht hier nicht zum Arzt und wisst nicht, wie es ist, hier alt zu werden. Ihr trinkt euren Kaffee auf den Sofas der internationalen Ketten, die ihr von überall aus Europa kennt, und sonnt euch bis Ende November mit unseren Mädchen auf den Terrassen. Und dann geht ihr zurück und erzählt von dem guten Essen hier.«

»Wow«, sagte ich und stand auf. Dann reichte ich ihm die Hand und schüttelte sie. »Tolle Geschichte, danke, muss ich mir aufschreiben.« Und ging nach Fındıklı spazieren.

In einer dieser Nächte traf ich auf Mervan. Dem hatte der Vater kurz vor dem achtzehnten Geburtstag seinen deutschen Pass annullieren lassen, hatte ihm gesagt, sie würden zur Hochzeit eines Cousins fliegen, Mervan hatte in seinem Koffer nur ein paar schicke Hemden dabei. Und nachdem sie am Flughafen Atatürk gelandet waren, hatte Mervan keinen deutschen Pass mehr, war also ab jetzt für immer Türke, also eigentlich Armenier, »aber das ist kompliziert«, sagte er, während er mir die Hose runterzog. Er konnte nicht mehr zurück, musste zum Militär und ist dann hier hängengeblieben. Er vermisste Deutschland, vermisste das Essen, die Sprache und vor allem seine kleine Schwester. Als er das sagte, hätte ich ihm fast aus Versehen eine runtergehauen. Er würde ihr gerne schreiben, vielleicht könnte ich den Brief mitnehmen und ihr geben. Er war sich nicht sicher, ob er ankommen würde, wenn er ihn per Post schickte, ob der Vater den Brief nicht einkassierte. Ich sagte, ich weiß nicht, wann ich zurückgehe und ob, aber wenn, dann könne er ihn mir mitgeben, und heimlich dachte ich, ich werde ihn selber einkassieren, öffnen und lesen, um zu wissen, was man in solchen Briefen so schreibt.

Ich stellte ihn Aglaja vor, sie mochten sich, wir verbrachten ein paar Tage zusammen, und dann war Mervan weg und Aglajas Fernseher und der Schmuck aus ihren Socken im Schrank.

»Der Schmuck war nicht so viel wert«, winkte sie ab. »Aber das mit dem Fernseher ist echt scheiße.«

Und ich kochte vor Wut, lief noch eine ganze Woche alle Straßen nach ihm ab und hätte fast angefangen, zu beten, dass er mir über den Weg läuft.

Ungefähr so lernte ich auch Nour kennen, der auf die Ankunft seiner Mutter aus Syrien wartete. Nour hatte mit seinen Anfang zwanzig keine Haare mehr, aber dafür Augen so groß wie Platanenblätter. Er war die ganze Zeit dabei, Möbel für die Wohnung, die er für seine Mutter und sich gefunden hatte, zusammenzuklauen, und ich half ihm dabei. Man glaubt nicht, wie viel man aus Cafés raustragen kann, ohne dass jemand etwas sagt. Ich habe ihm sogar einen Samowar besorgt – den echten, den russischen, mit einem Netzteil.

Die Wohnung war schäbig, es gab kein warmes Wasser, der Boden klebte auch noch, nachdem Nour ihn fünfmal geschrubbt hatte, aber das Einzige, was Nour Sorgen machte, war, dass es keine Heizung gab. »Wir besorgen dir Heizstrahler«, sagte ich und fuhr ihm über die kalte Glatze.

Die Wohnung war im obersten Stock unter dem Dach, und das Dach war aus Blech, man hörte die Möwen darüberlaufen, als gäbe es einen Platzregen. Das fand Nour schön, denn Möwenfüße überm Kopf bedeuteten, das Wasser war in der Nähe, man konnte sogar ein Stück davon sehen, ein Stück blauen Streifens, wenn man sich weit aus dem Fenster lehnte.

Nour fiel fast raus und winkte.

»Siehst du die Bosporus-Brücke?«, fragte er mich, verrenkt wie eine Pflanze, die aus dem Fenster wächst.

»Nour, man kann die Brücke von hier aus nicht sehen.«

»Doch, doch, man kann, schau da, da blinken Lichter.«

Ich kam oft bei Nour vorbei, aber ich nahm ihn nicht mit zu uns, er wurde sehr schüchtern, wenn Aglaja in der Nähe war, gab ihr mit einem Meter Abstand die Hand und schaute mit seinen Platanenaugen an ihr vorbei.

Sie schnappten Nour wegen einer Lappalie, und er wehrte sich, weil er wohl an Dinge erinnert wurde, die vor seiner Ankunft in Istanbul mit ihm gemacht worden waren, kam mit den Griffen der Polizei nicht klar, hat wohl ziemlich gewütet, versuchte, irgendwem irgendwas aus der Hand zu schlagen oder zu treten, oder wer da wem was eingeschlagen hat, weiß man im Nachhinein nie. Die Leute wussten es jedenfalls nicht. Was sie wussten, war: Er war weg, und zwar richtig weg, kein Lager, wo sie solche wie ihn normalerweise hinverfrachteten, man hat ihn direkt nach Syrien zurückgeschickt.

Aglaja und ich sind in seine Wohnung, nachdem er sich tagelang nirgendwo hatte blicken lassen, ich hatte schon so was geahnt, konnte ihn nicht finden, er machte seine Tür nicht auf, das machte mir Sorgen, ich erwähnte ihn wohl in jedem zweiten Halbsatz, bis Aglaja sagte: »Dann gehen wir hin und brechen die Tür auf.« Mussten wir aber nicht, die Tür war offen, als wir ankamen, und auf dem Stuhl unter der Glühbirne saß eine alte Frau mit gefalteten Händen. Sie blickte uns an, sie hatte dieselben riesigen Augen wie Nour, ich sah rüber zu Aglaja, sie war erstarrt, schaute wie eingefroren in Richtung der Frau, aber sie schaute sie nicht an, sondern durch sie hindurch, und ich wusste, gleich gibt es Schaum vor dem Mund.

Als Nours Mutter und ich Aglaja wieder hingekriegt hatten, als sie gekrümmt und ruhig atmend auf dem Bett lag, machten wir Tee in dem russischen Samowar und setzten uns beide auf den Boden. Nour hatte nicht die Zeit gehabt, einen zweiten Stuhl zu klauen, dachte ich. Aber jetzt brauchte man den zweiten Stuhl auch nicht mehr.

Seit der Abschiebung von Nour war es für mich nicht mehr in Ordnung, dass Aglaja mit anderen Männern mitging, gar nichts mehr war in Ordnung seither. Das war mir selbst nicht klar, bis ich über einen Typen, der gerade ihren Arsch begrabschte, herfiel und anfing, ihm die Zähne rauszuschlagen. Ich dachte, ich prügele seine Fresse in den Boden, bis man sie sich als Abziehbildchen an die Windschutzscheibe kleben kann. Hatte ich nicht geplant, ist so über mich gekommen. Als mich dann irgendwelche anderen Kerle von ihm runterzerrten, wiederum meine Fresse zu einem Abziehbildchen bügelten und Aglaja völlig hysterisch um uns herumsprang, da wurde mir klar: Ich will Kinder mit dieser Frau, ich will sie auf der Stelle heiraten und Kinder machen und dass endlich Ruhe ist. Ich will, dass diese Geschichten aufhören, ich will, dass sich alles nicht mehr so schnell dreht. Die Typen tanzten um mich herum Ballett, ich hörte mich selbst röcheln und dachte dabei, ich will Familie, meine eigene, ich will, dass diese Frau meine Familie ist.

Ich hatte das volle »Mama, das ist Aglaja, Aglaja, das ist Mama«-Programm vor Augen. Sah, wie die beiden Frauen einander mustern würden, war mir sicher, dass Mam Aglaja nicht widerstehen könnte und dass alles gutgehen würde, wenn nur Ali mir nicht den Kopf abreißt. Aber wenn ich Aglaja mochte, würde Ali sie vielleicht auch mögen, ich konnte mir nicht vorstellen, dass irgendjemand dieser Frau nicht die Zehen lutschen wollen würde, auf die ich gerade Blut spuckte und einen halben Zahn.

Aglaja war so sauer auf mich, dass sie sagte, sie würde nie wieder mit mir sprechen. Ich fand das schön, wie sie es sagte, legte sie aufs Sofa und wollte mit dem Kopf zwischen ihre Beine, obwohl er höllisch weh tat und geschwollen war, sie stieß mich weg und sagte, sie meint es ernst. Ich sagte, ich auch, ich will sie. Sie fragte, was das heißen soll, und ich fragte, wann wir endlich heiraten.

»Ich will nicht, dass dich andere vögeln dürfen, ich will dein Mann sein und mit dir Kinder machen und mit dir Liebe machen und mit dir nach Deutschland gehen. Lass uns heiraten, wir ziehen in ein kleines Dorf irgendwo im Süden, wir bauen selber Gemüse an und Gras und werden fett, und unsere Kinder dürfen nackt durch das Haus rennen und morgens auf unsere fetten Bäuche springen, und ich kann, glaube ich, ein guter Vater sein, ich glaube schon, ich weiß, Väter sind dazu da, um Arschlöcher zu sein, aber vielleicht bin ich ja eine Ausnahme, ich glaube, ich kann das, ich würde es gerne tun.«

Ich habe eigentlich damit gerechnet, dass sie mich auslacht, dass sie mich noch mal von sich schubst, damit ich wieder angekrochen komme, aber ich habe nicht damit gerechnet, dass sie sagt: »Anton, ich habe doch keine Ahnung, wer du bist.«

Also setzte ich mich neben sie und erzählte es ihr. Ich erzählte ihr alles, was ich wusste. Ich erzählte ihr von mir, von meiner Familie, von meinen Großeltern, Urgroßeltern, von Russland und Deutschland und von İlay und einer Menge anderer Leute. Vor allem von meinem Alten, das hätte ich nicht tun sollen. Ich merkte, wie mein Kopf immer mehr anschwoll und zu platzen drohte, mir stand Wasser in den Augen und Galle im Mund, ich hatte mich da in etwas reingeredet, das hatte ich vorher noch nie getan, aber hier ging es um etwas, um eine Frau, um meine Frau, also gab ich mir Mühe, wirklich alles zu erzählen.

Als ich fertig war, schaute sie mich an, bewegte nur ihre kleinen Zehen auf dem Sofa, und dann sagte sie: »Meinem Vater sind am ganzen Körper Rücken gewachsen.«

Ich starrte sie an. In meinem Kopf riss etwas auf, ich hatte das Gefühl, mir hängen meine Eingeweide aus dem Mund raus. Ich zog die Augenbrauen zusammen in der Hoffnung, das würde meinen Schädel zusammenhalten. Aglajas Gesicht war ohne jeden Ausdruck. Ich fand sonst ihre Formulierungen, ihre Kinderbilder, mit denen sie über ihren Vater und ihre Familie sprach, süß und verzeihlich, aber in diesem Moment, als ich vor ihr mein Leben ausbreitete, kam ich damit nicht zurecht. Sie redete weiter, ich konnte nicht richtig zuhören, verstand nur Teile: Sie habe immer zu ihren Eltern zurückgewollt, aber die Polizisten hätten sie nicht gelassen, sie waren Anspitzkönige, spitzten um die Wette ihre Bleistifte und schrieben die Vergehen ihrer Eltern in ihre Notizbücher, genauso wie ich es jetzt auch tue, alles notieren, als würde es jucken. Sagte, ihre Mutter habe ihr versprochen, sie irgendwann bei der Tante abzuholen, sie sei aber nie gekommen und sie würde immer noch auf sie warten, auf ihren Anruf.

Ich versuchte, mich nicht zu bewegen. Ich war mir nicht sicher, was passieren würde, wenn ich mich rührte.

Ich hatte ihr Sachen erzählt, die ich vorher nicht mal mir selbst eingestanden hatte, mein Kiefer hatte gezogen beim Sprechen, ich habe es nicht gern gemacht, habe es nicht gemacht, weil endlich alles aus mir rausfließen wollte, nein, ich dachte, ich muss das machen, damit sie bei mir bleibt, und jetzt erzählte sie mir eine ihrer eigenen Geschichten: Ihr Vater habe ihr gesagt, ihre Mutter habe ihn nur geheiratet, damit er sie in den Westen bringt, und darum würde sie, Aglaja, niemals jemanden heiraten, damit er sie in den Westen bringt.

Sie ekelte sich vor mir. Sie hatte mich missverstanden, aber es war zu spät. Ich griff mir an den Kopf, sie schaute mich genauso an, wie ich damals in der Wasserpfeifenbar İlay angeschaut hatte. Und sie hatte recht. All diese Geschichten waren ekelhaft. Man sollte sie nicht erzählen, man sollte irgendwas erzählen, ist doch egal, was stimmt, nichts stimmt, nichts, wie kann man überhaupt etwas über sich sagen.

Sie sah mich mit ihren Sphinxaugen an, und ich hätte mir am liebsten selber die Haut vom Leib gezogen, aber stattdessen fing ich an, Sachen durch die Gegend zu werfen. Habe den Fernseher gegen die Wand gefeuert, den ich ihr neu besorgt hatte, ihre Kissen zerrupft, den Tisch umgeworfen, irgendwas brach, und ich weiß, ich hätte sie nicht schlagen dürfen, aber dieses Über-mich-Erzählen hatte etwas mit mir gemacht, nichts Gutes. Es war ein Gefühl von Durchtreten, ein Gefühl ohne Boden unter den Füßen, ohne Fenster und Wände, nichts war mehr da, an dem man sich hätte festhalten können. In meinen Ohren dröhnte, was Aglaja mir über ihre Familie erzählt hatte, diese saudummen Geschichten, von denen ich ihr nicht eine geglaubt hatte, außer dass ihr Vater ihre Schwester gefickt hat und sie trotzdem seine Freundin sein wollte.

Als ich sie auf dem Boden liegen sah und in ihr ausdrucksloses Gesicht schaute, dachte ich nur: »Es macht mich wieder wie ein Mensch fühlen« ist wirklich der bescheuertste Satz der Weltgeschichte.

15. Juli »Was ist mit deiner Stimme?«

»Was soll mit ihr sein?«

»Klingt anders.«

»Kann sein.«

»Hast du geweint?«

»Ich bin im Stimmbruch.«

»Sehr witzig.«

»Ich meine es ernst.«

Ali drückte den grünen Telefonhörer zwischen Fingerkuppen und Handballen zusammen, die dicke Schnur zum Apparat spannte durch den Raum. Die Plastikschale des Hörers ging an der Naht auseinander, er steckte seine Fingerkuppen zwischen die beiden Hälften, spürte, wie sich Blut an der eingeklemmten Stelle sammelte, und wartete, dass aus dem Hörer etwas kam, eine Frage, die richtige. Valja atmete am anderen Ende, es rauschte leise.

»Mama? Geht es dir gut?«

»Ja.«

»Was machst du so?«

»Arbeiten. Ich gehöre nicht zu den Menschen, die mal so was machen, ich arbeite.«

Mit dem Daumen der freien Hand fuhr Ali über die vernarbte Handinnenfläche.

»Ich liebe dich.«

»Komm einfach her, das würde mir reichen. Kommst du wieder? Oder bleibst du für immer dort? Ist es das? Bist du ausgewandert und hast mir nichts davon gesagt?«

Ali kratzte sich am Hals, an den Oberarmen, am Nacken, der Staub in Cemals Wohnung fraß sich in die Poren.

»Komm mich besuchen. Es ist schön hier, vor allem abends, dann sind da diese Lichter, wir könnten auf einer Dachterrasse sitzen und auf die Lichter schauen. Es gibt hier eine Süßigkeit, die ist mit Mozzarella gefüllt, die würdest du mögen. Es gibt auch eine mit Hühnchen. Stell dir vor, ein Stückchen Huhn mit Milch verkocht. Aber die müssen wir ja nicht essen, wir essen die mit Mozzarella. Sie braten sie in Butter und streuen Pistazienkrümel drüber.«

Valja schwieg, während Ali die Efeublätter auf Cemals Fensterscheibe zählte, die schwarzen Äste der Pflanze wuchsen entlang des Rahmens. Ali spiegelte sich in den grünen und braunen Blättern, sie waren fein wie Haut und zitterten.

»Man kann nicht mehr fliegen, da wird geschossen«, sagte Valja endlich. »Bei euch wird entweder gebombt oder geschossen, wo soll man da landen? Wieso willst du, dass ich dich besuchen komme, wenn es nicht sicher ist. Es ist nirgendwo sicher da. Das verstehe ich nicht, Alissa, wie kannst du glauben, dass es mir egal ist, dass du in einem Land bist, wo ständig Bomben explodieren oder Verrückte am Flughafen hundert Menschen erschießen? Wie stellst du dir das vor? Dass ich da einfach lande und wir Eis essen gehen?«

Ali sah zwei runde Augen wimpernlos im Efeu blinzeln. Er schaute sich selber zu.

»Alissa, du musst zum Bahnhof gehen und einen Zug nehmen, es wird keine zwei Tage dauern, dann bist du hier, bei mir. In Sicherheit. Du fährst doch gerne Zug.«

Er spürte, wie Wanzen sich unter seiner Haut den Weg bahnten. Seine Waden juckten, er rieb sie aneinander.

»Das wird schön. Es ist eine schöne Strecke, besorg dir Obst und diese Süßigkeit da, mit Mozzarella, aber lass sie nicht in Alufolie in der Sonne liegen, sonst wird sie schlecht. Und bring mir auch eine mit, ich würde sie gerne probieren, aber pack sie gut ein.«

»Ja.«

Ali hörte Cemal in der Küche. Er hörte das Schleifen seiner Gummisohlen auf den Fliesen, er hörte seine schweren Schritte. Er wünschte, er würde kommen und ihm den Hörer aus der Hand nehmen, er wusste nicht, ob er sonst nicht für immer so stehen bleiben würde, mit pochenden Fingern, verkrallt in das Plastik.

»Und stell dir vor, was du alles sehen wirst, wenn du aus dem Fenster schaust! So viele Länder, die an dir vorbeiziehen, und es wird schaukeln, und die Zugbegleitung wird dir Schwarztee bringen. Hab Kleingeld in der Tasche, du wirst es brauchen. Hast du Geld, hast du genug, soll ich dir was schicken, soll ich dir das Zugticket kaufen? Ich kann das von hier aus machen.«

Cemal kam nicht aus der Küche, niemand kam, stattdessen spürte Ali, wie ihm ein kratzendes Vogelvieh die Kehle hochkroch, es biss in seine Stimmbänder, es schwitzte Fett. Sein Mund stand voll davon.

»Willst du nicht wissen, was mit meiner Stimme ist, Mama?«

Ali versuchte, sich an die Hände seiner Mutter zu erinnern, weiche, fast runde Handteller, weit auseinanderstehende Finger, er stellte sich vor, wie diese Hände sein Gesicht fassen und mit den Daumen streicheln würden, unbeirrt von den Stoppeln auf der Oberlippe, von den Pickeln auf dem Hals. Wie seine Mutter seine Augenlider küssen, seinen Kopf gegen ihre Schulter drücken und irgendetwas sagen würde, irgendwas über Zeichentrickfilme und den nächsten Urlaub, den sie gemeinsam machen würden. Das Bild hielt nicht, er versuchte, es wieder zusammenzusetzen, aber er kam nicht mal bis zu der Stelle mit der Oberlippe.

»Schreib mir, wenn du in den Zug steigst, ich hole dich ab.«

Ali drückte auf die Telefongabel und bewegte sich nicht vom Fleck, er hörte die Blätter rauschen, wie sie über das Fensterglas rieben, er hörte Cemal ins Zimmer schlurfen, er hörte ihn sprechen, Ali etwas fragen, spürte, wie er ihm den Hörer aus der Hand nahm und ihn umarmen wollte. Ali wehrte ihn ab, schüttelte sich, Cemal griff ihn unter den Achseln wie ein Kleinkind und legte ihn aufs Sofa.

»Was machst du heute Abend, du musst was machen, geh doch mal aus«, redete er auf ihn ein. »Das ist nicht gut in deinem Zustand, immer drin zu hocken.«

»Und in deinem?«, zischte Ali durch die Zähne.

»Seit du dieses Zeug nimmst, habe ich das Gefühl, du hast Tollwut.«

»Die hatte ich früher auch schon.«

»Ja, das stimmt.«

Cemal streichelte Alis Bauch in kreisenden Bewegungen, tätschelte seine Oberschenkel, fuhr über die roten, entzündeten Beulen auf seinen Waden, drückte mit seinem Fingernagel Kreuze in die Eiterhügel und strich sie glatt.

Ali saß auf dem roten Polster in der hinteren Ecke des Clubs und schwor, wenn wieder »99 Luftballons« von Nena käme, würde er nie wieder nach Deutschland zurückgehen. Was hatten all diese Leute mit diesem Song, verstanden die den Text nicht? Ali hatte einmal seine Mutter dazu tanzen gesehen, sie hatte die Arme angewinkelt und trommelte mit den Fäusten in der Luft, schwang den damals noch überdimensionalen Hintern. Die peinlichste Veranstaltung, die die Welt je gesehen hatte.

»Schreib mir, wenn du in den Zug steigst, ich hole dich ab.«

Genau.

Zurückkommen, wohin zurück, in die liebenden Arme einer Frau, die ihn wahrscheinlich nicht erkennen würde am Bahnsteig. Er musste an Valjas Frage denken, ob er ausgewandert war und es selber nicht gemerkt hatte.

Katho nervte mittlerweile auch jeden Tag: »Wie lange bleibst du hier, wie suchst du nach deinem Bruder, suchst du wirklich nach deinem Bruder, ich kann dir vielleicht helfen, ich kann dir doch bestimmt helfen, lass mich dir doch helfen, ich will einfach wissen, wie lange du bleibst, damit ich weiß, ob –«

»Ob was?« Alis Augen brannten, er schlug mit seinen Wimpern wie eine Fliege mit ihren Flügeln und starrte auf den zusammengekauerten Körper auf seinem Sofa. Seit einer Weile ging Katho nur selten in den Club, nur wenn er wirklich Geld brauchte, meistens ging er nirgendwohin, er verschanzte sich in Alis Wohnung und fing an, Gegenstände für die Küche zu kaufen, das machte Ali rasend. Der würde bestimmt bald seinen Job verlieren, aber wahrscheinlich spekulierte er genau darauf. Wie dann Geld verdienen, war nicht klar und der Rest auch nicht.

»Ich will es einfach wissen«, Katho zuckte mit den Schultern und schaute wieder in sein Buch. Er sagte es, als würde er wissen wollen, was Ali zum Mittagessen mag. Seit neuestem trug er Alis Klamotten und fragte die ganze Zeit, ob er sich die Haare lang wachsen lassen sollte. Alis T-Shirt, das Antons T-Shirt gewesen war, hing schief auf Kathos schmalen Schultern, und Ali wollte ihm sagen, dass er es sofort ausziehen und die Wohnung verlassen muss.

Ali schaute in Kathos flaches Gesicht, das über den Wangenknochen gerötet war, als hätte er Fieber, atmete aus, atmete ein, aus, ein und sagte:

»Okay, pass auf, ich werfe eine Münze. Kopf für ich gehe morgen nach Deutschland zurück, Zahl für ich bleibe für immer hier. Tamam?«

Katho griff nach dem Kissen, an das er sich gelehnt hatte, warf es Ali an den Kopf, sprang vom Sofa und stürmte zur Tür. Bevor er rausging, schnappte er sich das Buch, das oben auf der Kommode lag, ein Buch mit 1200 Seiten, und wollte es auf Ali schleudern, aber dafür war es zu schwer, es landete mitten im Zimmer, und beide schauten es an, als würde was auslaufen. Sie schauten zu Boden, dann zu einander, Ali musste lachen, und Katho knallte die Tür hinter sich zu. Ali stand auf, legte das Buch wieder zurück auf die Kommode, stieg in seine Gummistiefel, griff sich den verbogenen Fünf-Lira-Regenschirm, dessen Kiele durch den weißen Plastikbezug stachen, und ging raus.

Wenn es in Istanbul regnete, dann wurden die Knochen nass. Er schmiss den Schirm schon in der Aynalı Çeşme ins Gebüsch, weil der Wind ihn zerrupft hatte, zog sich den Kragen seiner Jacke fester um den Hals, schloss die Augen und drehte so lange Runden um die Häuser, bis er sich vor Hassan Beys Gemüseladen wiederfand. Durchnässt, mit bläulichen Fingern. Er befühlte seinen Schnurrbart und fragte sich, ob Hassan jetzt auch auf den Boden spucken würde wie letztes Mal, als er zusammen mit Katho da war. Er machte einen Schritt auf den Laden zu, die Plane über ihm stand voll Wasser, Hassan war hinten an der Kasse und polierte gerade frische Pflaumen an seinem Ärmel. Sie sahen sich an, Ali war sich nicht sicher, ob er ihn für jemand anderen hielt, einen neuen Kunden, einen Touristen, der übers Wochenende gekommen war und sich in der Nähe eine Wohnung genommen hatte. Er konnte es nicht sagen, ob er für andere jetzt ganz anders aussah oder überhaupt nicht. Hassan ging auf ihn zu und hielt ihm eine Pflaume hin, sie war weich und warm, Ali biss hinein, und der Saft spritzte ihm aufs Kinn, er wischte ihn mit dem Handrücken weg. Hassan lächelte, nahm ihm die nasse Jacke ab und legte sie auf einen Hocker. Hassan hatte graue Augen, mit denen fragte er, und sie gingen nach hinten.

Ali saß eingesunken in das rote Polster im Club und versuchte, die Erinnerung an Hassans raue Finger auf seinen Hüftknochen abzuschütteln, dann legte er den Kopf in den Nacken und sah sich selbst in der verspiegelten Decke.

Er hatte ein Ziehen im Magen, vor den Augen Kaleidoskopfunken, die Musik war wie ein Wanzenschwarm, als hätte er eine Hautschicht weniger, als wäre er auf LSD, aber LSD hatte er nicht genommen. Testosteron, einmal die Woche.

Er hatte noch knapp 800 Lira, das würde reichen, um vielleicht noch zwei Monate in Istanbul zu bleiben und darauf zu warten, dass Anton ihm über den Weg lief, vielleicht war das aussichtsreicher als die Aushänge in den Polizeistationen, die Cemal und er in den ersten Wochen gemacht hatten. Cemal, der beste Onkel der Welt, der immer wieder bei seinem Freund auf der Polizeiwache anrief und mit ihm lange über das Leben redete und sich ausgiebig über den Präsidenten ausließ, bevor er nach Anton fragte, hatte fast einen Herzanfall erlitten, als der Freund sagte, es kann sein, dass wir ihn haben, euren Russen, kommt vorbei.

Cemal und Ali schubsten sich gegenseitig aus der Tür, sprangen ins Taxi und überschlugen sich in ihrem »zur Polizeistation nach Sarıyer, bitte«, fast hätte Ali dem Fahrer den Kopf abgerissen, als sie in einen Stau reinfuhren, aber was konnte er dafür, »Istanbul ist Istanbul«, sagte der Taxifahrer, seine eigene Zunge kauend, und das Problem von Istanbul seien nicht der Abriss von historischen Bauten oder die hohe Armut, die Bombenexplosionen, Selbstmordanschläge, Überfälle, die Schließung der Zeitungen, die Abertausenden zerstörten Existenzen, nein, das Problem sei »trafik«, da konntest du jeden fragen. Also saßen die drei für eine Stunde fest, bei heruntergekurbelten Fenstern, aus denen Zigarettenrauch stieg, aus allen vier.

Auf der Wache angekommen, stellte sich schnell heraus,

dass es sich bei dem jungen Mann nicht um Anton handelte. Einen Russen, ja, aber keinen Anton. Er hatte noch nicht mal braune Locken, er war ein strohblonder St. Petersburger mit der dazugehörigen nasalen Sprechweise und grazilen Bewegungen. Er saß mit übereinandergeschlagenen Beinen auf dem Plastikstuhl, und während Cemals Freund erzählte, dass der Junge einem anderen, einem Türken, fast die Kehle durchgeschnitten hätte, weil der etwas über den abgeschossenen russischen Kampf-Jet gesagt haben soll, im Sinne von: wir hätten mehr von euch abschießen sollen als nur den einen, kämmte er sich mit langen, dünnen Fingern das blonde Haar aus dem Gesicht und zwinkerte Ali zu. Cemal zeigte auf Ali und sagte: »Wir suchen ihren Zwilling, Bruder, sieht er etwa aus wie sie?«

Der Petersburger sagte zu Ali auf Russisch: »Hol mich hier raus, ich revanchiere mich.«

Und Ali sah Anton. In der Ecke des Raums, hier auf der Polizeistation mit all diesen Telefonen, die sturmklingelten, und Stimmen, die schrien, und diesem strohblonden Typen, der ihn auszog mit seinen Blicken, sah er seinen Bruder vor sich, der sich bog vor Lachen über diese sinnlose Hoffnung. Alis Hoffnung, Anton zu finden. Alis Angst, Anton zu finden. Ali sah zu, wie das Bild von Anton aus dem Fenster kletterte. Er stand auf, ging wortlos an den laut diskutierenden Männern, an dem Petersburger und all den blauen Hemden vorbei, aus dem Polizeigebäude an die frische Luft. Vor ihm lag eine stark befahrene, mehrspurige Straße, die überquerte er, ohne nach links und rechts zu schauen, und setzte sich auf die Leitplanke. Autos rasten vorbei, hupten, schwarze Abgaswolken kamen aus den Auspuffen, Kinderaugen klebten an den Scheiben. Ali kochte vor Wut, Wut auf sich. Wut darauf, dass er es geschafft hatte, selber daran zu glauben, dass Anton gefunden werden konnte. Er hatte seine Hände in den Hosentaschen, seine Zigaretten waren alle, er schaute den Autos hinterher und wusste, er war noch nicht fertig mit dieser Stadt. Sie zog ihn immer noch an den Wimpern, sie saugte an ihm, und sie würde ihn nicht loslassen, noch nicht. Andererseits hatte er keine P&S mehr.

Ali wartete auf Katho, spielte mit seinem Tesbih und beobachtete die Gäste, vor allem die Männer. Begutachtete ihre breiten Schultern, maß die Länge ihrer Bärte, die man in dem rötlichen Licht nur erahnen konnte, studierte die Haltung, wie sie standen, wie sie sich an die Bar lehnten, merkte sich ihre Art, die Arme neben dem Körper hängen zu lassen. Vor allem auf ihren Körperwuchs war Ali neidisch, das Testosteron machte so einiges mit seinem Körper, aber in die Höhe schießen würde er nicht mehr.

Seine Konzentrationsfähigkeit hatte sich verändert, war jetzt höher und kürzer, schärfer, und gleichzeitig war ihm ständig nach Weinen zumute, oder er war gereizt, meistens beides gleichzeitig, er hatte mehr Hunger als sonst, eigentlich immer, seine Muskeln an den Schultern und Oberarmen und Waden fühlten sich an wie Würmer, die jeden Tag fetter wurden, seine Schamlippen wuchsen in die Länge und sahen jetzt aus wie eine Rose, aus der eine Zunge herausragte. Er wollte ficken. Viel und lange ficken. Sein Rücken war übersät mit Pubertätspickeln, sie wurden mit jedem Tag mehr. Der Stimmbruch ließ sich noch halbwegs kontrollieren, auf den Haarbefall an den Beinen wartete er noch.

Seine Finger spielten fahrig mit dem Tesbih, er wackelte nervös mit dem rechten Bein, dann mit dem linken, legte seinen Kopf in den Nacken, sah sich gespiegelt an der Decke, sah wieder zur Bühne, auf der Katho gerade mit drei Mädchen zusammen so was wie einen Can-Can tanzte, und überlegte, was er mit ihm machen sollte. Ihm fielen zwei Möglichkeiten ein: Verlassen oder heiraten.

Das würde meine Mutter zur Weißglut treiben, dachte er, aber auch, dass Katho so eine große Hochzeit gefallen könnte, man lädt die gesamte Mischpoche ein, Emma, Danja, Etja, Schura, warum nicht, alle im Kreis versammeln und sich auf Stühlen hochwerfen lassen und dann für Katho die deutsche Staatsangehörigkeit beantragen. Dann dachte Ali an die letzte und einzige Hochzeit, auf der er je gewesen war, und wie glücklich das Chipmunkgesicht von Elyas' Cousine ausgesehen hatte, umrahmt von weißem Schleier wie in einem Comicstrip. Ali dachte, wie schön das sein musste, wenn man sich darüber freuen konnte, sich selbst als Wachsfigur auf einer Zuckertorte zu finden, Kinder kriegen, Haus kriegen, Hund kriegen, Job kriegen, einen besseren Job kriegen, und am Sonntag Besuche bei den Eltern, überhaupt beieinanderbleiben wollen.

Kathos Perücke fiel ihm vom rasierten Schädel, er sprang aus der Reihe der untergehakten Tänzerinnen, setzte sie sich schnell wieder auf und lachte. Ali spürte ein Brennen auf der Haut, als würde man ihn am ganzen Körper mit Spiritus abtupfen.

An diesem Abend im Club von Lâleli saß er auf dem roten Sofa in der hintersten Ecke des Raumes und wollte, dass das Schicksal entscheidet, ob er in Istanbul bleiben, nach Deutschland zurückgehen oder einfach verschwinden sollte, vielleicht weiterziehen, irgendwohin. Warum kann das nicht passieren? Dass Zeichen einem sagen: Dahin sollst du, hier einsteigen, hier aussteigen, bei diesem Menschen bleiben und von hier unbedingt weg. Dass es irgendein Zeichen dafür gibt, dass wenigstens irgendetwas stimmt. Wozu hat man das Scheißschicksal erfunden?

Ali beschloss, wenn wieder »99 Luftballons« von Nena kam, war die Sache klar. »99 Luftballons« kam nicht. Aglaja kam. Freesien, Bergamotte, Ananas, Orangen, Zedernholz und Vanille standen in Alis Nase, dass er kaum atmen konnte.

Aglaja schwamm durch die trübe Luft des Clubs wie durch einen See, tauchte direkt vor Alis Gesicht auf und entblößte ihre Zähne. Er hatte nicht gewusst, dass Eckzähne so spitz sein konnten. Sie sah ihn nicht, schaute durch ihn hindurch. Sie hatte ein kurzes Kleid an, das wie eine rot geschuppte Fischhaut an ihrem flachen Körper klebte, und trug Schuhe mit hohen Absätzen, die sie noch kindlicher aussehen ließen, weil sie in ihnen nicht gehen konnte und leicht torkelte. Vielleicht war sie auch betrunken. Ali stand auf, sie waren gleich groß, gleich klein, die gerupften Papageie von Kronleuchtern warfen buntes Licht auf ihre Umrisse. Sie waren beide bleich, die Istanbuler Sonne hatte es nicht geschafft, ihnen das gelbliche Weiß aus den Gesichtern zu treiben, aber Aglajas Haut leuchtete, das dachte Ali. Sie leuchtete, phosphoreszierte fast.

Freesien, Bergamotte, Ananas, Orangen, Zedernholz und Vanille. Was jetzt?

Alis Gedanken rasten durch seinen Körper, er zitterte bis in die Knie, versuchte die Hand nach Aglaja auszustrecken, aber die Hand gehorchte nicht. Aglaja sah ihn nicht in dem Nebel der Bar, in dem Nebel, in dem sie zu stehen schien. Er suchte nach ihrem Blick, sie schaute geradeaus, stand einfach nur da. War er unsichtbar, oder versuchte sie ihn zu erkennen? Da waren ihre rotgeschminkten Lippen, ihr Mund stand offen, spitze Zähne lugten heraus, rote Locken standen ab vom Kopf wie unter Wasser.

Ali stellte sich vor, alle anderen würden den Raum verlassen und niemand wäre jemals hier gewesen außer ihnen beiden, aber der Raum war voll, und was würde er dann sagen?

Und Ali erinnerte sich: das Graffito, das Akkordeon, die Zunge, die zur Decke zeigt. Sie war es, sie war der Grund, warum er geblieben war, damals in der Bar und überhaupt. Aglaja entfernte sich. Sie machte keine Geräusche, ihr Körper wurde konturloser mit jedem Schritt. Er streckte die Arme nach ihr aus, es ging. Er machte ein paar Schritte, es ging. Aglaja drehte ihren Kopf zu ihm, der Kopf bestand nur aus einem Auge und platzte zuerst. Wie eine Seifenblase. Dann ihre phosphoreszierenden Arme, die Schultern, der Bauch, die Hüften, sie löste sich auf wie eine Brausetablette. Sie zerfiel.

Katho stieß mit beiden Knien von unten gegen die Tischplatte und verschüttete seinen Çay. Er fluchte. Ali sah unbeteiligt auf die braune Farbe, die über dem Tisch in seine Richtung lief, er hatte die Arme verschränkt, in der einen Hand hielt er eine Zigarette, mit den Fingerkuppen der anderen bohrte er in seine Rippen. Er rückte weg vom Tisch und sah zu, wie Katho Servietten holte, wie der graue Zellstoff den Tee aufsaugte, wie Katho versuchte, die Spritzer von seiner weißen Hose zu reiben. Er sah hilflos an sich herunter, dann zu Ali, setzte sich hin und griff nach dem halbleeren Glas.

»Du kannst nicht gehen«, sagte er und kippte den Rest hinunter. Dreieckige schwarze Teeblätter blieben an seiner Unterlippe kleben.

»Und wie ich kann.«

»Nein, kannst du nicht.«

»Wenn du mir meinen Pass wiedergibst, schon.«

Von der Molla Aşkı Teras konnte man fast über die gesamte europäische Seite der Stadt schauen, nicht nur über Balat. Ali fixierte die Bosporus-Brücke, die wie eine bunte Lichterkette blinkte. Von weitem hörte er Hubschrauber über der Stadt kreisen, vom Muezzinruf erbebte der Boden, er klang ungewöhnlich nah. »Alles umsonst? Die ganze Reise?«

»Anscheinend.«

»Das mit uns auch?«

»Kann ich jetzt meinen Pass wiederhaben, bitte? Oder hast du ihn schon verkauft?«

»Es bedeutet dir nichts.«

»Nicht mehr.«

»Du lügst.«

»Meinen Pass –«

»Du kannst Anton noch finden.«

»Jetzt lügst du. Daran hat nie wirklich jemand geglaubt, du am allerwenigsten.«

Es war Bewegung im Café. Stühle wurden zusammengerückt, Menschen versammelten sich vor dem laufenden Fernseher, diskutierten, Feuerzeuge klickten im Takt. Es wurde lauter mit jeder Minute. Wochenendsummen, dachte Ali.

»Und was ist, wenn du die ganze Zeit etwas anderes gesucht hast als Anton?«

»Was, dich?«

»Durch mich weißt du überhaupt, wer du bist.«

»Du denkst, ich weiß es? Du denkst, du weißt es?«

»Du weißt es nicht?«

»Ich müsste mal in meinem Pass nachschauen, aber du willst ihn mir ja nicht geben.«

Handys klingelten, erst vereinzelt, dann ertönte ein ganzes Orchester, Menschen nahmen ab, brüllten in ihr Telefon, spuckten auf den Boden, liefen aus dem Café und schauten vom Hügel hinunter auf die Stadt, gestikulierten. Ein Mann schrie auf, Ali sah zu ihm hinüber.

»Das mit dem Testo, das mit den Spritzen?« Katho holte seine Aufmerksamkeit wieder zurück an den Tisch.

»Ein Versuch.«

»Für dich ist alles ein Spiel.«

»Was willst du hören? Dass ich jetzt plötzlich weiß, wer ich bin, was das alles soll, mir den Sinn des Lebens injiziere in Testosteronform?«

»Wenn du gehst, bring ich mich um.«

Ali zündete sich die nächste Zigarette an und beobachtete

den Menschenpulk, er war in Bewegung, ein Ameisenhaufen. Etwas war im Gange, aber er verstand nicht was.

»Ich glaube dir nicht, ich glaube dir nicht, dass ich dir nichts mehr bedeute.«

Zuckende Rücken und wild fliegende Arme verdeckten den Fernsehbildschirm, er konnte nicht sehen, was gesendet wurde und worüber sich alle so aufregten.

»Ich verzieh mich jetzt. Behalt doch den Pass, ich komme auch so weg.« Ali stand auf und wollte zum Fernseher.

»Was bist du nur für eine Fotze.« Katho fing an zu weinen.

Überrascht von der Schärfe in Kathos Stimme, schaute Ali hinunter auf sein verzerrtes Gesicht, er setzte sich wieder, rückte nah an Katho heran und flüsterte:

»Habt ihr euch alle abgesprochen, oder ist das so ein Standardtext, den man dann runterleiert? Genau dieselben Sätze hatte ich schon mal auf dem Anrufbeantworter.«

»Wovon sprichst du?«

»Ich bin schon für den Selbstmord von einem Arschloch verantwortlich, der mir den Anrufbeantworter vollgelabert hat, er bringt sich um, wenn ich ihm nicht für den Rest meines Lebens die Hand halte, ich brauche nicht noch ein Arschloch, das mir droht, okay? Wenn du es vorhast, wirklich vorhast, tu mir einen Gefallen, ruf mich nicht vorher an. Das wäre nett. Ein zweites Mal kriege ich das nicht hin.«

Kathos Blick war glasig, er wischte sich die Tränen mit dem Handrücken weg und schaute geradeaus. Ali versuchte, so leise wie möglich zu sprechen, durch den Druck in der Lunge stotterte er:

»Er hat mein ganzes Leben gefickt, und noch bevor er meins ficken konnte, hat er das Leben meiner Mutter gefickt, und ich und mein Bruder kamen dabei raus und durften dann ausbaden, dass die sich gegenseitig gefickt haben, aber das war ihm nicht genug, er fand es wichtig, mir noch auf seinen letzten Metern die Schuld für seinen Tod zuzuschieben, damit ich nie wieder eine Chance habe auf irgendeine Art von Leben. Also komm mir nicht mit Selbstmord. Wie hast du das so schön gesagt: Alles, was mir passieren konnte, ist mir schon passiert. Also lass mich in Ruhe. Ich muss los.«

Die Menschen hatten angefangen, das Café zu verlassen, sie gingen hastig, manche warfen dabei Plastikstühle um und stellten sie nicht wieder auf. Als Ali den Fernseher erreichte, stand da nur noch ein alter Mann und rauchte, in einer Hand hielt er ein Tesbih und drückte Murmel für Murmel durch Daumen und Zeigefinger. Ali trat an den Bildschirm und versuchte, zu verstehen. Die Moderatorin war kreidebleich und verlas einen Text, Alis Türkisch reichte nicht aus, um ihn zu verstehen, aber es reichte aus, um zu verstehen, dass die Frau gezwungen wurde, ihn vorzulesen. Im Hintergrund sah man Männer in Uniform. Ali schaute zu dem alten Mann neben ihm. Seine Lippen bewegten sich stumm, dann schaute er zu Ali und sagte: »Darbe.« Sein Blick blieb an Alis Schnurrbart hängen.

Die Stille rauschte in den Ohren. Ein Handy klingelte, Ali fiel erst jetzt auf, dass niemand mehr im Café war, auch Katho war weg. Er brauchte einen Augenblick, zu verstehen, dass das klingelnde Telefon sein eigenes war. Er nahm ab.

»Wo bist du?« Elyas schrie ins Telefon.

»In Balat«, sagte Ali. »Wo bist du?«

»In Berlin.«

In Alis Kopf ratterte es, er fragte nicht, warum Elyas ihn jetzt aus Berlin anrief, er wusste, er musste jetzt sagen: »Mir geht es gut, mach dir keine Sorgen.« Er sprach den Satz mechanisch aus und wartete, dass Elyas ihm erklärte, warum er das hatte sagen müssen. Was vor sich ging. Elyas fragte:

»Bist du allein?«

Und als Ali nicht antwortete, sagte er ruhig:
»Ich führe dich durch die Stadt.«

Menschen quollen aus den Häusern, schoben sich durch die Straßen, schauten sich nicht an, murmelten, beeilten sich, zu den Läden und Gemüsegeschäften zu kommen, schupsten sich und keiften einander an. Ein junges Paar stritt sich in einem Pulk von Menschen vor dem Bäcker, die Frau sagte, dass es ihr peinlich sei, um zwei Uhr morgens Vorräte einzukaufen, der Mann schrie: »Wenn die Alten das tun, werden sie schon wissen, warum.«

Ali drängte sich durch, blieb an Taschen hängen, sein Handy fiel ihm aus der Hand, er kroch auf Knien zwischen Sandalen und Hausschuhen, tastete danach unter den Röcken alter Frauen, und als er es gefunden hatte, war Elyas noch dran.

»Mach so was nicht. Lass mich nicht fallen, weiß ich, was bei euch da los ist?«

»Ich weiß es auch nicht.«

Der Muezzin heulte wieder auf, dann der nächste, sie unterbrachen einander und schrien.

»Ich verstehe nicht, was sie singen. Aber es ist nicht Gott ist groß.«

»Ich kann es nicht hören. Zu früh für ein Morgengebet.«

»Sie singen eh, wann sie wollen. Sie haben die Zeit ausgehebelt, schon lange. Weißt du, es gibt einen Muezzin in Tarlabaşı, den habe ich mir immer als Elvis vorgestellt. Als Elvis Presley mit silberglitzernder Sonnenbrille. Ein bisschen so wie du auf dem Foto aus dem Foto-Fix-Automaten, weißt du noch, diese Fotos von uns nach der Party, bei der du mich aus einer Prügelei rausgezogen hast, ich habe sie immer noch. Hast du sie eigentlich auch noch?«

Elyas sagte nichts, wahrscheinlich starrte er auf die Nachrichten im Fernseher, Ali konnte das Flirren hören. Elyas atmete hastig am anderen Ende.

»Habe ich dir eigentlich schon Danke gesagt? Weißt du, dass du der Mensch bist, den ich am längsten kenne auf der ganzen Welt, ich kenne niemanden sonst so lange. Außer Anton. Und Valja.« Ali musste plötzlich lachen. »Mir ist gerade eingefallen, wie du meinen Alten von mir weggezerrt hast, kannst du dich daran erinnern, als sein Freund ihm gepfiffen hatte, dass er mich mit einem Mädchen auf der Straße hat rummachen sehen, weißt du noch, wie er reingestürmt ist und auf mich zu, und du hast ihn rausgeschupst aus der Wohnung. Du hast mich immer beschützt, kann es sein, dass du immer da bist? Dass du immer für mich da bist, und ich kriege es nicht mit und gehe nicht mit, wenn du mich abholen kommst, und höre nicht auf dich, wenn du dich um mich sorgst, und du führst mich immer aus diesen Situationen raus, in die ich mich bringe. Ist es so?«

Elyas schwieg, Ali konnte die Stimmen aus dem Fernseher in seinem Zimmer hören. Elyas saß jetzt in ihrem gemeinsamen Wohnzimmer, das er Ali angeboten hatte, das er für Ali eingerichtet hatte, die Türklinken repariert und Staub gesaugt, damit er sich wohlfühlt, anstatt jeden Abend auf der Matratze zu liegen und Staubmäuse zu fangen und abzuhauen, verlorenzugehen in einem Land ohne Boden.

»Wo bist du jetzt?« Elyas hatte ihm offenbar nicht zugehört.

»Ich laufe über die Promenade in Fatih, hier ist fast niemand. Drüben auf der asiatischen Seite brennt etwas.«

»Das Militär hat die Brücken abgesperrt, aber über die musst du nicht, nimm die kleinen über das Goldene Horn und dann die Seitenstraßen hoch nach Cihangir. Du musst es zu Cemal schaffen, kennst du den Weg?«

Ein Hubschrauber kreiste über dem Wasser, Ali hatte das Gefühl, seine Rotorblätter seien eine Axt in seinem Kopf, die

Verbindung setzte jetzt immer wieder aus, er verstand nur Fetzen, er verstand Cihangir und Cemal. Durch die Straßen hallte ein Geheul wie von einem Rudel Hunde.

»Ich habe Angst«, sagte Ali in sein totes Telefon. Elyas war weg, am anderen Ende der Leitung war nichts, jetzt konnte er sagen, was er wollte.

»Wenn ich das überlebe, dann gehe ich zu Mama, ich will mit ihr reden. Sie weiß nichts von mir. Und ich nichts von ihr. Und zu Emma und Danja und Schura und Etja, zu allen, die noch leben, ich will sie so viel fragen. Ich kenne sie nicht einmal.«

Elyas' Stimme schnitt rein, er hatte die ganze Zeit über weitergeredet, übersetzte für Ali die Nachrichten:

»Türkische Streitkräfte. Haben die komplette Regierung. Des Staats. Um die verfassungsmäßige. Ordnung. Menschenrechte und Freiheit. Den Staat, den. Und die öffentliche Sicherheit. Die beschädigt worden sind.« Elyas übersetzte langsam, zog jedes Wort in die Länge, klang verzerrt. Das Rauschen zwischen den abgehackten Sätzen wurde immer lauter, kroch Ali ins Ohr.

»Was heißt das?«, schrie Ali ins Telefon. »Was heißt das?«

Ali wusste nicht, ob Elyas das wirklich sagte oder er es sich einbildete, aber sein Gehirn sendete ihm das Signal:

»Renn!«

Dann war das Rauschen so laut, als würde Alufolie in Alis Ohr zerknüllt werden. Elyas war endgültig weg.

Das schlammgrüne Wasser des Goldenen Horns schien unter Strom, die Boote funkelten, er schaute hinauf zur Metrobrücke, über die Gleise liefen Menschen, er wich ihnen aus, wusste nicht, was die roten Shirts mit den drei weißen Mondsicheln bedeuteten, Gefahr oder Rettung, wusste plötzlich gar nichts mehr, die Umrisse der Dinge wurden schärfer, schnitten in seine Haut, er spürte die Stadt sich verengen wie ein Tunnel, er nahm die Unterführung zum kleinen Park, erreichte die Galata-Brücke, die Angler waren zu einem Pulk zusammengeschmolzen, hielten jemanden in ihrer Mitte, ein Messer blitzte, jedenfalls glaubte Ali das zu sehen, oder es waren die Angelschnüre, er lief vorbei, ohne den Kopf zu drehen.

Die Flügeltüren der Hotels standen offen, im Foyer Trauben von Menschen vor den Fernsehern, Ali rannte über die İstiklal, rannte durch eine Gruppe von Mädchen in kurzen Hosen und roten Shirts, der Polyesterstoff der Fahnen in ihren Händen schlug Ali ins Gesicht. Er lief vorbei an Geldautomaten, die wie Fliegenfänger umkreist wurden, Scheine wurden gezogen, Scheine flogen durch die Luft, die Muezzins heulten wieder auf.

Ein Soldat mit einem Gewehr kam aus einer Seitengasse und rannte Ali fast den Arm ab, hinter ihm zwei, vier, sieben Männer, die nichts bei sich hatten außer ihren Händen. Ali blieb stehen und sah zu, wie sie den Soldaten, nicht älter als achtzehn, vielleicht erst sechzehn, er wirkte wie zwölf, gegen die Wand eines Restaurants drückten und an ihm rissen. Dann kamen mehr und immer mehr Menschen von überall her, Ali hörte Hundegebell, er hatte das Gefühl, am ganzen Körper zu bluten, er sah an sich herunter, aber er war heil, nur voller Staub, und sein Arm schmerzte. Cihangir, dachte er und rannte weiter.

Im schmalen Hauseingang zwischen Cemals Büro und der leerstehenden Metzgerei stand eine alte Frau und schaute starr vor sich hin. Ali hastete an ihr vorbei, blieb dann außer Atem stehen, ging zurück, schaute in ihr Gesicht, erkannte die Wahrsagerin mit dem afrikanischen Märchen von der Wahrheit und suchte mit seinen Augen nach dem Hasen im Käfig, aber den gab es nicht mehr. Die Frau streckte die Hand nach Ali aus, er drehte sich um und lief so schnell er konnte die Treppen zum Büro hoch.

Cemal öffnete die Tür und lächelte. Er ließ ihn rein mit weichen Bewegungen, fast hätte Ali ihn gefragt, ob er wisse, was draußen los sei, oder warum sei er so ruhig, aber der Fernseher lief und sendete Bilder von Menschenmassen, die aufeinander zustürmten, aufgeregte, kreidebleiche Gesichter sprachen in Mikrophone, stumm. Onkel Cemal schien ruhig. In der Ecke auf einem Hocker saß in einem zerknitterten Anzug Mustafa Bey, seine Stirn in die Hände gestützt, er schaute hoch, als Ali hereinkam, seine Augen waren verweint. Ali sagte nichts. Schaute verständnislos zu dem Mann mit den zerbissenen Lippen, dann in Cemals weiches, regloses Gesicht, setzte sich an den Tisch, Cemal brachte ihm ohne ein Wort ein Glas Rakı. Er war warm. Der Geruch von Anis. Cemal stellte sich vor Mustafa und reichte ihm sein Glas. Mustafa weinte laut auf, nahm den Rakı und schaute wieder zu Boden. Ohne zu trinken, stellte er das Glas ab und vergrub das Gesicht in den Händen. Ali schaute zu ihm hinüber und nahm einen Schluck. In seinem Kopf schlugen die Rotorblätter des Hubschraubers im Takt gegen seine Stirn, er konnte sie hören, aber er fühlte sie nicht mehr so stark. Seine Ohren drückten.

»Warum weint er?«

Cemal atmete laut durch die Nase aus. Seine Augen verengten sich, das erste Mal, seit Ali in sein Büro gestürmt war, verzog er eine Miene. Sein großes Gesicht zog sich an der Nase zusammen, seine Augenbrauen drückten auf die Lider, die Wimpern verschmolzen zu schwarzen Balken, die untere Lippe drückte die obere hoch. Er schaute zu Mustafa, der sich mit dem Kopf in den Händen auf dem Hocker krümmte, und dann zu Ali.

»Der eigentliche Putsch ist schon lange im Gange«, sagte er, ging zum Fernseher und schaltete den Ton an.

Ali rückte seinen Hocker an Cemals heran. Über das Gelände des Atatürk-Flughafens rollten Panzer. Er hörte die Nachrichten trotz des lautgestellten Tons nicht, er hörte Cemal durch den offenen Mund atmen. Ihm schien, es tickte eine Uhr, aber es war keine im Raum. Ihm schien, irgendetwas liefe immer wieder über seine Füße. Er schielte zu Cemal, auf seine rundliche Silhouette, auf die Asche, die von seiner Zigarette auf den Boden fiel. Im Licht des Fernsehers waren die Falten in Cemals Gesicht Risse.

Ali sah ihn lange an und spürte, wie er ihm alles erzählen wollte, was er auf dem Weg zu ihm gesehen hatte. Das Gesicht des zwölfjährigen Soldaten, das zerdrückt wurde, die Geldscheine, die durch die Luft geflogen waren, die Fahnen. Er wollte ihn fragen, was die drei Mondsicheln bedeuteten und die Schlangen vor den Läden. Dann fragte er sich, ob er jetzt zurückmusste, aber er hatte keinen Pass mehr, das wollte er Cemal auch sagen, dass man ihm seinen Pass gestohlen hatte, dass Katho – und plötzlich fiel ihm ein, dass der Pass ihm jetzt ohnehin nichts mehr nützen würde. War es bei seiner Einreise schon schwer gewesen, ihn darauf zu erkennen, war es jetzt unmöglich, selbst wenn er sich rasieren würde, ab jetzt war es ein anderes Gesicht. Dann fragte sich Ali, ob Cemal mitkommen würde, wenn er ginge, und wusste gleichzeitig die Antwort. Cemal hatte einen Ort, von dem er nicht wegzubringen war, er ging ja noch nicht mal freiwillig auf die Straße. Teile von Cemals Familie warteten auf ihn in Deutschland, luden ihn ein, zu kommen, nicht nur für ein paar Wochen, für immer, aber Cemal war ruhig wie bei sonst nichts, wenn es um die Frage ging, sein Land zu verlassen: Wenn man eines hat, kann man es nicht verlassen. Das schleppt man immer mit. Also, was soll das.

Das alles konnte ich nicht nachvollziehen damals, ich hatte keine Ahnung, was das heißt, ein Land zu haben. Ich hatte keine Ahnung, was das heißt, einen Putsch zu erleben. Cemal schon, es war sein dritter. Ich saß mit herunterhängenden Armen neben meinem Onkel, der strenggenommen nicht meiner war, und hatte nichts im Kopf, keine Länder, keine Richtungen. Verstand nichts. In meinem Kopf fuhren Panzer von einer Schläfe zur anderen, dann sang Leschenko das Lied von den Panzern, die hinausfahren an das Flussufer, es blühten Apfelbäume und Birnen – Katüscha ging an das Flussufer, und ich fragte mich, wo Katho wohl sei und ob es ihm gutgehe.

Ich sah ihn, sah sein Gesicht mit der schwarzen Perücke, seine mit goldenem Stoff überzogenen Hüftknochen, wie er seinen Fuß auf meinem Knie abstellte, über mich an die Gogo-Stange sprang, ich sah ihn durch die Bar auf mich zugehen, als würde er mich kennen, ich sah ihn am Pier mit dem Kopf auf meinen Knien rauchen, als wir beide über das Goldene Horn schauten, zu den Booten voller Menschen, die auf den Basar wollten, Kaffee trinken bei Mehmet Efendi. Die Zeit raste vor meiner Nase, und ich sah ihn dort, auf dem Basar, vor dem Kaffeeladen stehen und die Jungs beobachten, wie ihre Finger die Tüten knickten, viel zu schnell. Ich sah ihn zwischen den Ständen, lange nach alldem hier, nach uns, nach den Unruhen, irgendwann, wenn es kühler geworden wäre, vielleicht im Oktober, durch den Kitap-Basar streifen, sah, wie er sich hinhocken würde vor den alten Büchern in dünnem Einband, die er nicht lesen könnte, aber schön fände. Er würde über die Touristen stolpern, die auf der Straße säßen und Säfte schlürften, und es wäre ihm egal. Er würde sich in einer kleinen Stube Tavla-Bretter zeigen lassen, damit Onkel Cemal ihm beibringen könnte, wie dieses Spiel funktionierte, er würde eines auswählen, das am wenigsten nach Nagellackentferner roch, und sich das glückliche Gesicht von Cemal vorstellen, wenn er es vor ihm auspackte. Außerdem würde er Cemal etwas Süßes mitbringen vom Basar, würde sich in die Schlange vor dem Kuruyemiş-Stand einreihen, sich einhundert Gramm schmalzige braune Aprikosen in eine Papiertüte füllen lassen, und dann, genau dann, würde er ihn sehen, den Mann mit dem Vogeltattoo auf dem rechten Unterarm, einem Grünfinken mit weit nach hinten ausgestreckten Flügeln. Er würde vor ihm in der Schlange stehen, in seiner linken Hand würde der Mann etwas tragen, das wie ein Koffer aussähe, klein, fast quadratisch und mit weißem Baumwollstoff überzogen. Katho würde die Aprikosentüte drücken und die Luft anhalten.

Der Mann würde bezahlen und sich schnell zwischen den Reihen des Basars hinunter zum Wasser bewegen, Katho würde ihm hastig hinterhertippeln in der Angst, ihn zu verlieren, und sich hinter den Autos verstecken, wenn der Mann mal stehen bliebe. Er würde ihm folgen durch die Straßen voll mit Kronleuchtern, Lampen und Glühbirnen, mit Autoreifen, Werkzeug und Anglerbedarf, wo es nach verbranntem Gummi und nach Linsensuppe mit rotem Pfeffer roch, vorbei an den Fähren, die hin und her schaukelten, hin zu einem improvisierten Teegarten, einem Häuschen aus vier schiefen Wänden und einem Blechdach und davor ein paar Stühlen.

Der tätowierte Mann würde jeden einzelnen der Gäste per Handschlag begrüßen, einen Çay bestellen, zu dem Haken an der Wand des Teehäuschens gehen und dort den bedeckten Käfig aufhängen.

Katho würde auch bestellen, die Aprikosentüte auf den Tisch legen, mit dem Fuß wippen, sich den Schwarztee in den Rachen gießen, als wäre er Hochprozentiger, und auf das Wasser starren, so tun, als wäre er nicht da.

Und dann, irgendwann, nach einer Weile, würde es losgehen.

Zuerst klänge es wie das Geschrei eines Kindes, dann würde das Schreien zu einem schrillen Stakkato werden, das abrupt endete und wieder einsetzte. Die Stimme des Vogels unter dem Stoff, tief und voll, würde klingen wie eine Frage, vor der Kathos Kopf zu platzen drohte.

Er würde sich dem Käfig nähern und ihn betrachten, der Besitzer würde sofort aufspringen und im Flüsterton fragen, was er wolle.

»Nur mal sehen«, würde Katho sagen. »Nur ein Mal.«

Der Mann würde Katho anschauen, seufzen, seine beiden Daumen in den Stoffüberzug vergraben, unter dem sich noch eine Stoffschicht zeigen würde und noch eine weitere, er würde den Vorhang mit seinen Fingern öffnen wie etwas Unanständiges, und in dem Spalt darunter wären die Gitterstäbe des Käfigs.

So oder so ähnlich stellte ich es mir vor, als ich neben Cemal auf dem Hocker saß und wartete, ich wusste nicht worauf, ich wusste nicht, was vor sich ging, schon wieder nicht, ich hatte Angst, Angst, mich zu bewegen, Angst, dass Cemal etwas sagen würde, dass Cemal sagen würde, ich müsste weg. Ich saß da, starrte an die Wand über dem Fernseher, erdachte mir Kathos Leben und wie es nach mir weitergehen würde, wie es ohne mich weitergehen würde, so wie ich mir Antons Leben zusammengedacht hatte, so wie ich all die Leben zusammensetzte, die ich nicht kannte, in die ich eingesponnen war und die ohne mich weiterliefen.

Es war dunkel im Zimmer, der Fernseher beleuchtete Cemals Silhouette, die Asche auf dem Boden, der Fernseher sendete irgendwelche Bilder. Mir war schwindelig, ich wollte zum Sofa, wollte mich hinlegen, stand aber nicht auf. Das Zimmer drehte sich, Cemal, die blauen Kacheln, der Efeu vor dem Fenster, der weinende Mann in der Ecke, die offene Flasche Rakı auf dem Tisch, die aufgeschlagenen Zeitungen, das Flirren des Fernsehers, ich sah verschwommen, dann ging das Licht aus.

Die Nacht wechselte nicht zum Tag, es hatte keinen Übergang gegeben, ich wachte auf und sah Cemal auf dem Sofa bei mir sitzen, seine Unterarme auf die Knie gestützt, die Hände gefaltet. Die dicken, schwarzen Haare auf seinen Fingergliedern waren ganz nah an meiner Nasenspitze. Sein Gesicht hing über meinem, und ich weiß noch, wie mir einfiel, dass er, kurz nach meiner Ankunft, als ich mich auf seinem Sofa von Wanzen zerfressen ließ, auf jenem Sofa, auf dem ich jetzt wieder lag, von einem Unglück gesprochen hatte, das bald in der Türkei passieren würde, und ich hatte nicht zugehört. Ich hatte mich unterhalten lassen mit Geschichten über Yılmaz Güney und die Frau, die er liebte.

Ich dachte über das Wort nach, das Cemal damals benutzt hatte: Unglück. Dieses Wort, ich hatte es immer wieder von den Alten gehört, aber es war für mich eine leere Hülle gewesen, fast nur ein Geräusch.

Ich streckte meine Arme nach Cemal aus, ich hängte mich an seinen Hals und verharrte dort. Ich fühlte mich taub. Ich drückte meine Stirn gegen seine Schulter. Meine Augen waren mit einem Film überzogen, ich blinzelte, versuchte, den Staub wegzuwischen. Ich hörte eine Uhr ticken, die Rotorblätter des Hubschraubers, Cemals Puls an der Halsschlagader. Ich lächelte, und einen Moment dachte ich, ich gehe nie wieder irgendwohin.

»Anton, ich habe Çay aufgesetzt, lass mich los, dann bringe ich uns welchen«, sagte Cemal, stand auf und ging in die Küche.

Dieses Buch gibt es dank euch:
Karin Doris Nadja Wera Tucké Necati Emre Kiri
Emma Danja Schura Etja Sivan Michou Orhan
Maria Ebru Veteranyi Díaz Bachmann Bolaño
Baldwin Cortázar Louis Brodsky Preciado Eugenides
und Istanbul

Dank auch an Ludwig Metzger für seine Dokumentation
Hier Himmel, in der ich Aglaja Veteranyis Stimme hören
konnte.

Außer sich hieß eine Ausgabe des Kultur- und Gesellschafts-
magazins *freitext*. Der Roman und ich danken für den Titel.
Es ist ein alter jüdischer Brauch, Namen weiterzugeben.